林慶彰　總策畫
民國時期稀見期刊彙編
第一輯

政學科研究年報⑧
（私法篇）

臺北帝國大學研究年報

第廿三冊

臺北帝國大學文政學部

政學科研究年報

第八輯

故姉齒松平先生肖像

冒序

臺灣總督府高等法院上告部判官にして、本學の講師を兼ねて居られた姉歯松平先生は溘焉として逝かれた。昭和十六年十月十日の未明である。我々は今臺北帝大文政學部政學科研究會の決議に基き、玆に先生の追悼記念號を上梓するに當り、深き感慨と痛惜の念を禁ずることを得ぬのである。

先生は、明治十八年五月宮城縣栗原郡長岡村小野に生れ、中央大學に學ばれた。明治四十四年十二月判檢事第一回登用試驗に登第、次いで司法官試補を拜命、東京地方裁判所に勤務されたのであるが、大正元年十月渡臺せられ臺北に於て辯護士として約六年間活躍せられたのである。後大正七年臺中地方法院判官に任ぜられたが、大正九年六月高等法院覆審部判官に轉ぜられ、昭和四年には高等法院上告部判官に進まれた。爾後常に上告部に於て執務せられたのである。斯くて昭和十六年四月高等官一等に敍せられ、逝去後更に、特旨を以て正四位を追賜されたのである。

先生はかく如く、主として司法官として又司法實務家として一生を終はられたのであるが、其の間我が大學警察官講習所等の講師として、又臺北比較法學會員として、學界・敎育界にも巨大な足跡を殘されたのである。その著作としては「祭祀公業並臺灣ニ於ケル特殊法律ノ研究」（東都書籍株式會社藏版）、「本島人ノミニ關スル親族法並相續法ノ大要」（臺灣月報發行所）の二大著を初め、別表に揭ぐる如く、「臺灣月報」誌上に揭載された幾多の名篇が存するのである。殊にその眞摯なる生活態度、その溫雅なる御人格は、氏に接するあらゆる人人に好感と欽慕の情を起さしめたのである。

先生の逝去は、實に我が學界・司法界の一大損失と言はなければならぬ。

玆に我々は、先生の遺德を追想し、ささやかな數篇の論文を草して、先生の英靈に捧げんとするものである。

昭和十八年二月三日

年報委員

宮崎孝治郎

姉歯判官研究論文「臺法月報」登載年譜

大正一二年一月　民法商法施行に就て

二月　私書證書に關する立證責任

三月　家産相續の觀念及家號名義

四月　夫婦關係の解消と原因要否

六月　贌耕權及贌耕に就て

七月　同

八月　債權者の受領遲滯

九月　戸口規則の性質に就て

十月　契約解除に關する諸問題

十一月　同

十二月　同

大正一三年一月　自由心證主義と證書の證據力

同　契約解除に關する諸問題

二月　同

三月　合意上の契約解除

四月　不當利得の要件に關して

五月　同

六月　不當利得の效果

七月　隔地者間意思表示の效力

八月　臺灣特例大正十一年勅令第四百七號第八條論

九月　責問權に關する研究

十月　取消權に關する研究

十一月　同

十二月　賣渡抵當又賣渡擔保に就て

大正十四年一月　同

二月　高等法院上告部判例の研究

三月　同

四月　必要的共同訴訟に就て

五月　詐害行爲取消權行使の相手方に就て
七月　高等法院上告部判例の研究
八月　上訴審に於ける訴訟手續
九月　同
十月　高等法院上告部判例の研究
十一月　民法第一二八條と同第一三〇條との適用に關する疑問外二篇
十二月　高等法院上告部判例の研究
大正十五年二月　同
三月　同　外一件研究
四月　商法及高等法院上告部判例の研究
五月　民法に關する研究
六月　不可分債權に關する一疑問
七月　大正十一年勅令第四百七號第八條による履行不能を原因とする契約解除に伴ふ一疑問外一件
九月　工作物設置に關する不法行爲の成立と之か救濟に關する一疑問
十月　必要的共同訴訟に關する上告部判決に對する疑問

十一月　債權侵害と損害發生の有無に關する一疑問
十二月　不動産當記の申請に付當事者の一方が相手方の代理人となり又同一人にして當事者双方の代理人と爲ることとを得るや
昭和二年一月　私法上より觀たる銀行及信用組合の金錢貸借に就て
二月　不法行爲に原因する金錢的損害賠償權の附遲滯に就て
三月　大正十一年勅令第四百七號第六條第七條及民法施行法第四十四條に關する一疑問
四月　債權讓渡に關する二個の疑問に就て
五月　辨濟竝代物辨濟の性質及破産法第百十二條に所謂利害關係人の範圍に關する高等法院上告部の見解に對する疑問
六月　土地測量誤謬の土地所有權に及ぼす影響と其の救濟とに關する法律問題に就て
七月　土地調査に於て死者名義に査定を受けたる儘民法施行後に及びたる土地の民法上の地位と明治四十四年律令第三號相續未定地整理規則及民法第二五五條後段との關係に就て
八月　賃貸借契約上に於ける再轉貸借契約の効果及所謂他理權を容認したる高等法院上告部判例に就て
九月　土地調査に於て公號某名義屋號某名義又は單純公業名義に査定を受けたる土地にして其實質祭

祀公業に屬するもの又は辨事育才其他祭祀公業以外の公業及祠廟に屬するものの民法施行後に
於ける法律上の地位に就て

十月　（一）祭祀公業の現管理人を解任し新管理人を選任する手續と其の決議の效力

（二）祭祀公業の管理人變更登記か抹消せらるへき場合に於ける之か請求の當事者及抹消登記の
請求と同時に回復登記を請求するの可否

（三）戸口簿上被相續人の姓を冠せさる相續人の地位に就て

十一月　（一）刑法第九十五條第二項に所謂公務員をして或處分を爲さゝらしむる爲暴行脅迫を加へたる
場合の意義

（二）臺灣阿片令第十六條後段に所謂消費の意義及相當價格徵收に關する疑義

（三）家屋の賃貸借契約に於て民法第四百十六條第二項に所謂當事者か其の事情を豫見し又は豫
見することを得へかりし時を定むる標準如何等に就て

十二月　民法施行後慣習の儘存續すへき法人たる寺廟及祠廟と其の管理方法に就て

昭和三年一月　民法施行前處分の能力又は權限を有せさる者の設定したる贌耕權（民法第六百二條參照）及民
法施行前設定したる典權にして民法施行當時仍存續するものに對し民法施行法第三十四條の適
用の有無竝適用の結果に關する疑問と同條の法定期間の意義に就て

二月　不當執行に對する損害賠償責任に就て

三月　(1)同一土地に對する所有者の占有權と不法占有權との關係及(2)賃貸人の土地引渡の方法に就て

四月　假處分の效力に關する一疑問

五月　不動產の賣買豫約に關する假登記の效力に就て

六月　破產法第二百四十四條第二項に依り破產者を共同被告と爲す場合に於ける當事者資格に付て

七月　民法第四百六十八條第二項に關する一疑問

八月　既存債務の爲に約束手形を發行したる場合に於ける法律關係に付ての一疑問

九月　(一)民法第六百三十七條に關する一疑問

(二)繼嗣者なき死者の祭祀を目的とする祭祀公業の有無及其の派下に就て

十月　所謂證據共通の意義に就て

十一月　(1)關稅法第七十五條の沒收竝同第八十三條の沒收不能の意義及該沒收不能に伴ふ追徵等に關する一疑問と(2)受任者に對して成立する橫領罪に關する疑問

十二月　假登記を爲したる物權取得者の本登記經由の方法に關する一疑問

昭和四年一月　本島人に付民法人事篇の施行は何故急務なるや

二月　所謂保證渡に就て

三月　抵當權の疊建具に及す效力に就て

四月　同時に履行すへき双務契約上の相對的定期行爲に付當事者双方か履行期を徒過したる場合の效果に就て

五月　二重賃貸借と賃借人相互間の關係に就て

六月　產業組合法第六十一條に所謂改選命令の意義及同第六十條の二の場合に於ける假理事選任の要件竝假理事の職務權限に就て

七月　產業組合に於ける組合員の持分と其の差押に就て

八月　產業組合法上組合員に對する組合總會に於ける決議權行使の制限に就て

十月　總會招集の手續又は決議の方法に違法ある場合に於ける產業組合總會決議の效力と產業組違法第二十四條との關係竝同法第三十七條代理人の範圍に就て

十一月　本島人間に於ける養子緣組の當事者と養子緣組の成立不成立に關する訴の性質及被相續人の爲したる全財產の遺贈の效力に關する上告部判例に就て

十二月　準備手續施行中受命判官及裁判所は文書送付の囑託を爲すことを得るや

昭和「五」年一月　不履行に因る損害賠償額の算定時期に就て

二月　私文書の形式的證據力に關する一考察
三月　假差押命令の登記後に登記したる二番抵當權と右假差押債權及其の後の配當要求債權との配當實施に就て
四月　臺灣の土地に關する物權の設定移轉に付ての小沿革と之に伴ふ經過的法律問題
五月　同
六月　本島の慣習上に於ける分戶の要件に就て
七月　刑法第五十四條第一項及骨牌稅法第十五條に關する最近の判例に就て
八月　臺灣に於ける夫妾制度と之に伴ふ效果に就て
十月　情況の變更に因る假差押命令取消の申立權者に就て
十一月　同時に履行すへき雙務契約上の相對的定期行爲に就て
十二月　同
昭和六年一月　無斷開墾は盜罪又は毀棄罪を構成せさるや
二月　代表申告に就て
三月　再ひ大正十一年勅令第四百七號第十六條に就て
四月　祭祀公業の名稱

五月　本島慣習上の養媳
六月　祭祀公業の意義及沿革
七月　祭祀公業の性質と其の分類
八月　土地の二重賃貸借の場合に於ける引渡と登記との優劣に就て
九月　祭祀公業の能力
十月　祭祀公業の機關
十一月　臺灣に於ける親族及相續に關する現行慣習の大要
十二月　失火の責任に關する明治三十二年法律第四十號と民法第七百十四條及同第七百十五條との關係
昭和七年一月　祭祀公業の機關
二月　同
三月　祭祀公業の派下及派下權
四月　祭祀公業の住所財産目錄派下名簿及祭祀公業の變更
五月　人と法律
六月　同
七月　祭祀公業の消滅

八月　商法施行法第百十七條は本島に適用なし
九月　本島に於ける不動産質の存續期間に就て
十月　社會生活上知り置くへき法律事項
十一月　同
十二月　新手形法の要旨と現行法即ち商法中爲替手形及約束手形に關する法規との差異
昭和八年一月　臺灣に於ける民事法の沿革に就て
二月　臺灣土地登記規則施行前に於ける土地に關する物權の設定移轉と民法第七十七條との關係
三月　產業組合の理事及監事の辭任と知事の發したる理事及監事の改選命令に關する上告部判例に就て
四月　市場規則に於ける市場の意義と所謂場外取引の適否に就て
五月　將來發生することあるへき定款所定の總會決議事項を未發生中豫め決議し置くは有效なるや
六月　民法第八百四十三條第八百六十二條第二項第八百六十七條に就て
七月　民法第五十六條を條理として祭祀公業に適用するに就て
九月　斤先掘契約は臺灣鑛業規則上法禁行爲なりや
十月　本島人のみに關する親族法竝相續法の大要

十一月　同(二)

十二月　祭祀公業に於ける派下總會の決議に對し無效宣告を求むる訴と無效確認を求むる訴とに就て

昭和九年一月　本島人のみに關する親族法並相續法の大要(三)

二月　同(四)

三月　同(五)

四月　同(六)

五月・同(七)

六月　臺灣に於ける所謂合股の法律關係に就て

七月　母と子との法律關係

八月　同(二)

九月　同(三)

十月　本島人のみに關する親族法及相續法の大要(八)

昭和十年一月　同(九)

二月　同(一〇)

三月　同(一一)

四月　同（一二）
五月　本島人の隱居に就て
六月　本島人のみに關する親族法及相續法の大要（一三）
七月　同（一四）
九月　同（一五）
十月　本島人のみに相續に關し注目すへき最近の判例に就て
昭和十一年一月　勅令を以て臺灣に施行する法律に就て
三月　禁治產者に對する私生子認知訴訟と後見人
四月　本島人のみに關する親族法竝相續法の大要（一六）
五月　同（一七）
六月　本島人の戶籍に關する研究
八月　組合員の債權債務と混合
九月　本島人のみに關する親族法竝相續法の大要（一八）
十月　招入婚姻に就て
一月　本島人のみに關する親族法竝相續法の大要（一九）

十二月　同（一二〇）

昭和十二年一月　同（一二一）

四月　同（一二二）

五月　法定推定戸主相續人は他家に入り又は一家を創立することの自由を有せさることに就て

六月　養親の嫡出名義の出生屆と養子縁組

七月　本島人間の親權と民法第八百八十八條

八月　判例より觀たる祭祀公業の範圍及性質

九月　未成年養媳の法定代理人に就て

十月　內地人本島人別犯罪傾向に就て

昭和十三年一月　本島人のみに關する親族法竝相續法の大要（一二三）

二月　養媳と養女との區別竝兩者の戶口上注意すへき事項に就て

九月　本島人間の親族會に關し注目すへき最近の判例に就て

十月　招壻又は招夫と前夫の子との身分關係に就て

昭和十四年一月　民事訴訟法第三百九十七條乃至第三百九十九條の規定は再抗告に準用なし

四月　代表申告の前後引續き土地を使用收益し來りたる被代表者の地位と立證責任に就て

六月　不動產の特定遺贈と民法第百七十七條
七月　本島人間に於ける選定相續に就て
八月　第一、法定の推定相續人たる男子を有する本島人女戸主の妾婚姻と廢家及相續の開始とに就て
第二、法定の推定戸主相續人たる唯一人の男子に關する養子緣組の許否と養子と實子との戸主相續上の順位の一場合に就て
九月　高等法院上告部に於ける注目すへき最近判例に就て
十一月　國稅徵收法第四條の二第二項に所謂總ての債權中に同法第三條の債權をも包含するや
十二月　未成年者の財產上の行爲に付嫡母の親權行使に關する制限に就て
昭和十五年一月　祭祀公業の組織に關する一般的概念と其の管理及派下總會決議の效力に關する最近の判例に就て
一月　招壻又は招夫の實家戸主の死亡に因る財產相續權の有無に就て
三月　本島人の分家成立に就て
四月　本島人間に於ける後見及保佐の缺格事由に就て
五月　鬮分契約と大正十一年勅令第四百七號第八條との關係に就て
六月　代表查定の前後引續き土地を使用收益し來りたる被代表者の地位と大正十一年勅令第四百七號

第八條との關係に就て

七月　本訴訟代理人の代理權の消滅と訴訟復代理人の地位に關する最近の判例に就て

十月　本島人の財産相續に於ける相續分取戻に就て

昭和十六年一月　民法施行前建物所有の目的を以て爲したる所謂地基的法律關係に因る土地貸借の民法施行後に於ける民法上の性質に就て

（以上は臺法月報編輯助手福永厚氏の御調査によるものである）

以上の外臺北比較法學會編「比較婚姻法」第一部に「臺灣に於ける本島人間の婚姻成立」、同書第二部に「臺灣に於ける本島人間の婚姻の證明及效果」を寄せられてゐる。

臺北帝國大學
文政學部

政學科研究年報 第八輯 私法篇

目次

目次

第一章　支那家族制度概觀

第一節　支那家族制度の成立

極めて特異なる性格を有し、支那に存在する一切の社會制度の模型となつた支那の家族制度は如何なる過程を經て成立したものであらうか、支那の家族制度の歴史は、支那民族史と同一の起源を有するのであり、宋文炳や呂思勉の「中國民族史」、郭沫若や呂振羽の支那原始社會に關する諸研究を見、張亮采の「中國風俗史」を繙くとき、支那の原始社會の構造と發展とに對して無限の興味を覺えるのであるが、山海經や海內經等の記述を基礎として、支那の婚姻制度や家長權の發達等を說くことは、學問的にあまり價値もないことと信ずるので、所謂「中國原始社會史考」を試みる意圖を有しないのであるが、唯支那の家族制度の本質を理解するに缺くべからざるものと思はれるのは、今から五千餘年前に、漢民族の主體たる諸夏系が黃河流域の中部（河南・山東の大部・山西・陝西・河北・湖北の一部）に出現したころには、彼等は農耕・牧畜を主業とする民族であり、當時黃河流域の豐沃にして廣大なる地域は、彼等に大家族を形成するに充分なる經濟的基礎を與へ、而して大なる勞働力を要する大規模の農耕・牧畜のためには大家族の聚居を以て利便とし、又諸夏系の居住地方の周邊には、東夷系・百粵系・苗蠻系・巴蜀系・氐羌系・北狄系・東胡系等の諸民族が蟠居して居り、諸夏系の支那民族は此等の四周の諸異民族に對し勢力を擴張し、其の範圍を擴めて行く際に、成るべく武力征服の手段を用ゐず、經濟的・植民的開拓の方法に由つて徐々に發展を進めて行つたのである。從つて諸異民族の住地へ入り込んだ諸夏系（支那民族は自分達を諸夏と呼び周圍の異民族を夷狄と名づけた）は、「其の開拓した地方に於て、一つには、爾後の開拓を進める根據を固うするため又一つには周圍の異民族に對する防衞のため、自治自衞の手段を講ずる必要に迫られた。」[1]而して農耕民族に於て、その自衞自治の手段として最も適切なものは、血統を同じくし從つて最も信賴し得る血族團體の結合であつた。斯くの如き經濟的・自衞的理由によつて鞏固な支那大家族制の原型が形づくられたものと信ずる。このことは、臺灣に福建人及び廣東人が移住して之を開拓した際の歷史に顧みるも、之を實證することが出來るのである。

　支那の家族制度に於ても、初めは母系制が行はれ、やがて主として貨財の生產獲得の實權が男性に移るに至つて家父長制に推移したものと思はれるのであるが、廣池千九郎氏は、其の東洋法制史本論二五五頁に於て「殷代の宗族に周の宗法なく、周代に始まる嫡長子相續制は當時存在して居なかつた一と述べて居られるから、周代に至るまで支那の家族制度も其の組織に於て變遷動搖を繰返して居たのであり、現代まで影響を及ぼして居る支那特有の家族制度の確立したのは周代にありと見るのが正當であらう。

支那の家族制度と封建制度とは離るべからざる關係にある。

支那は秦の始皇帝の統一以前に於ては、確かに封建制度であつた。

支那家族制度の形成に關する經濟的な理由は上述したが、制度としてその形成に與つて最も力があつたのは其の封建制であり、思想的には、其の積極的の面に於ては儒敎精神であり、其の消極的な面に於て無爲にして化することを理想とする政府の不干涉主義にあつたと見るべきであらう。

周代の政治組織に於ては、天子の下に諸侯があり、諸侯の下に大夫があり、大夫の下に士庶民があつた。天子は諸侯に土地を與へて、其の國を建てしめ、諸侯は邑を大夫に與へて其の家を保たしめた。從つて大夫は其の邑に對しては政治を執行する權力があり、諸侯は其の國に對して行政權を有して居た。

故に天子は天下を治め、諸侯は其の國を治め、大夫は其の家を治め、士庶民は其の身を修めた。此の種の政治組織を見れば、それが孔子の政治哲學である所の修身齊家治國平天下の敎義に外ならぬことを知るのである。

斯る政治組織は當時の社會狀況を離れて發生したものではなく、寧ろ當時の社會構成に基いて產出せられたものであらう。

當時の社會が斯る政治組織を產出した點を略述するために、禮記大傳中の一節を引用すれば、「親を親しむ。故に祖を尊ぶ。祖を尊ぶ。故に宗を敬ふ。宗を敬ふ。故に族を修む。族を修む。故に宗廟嚴なり。宗廟嚴なり。故に社稷を重んず。社稷を重んず。故に百姓を愛す。百姓を愛す。故に刑罰中《あた》る。刑罰中《あた》るが故に庶民安んず。庶民安んずるが故に財用足る。財用足るが故に百志成る。百志成るが故に禮俗刑《な》る。禮俗刑《な》りて然る後樂しむ」。

此の一句から推して、當時の政治は親親尊祖に始まり、人民の安居樂業に終止するにあつたことがわかる。換言すれば當時の政治目的は人民の安居樂業に在る。而して安居樂業の根本要旨は、親親尊祖敬宗に在る。親親尊祖敬宗を簡單に云ふならば、家族主義の尊重といふことになる。而して家族制度の發展が支那の宗法社會制度を完成したのである。此の宗法制度は、支那民族文化の根幹であり、四千年來、支那民族文化を維持した源泉であり又當時の宗法社會が產出した封建制度の礎柱である。

而して封建制度の政治は、宗法社會の完備を促進したのである。しかし其の後周朝衰微し、王綱振はず、所謂五覇七雄が蜂起して紛爭を醸し、封建の諸侯は、此の紛爭の旋渦に捲き込まれて、大は小を併呑し、弱肉强食の情勢を誘致し、封建制度は漸次に崩潰したのである。

秦の始皇が六國を併呑するや、遂に封建制度を廢して郡縣に改め、又租税の徵收の便宜のために大家族を分散して小家族たらしむることに努力した。此の意味で秦始皇の時代は支那古代史の一大轉換期といふべきである。斯くの如く秦始皇は封建制を廢し郡縣を置いたが、支那宗法社會制度は、このために其の本質に於て何等の動搖を來さなかつたのみでなく、秦より現在に至るまで、支那宗法制度は進步と完備の一路を辿つて來たのである。更に漢・唐の時代には、支那民族の民間信仰を基礎として老莊の說に附會して道敎思想が興つたが、結局儒家が尊重する理念としての孔孟の哲學に打勝つことが出來なかつた。殊に漢・唐・宋各時代に於ける博學宏儒達は、儒學の擁護推進に努め、宗法制度の哲學は、支那文化の推進力となるに至つたのである。斯くて宗法社會の制度は秦朝以後依然として支那の政治を支配した。支那の易姓革命は如何にも頻繁であり、政治の變遷は如何にも劇烈であつたといふものの支那の宗法社會制度は、終始政治を支配する立場にあつたのである。簡單に一例をあぐれば、秦より以後、政治は縣を以て單位となし、縣知事は政治上の直接責任者であり、若し縣知事がその人を得れば、政治は直ちに明朗化し、天下太平、皇帝は其の尊榮を享受し得られたのであるが、反對に縣知事が其の人を得なければ、政治は紊亂し、國亡び家喪ふの憂を喫することになつたのである。

秦以後皇朝王位十餘代の盛衰興亡があつたが、これ等は殆んど同一の轍を履んだ様である。換言すれば、秦より以後滅びざる國は一つもないが、秦より以後連綿として相傳へて滅びざる家は今尙存するのである。孔子・孟子等の家は代々相傳へて今日尙山東省曲阜及び鄒縣に存在して居るのである。

私は玆に支那の最も代表的な家の例として孔家の歷史を顧み度いと思ふ。[2]

曲阜には孔子より七十七代續く孔家の末裔が住んで居るが、孔子の子孫は、もとは衍聖公といふ位(我が公爵に相當する)を朝廷から授けられて居たが、民國になつて、その稱號をやめた。孔家の末裔は代代孔子の祭祀を營むことをその主たる職掌として居たのである。曲阜には孔子の廟の外、孔家各代の墓がある。歷代の帝王は孔子の祭典を執行するために祭祀料として莫大な田地を與へた。卽ち廟田である。孔子を祭るための廟田は曲阜のみならず山東省の各縣にある田地から上る小作料は年に二、三十萬圓位あるのである。之を以て年々の祭典の費用及び孔家一族の生活費に充てた。

斯くの如く各代の帝王より莫大な廟田を與へたのであるが、其他に淸朝時代、別に祭祀料（扶持料）を與へられて居たのである。

孔子の祭典は、淸朝時代まで盛であつた。祭に參加する祭典施行者のみでも二、三百人あり、古式に則り舞樂（我が國の能の如し）を行ふ者のみでも相當の數に達したのである。此等の孔子廟の祭祀に從ふ樂舞生・禮生は、淸の舊制に從へば、樂舞生は二百四十名、禮生は六十名であり、兗州府の屬縣二十七州縣の俊秀子弟を選んで之に充てたのであり。差役・徭役を免じた。科擧に於ける資格とは關係はなかつたが、一種の名譽と免役の實利とを享受したものであるといふ。當時孔子廟の役人は千二百人、護衞隊は二、三百人もあつて、此等の費用は、朝廷の扶持料と廟田の小作料より支出せられたものであり、當時孔家の一族は王侯の如き生活を營んで居たのである。

民國になり、孔子崇拜の熱は下火になり、政府は扶持料をやめた。又孔子の末裔に對し、衍聖公の稱を停めた。國民黨政權に至つては打倒孔子を唱へ、其の風潮は次第に劇しくなり、孔子廟の祭典をすら停止するに至つた。それは民國十五、六年頃のことであつた。

斯くの如く打倒孔子の風潮が甚しくなつて、孔家の廟田を沒收し始め、各縣の廟田收益を以て地方教育費の財源に充つるに至り、孔家廟田の大半は國民政府に沒收されたのである。然るに蔣介石は日支事變一、二年前より新生活運動を起し、儒教を利用する方針に變り、民國二十三年頃より、孔子の末裔に對して、孔子奉祀官なる位を授けた。之は特任官であり、我國の親任官待遇に相當するものである。更に國民政府は年々四、五萬圓の扶持料を孔家に與へ、打倒孔子の風潮とは反對に、孔子は中國の偉人にして風教に影響を及ぼせる功大なりとし、再び孔子の祭典を開始せしめ、孔子廟に屬する廟田より生ずる收益を沒收せざるに至つた。

今事變に當り、蔣介石は孔家七七代の孔德成氏(二十二、三の人)を四川・重慶方面に連れ去り、未だ曲阜に戻つては居ない。

以上は支那の名家の一例であるが、一般人民にも、秦より以後の古き家譜を有するものは決して少くない。今次の旅行中、私が滿鐵調査班の人々と共に訪問した、濟南に近い歷城縣冷水溝莊の李家にも唐時代に此の地に移つたといふ家譜の記錄を見た。これは取も直さず、支那の宗法社會が、社會構成の骨子となつて居ることを示すものである。

國民の家といふ意味の國家といふ文字や、昔、縣知事を父母官と稱し、庶民は之に對して子民と稱した、此等の家とか、子民の子の字及び父母等の文字は悉く家族制度の要素を構成して居るもののみである。[31] 此等の點に於て、支那の社會は西洋のそれと根本的に相違して居るのである。

又日本の家族制度と、支那の家族制度とを比較すると相當に異つた點がある。日本では長子を以て家督相續を行ふのであるが、支那では長子、次子の別無く分頭相續を行ふのである。日本に於ては、家に男子が無い場合に、女子が他家の男子を迎へて婿養子として家業を承繼することが出來るが、支那では姓を異にするものが入つて氏の系統を亂すことを極端に嫌ふので、女子が家業を承繼することを認めない。此の點は兩國の家族制度の異る點である。

國民黨が政權を掌握して以來、宗法社會を打破せんとして、各種の制度を設けたが、就中民國十九年に黨政府の發布した民法は、王寵惠の起草したものであつて、支那の風俗習慣・家族制度・社會制度を盡く否定して、歐米に見るが如き家族制度・社會制度を建設せんとしたものである。しかし支那新民法の出現は支那の家族・社會制度に實質的には何等の影響を及ぼさなかつたのであり、新民法によれば、女子は生家に於て、相續權を有し更に婚家に於ても相續權を有することになつて居るのであるが、唯上海に於て、民法施行後淸國時代の大官であつた盛宣懷の家族及び二、三の軍閥官僚の家庭に於て女子の承繼及び財產權の紛爭を惹起した以外は、この規定によつて爭議・紛擾を起した例は殆んど見當らないといふ。新法施行後北京・上海・廣東等の大都會に於て、急に離婚訴訟事件が增加し、その中の相當數が婦人によつて提起されたものであるといふが、其他の地方、其他の事件については、新民法が支那家族制度に對して殆んど何等の影響をも及ぼして居ないといふ。

之に據つて見ても支那の宗法社會下に於ける家族制度は、中古時代に於ても、道教と佛教の影響を受けたことがなく、又クリスト教或はマルクスの唯物思想の影響を受けたるが如きこともないことも明かである。殊に支那に於けるクリスト教の傳導が屢々失敗したのは其の教義を强調する餘り、その祖先崇拜を排擊し支那人の非常な反感を招いた點にあるといふ。

斯くの如く支那家族制度の淵源は極めて古く、各種の立法や外來思想によつて殆んど何等の影響を受けずして發達し、之が社會の構成、又經濟上の相互扶助機關たる會館・公所の制度又經濟的進出の原動力たる各種の同業組合たる幇《パン》の成立にも極めて大なる影響を及ぼせるものなることは次章以下に於て詳述し度いと思ふ。

1　松井等、支那民族〔岩波講座　東洋思潮〕二二頁。

2　孔家のことは主として濟南の御自宅に於て山東省教育專員豊田神尙氏より伺つたことを基礎として述べた。尙、服部宇之吉博士「孔子及孔子教」の三七頁及び三八二頁以下にも孔家の祭祀費に關する詳細な叙述がある。

3　P. G. Von Möllendorf. The family law of the Chinese. P. 4.

第二節　支那家族制度構成の原理

1）親親の原理と尊尊の原理

Marcel Granet は其の著 La polygynie sororale et le sororat dans la chine féodale, p. 46に於て『博識な中國人は庶民社會と貴族社會の構成原理の對立を明かにした。即ち農民を形成する同質的群に於ては、總てのものは「親しき者を親しき者として」、換言すれば、家族的紐帶の感情を以て取扱ふ「親親」の原理に歸する。之に反して貴族社會の特徴を成すものはイエラルシーの感情、即ち政治的秩序に於ても、家族的秩序に於ても構成せられたる權威を認むる「尊尊」の原理である』と述べて居ることは非常に面白いと思ふ。私は尊尊の原理が貴族社會のみに適用され親親の原理は庶民階級のみの構成原理とは考へないが、例へば庶民階級の夫婦關係についても「夫婦之親」と共に「夫婦之別」が說かれて居るのであり、後者は明かに尊尊の原理に基くものであると考へられるのであるが、支那の家族制度の構成を此の兩原理を以て說明することは妥當でもあり有益であるとさへ考へるものである。

支那人の家族的・社會的・宗敎的・政治的生活の指導原理は「孝」である。論語爲政篇に「今の孝は是れ能く養ふを謂ふ。犬馬に至るまで皆能く養ふ有り。敬せざれば何を以て別たむ」、又禮記坊記に「小人能く其の親を養ふ、君子敬せざれば何を以て辨たむ」と謂つて居る樣に、敬は父子關係の當爲として本質的な意義を有するのみならず此の當爲は、兄弟關係、君臣關係に推及されるのである。孝經の廣至德章に「敎ふるに孝を以てするは、天下の人の父たる者を敬する所以なり。敎ふるに悌を以てするは、天下の人の兄たる者を敬する所以なり。敎ふるに臣を以てするは、天下の人の君たる者を敬する所以なり」といつて居るのは、これである。

以上は尊尊原理の横への擴張であるが、此の原理の縱への擴大によつて祖先崇拜の習俗を誘致した。「生事之以禮、死葬之以禮。祭之以禮」の思想は之であり、この思想はやがて「不孝有三無後爲大」（孟子離婁上）即ち祖先を祭る可き子孫を有せざることは最大の不孝であるといふ思想を生むに至つたのである。玆に至つて孝は、ある人が生きて居ると死せるとを問はず祖先に對する絶對的忠誠の意識の意味となつたのである。而して斯る尊尊の原理は、家長權の絶對性を基礎附けることとなつたのである。

支那に於ける傳統的家族は家長的家族として知られて居る家族の一般的型に屬するのである。斯る家族に於ては、唯に父・母・子及び祖父・祖母を見出すばかりではなく、伯母・伯父・姪甥及び其他の色々な程度の血緣關係の者を其處に見出すのであり、更に斯る家族には僕婢及び奴隷も屬して居ることがある。この大家族群の上には男性の家長が居り、之が其の構成員に對して絕對的權威を、極端な場合には生殺の權力をも有して居たのであり、其の命令及び希望には、他の構成員は絕對的に服從しなければならなかつたのである。

又家長は、一族を率ゐて祖先の祭祀を行ひ得る地位にあつたから、其の一家內に於ける地位は、ローマの pater familias に比較す可き程强大なものであつた。

殊に支那では古代から祖先の祭を行ふこと鄭重を極めたのである。身分ある者は、家屋を造る際に先づ祖先を奉安すべき宗廟から着手する(「禮記」曲禮下)、家具を造る時には、第一に祖先を祭る時に要する祭具から着手する(同上)。宗廟に供へる穀物は、天子・諸侯と雖も皆自身で耕作する(「穀梁傳」桓公十四年)。宗廟に奉仕する祭服は、王后、夫人の手で親しく紡織する(同上)。四時の新味は先づ祖先の廟に嘗め(「禮記」少儀)、一家の大事は必ず祖先の廟に告げる。婚姻の如きも、新婦が廟見を終へざる間は成立したものと認められなかつた。要するに家族にとつては、その祖廟が中心で、その祖廟を祭る祭祀といふことが一番重大事と看做されて居た。從つて嫡長子が父に繼いで家長となつて祖先の祭を行ふことを父よりは傳重といひ(「儀禮」喪服)、子より見て承重といつたのである。[1]

斯くの如く一家に於て祖先を祭ることが最も重きこととせられ、「祖先の靈の存在を疑はざること宛かも人の存在を疑はざるが如き支那人の觀念に於ては、祖先の靈を祭る祭主である所の家長に對して、反抗するといふ樣なことは殆んどあり得べからざることとされて居るから、從つて、其の地位に伴ふ權力は、全く神聖不可侵のものであると考へられて居る。[2]」禮記大傳にいふ「親を親しむが故に祖を尊ぶ。祖を尊ぶが故に宗を敬ふ。宗を敬ふが故に族を收む。」といふ理念の表現であらう。

斯くて家系を連續せしめ、家祭を繼承するがために家長に與へられた權限は頗る廣汎且つ强大であつた。即ち家長權中には、家族團體の存立を保障するために、其の構成員の分離を防ぐ權能が含まれて居り、家族構成員は家長の許可なくして分家を爲すことが出來なかつた。現行民法一一二七條に於て「家屬ガ已ニ成年ナルトキ又ハ未成年ナルモ已ニ結婚シタルトキハ家ヨリノ分離ヲ請求スルコトヲ得」と規定して分家請求權を規定して居るが、實際上どの程度に行はれて居るか疑問である。

又家長は、家族團體の繁榮を維持するために、其の成員の婚姻に干涉する權利が與へられて居た。即ち成員の婚姻は家門の繁榮を來たし、家系の連續を最も有效に成し得る可能性あるものとして、家長の許可するところのものでなければ成立しなかつた。支那に於ては、子弟の婚姻に就いて、其の決定の全權を握るものは、當事者ではなくして却つて家長であつた。家長は單に子弟の婚姻に對して發言權を有するのみに止らず、家を代表する首長たる立場に於て、「家」の存立に最も重大なる關係を有する婚姻に就いては、婚姻當事者の意思を無視して、自己が適當と認むる配偶者を選定することが出來た。

支那に於ける婚姻の目的は、(一)家の血統を永續せんがため、(二)祖先の祭を續行せんがため(三)父母を奉養せんがためである。故に妻は夫のための妻でなく、父母のための妻、祖先のための妻で、要するに家のための妻である。この點を看過しては、支那の婚姻の意義及び婚姻に關する諸制度を充分に理解し難いのであり、この點に於て家長は、家族構成員の婚姻に對して絶對的權能を有して居たのである。「近時に至る迄、支那の婚姻は、形式に多少の改廢が出來ても、精神には格別變化がなかつた。[3]」

次に家長權の機能として最も重大なるものは、家族構成員に對する敎令權と懲戒權である。

尊長としての家長は、卑幼に對して一般敎令の權利を保有して居る。單に未成年の卑幼に限らす苟しくも卑幼の地位に在る者に對しては、悉く尊長たる家長が、之に對して敎育命令の權利を行使するのである。家族構成員の敎育に關しては、家長が全責任を負うて其の任に當るのである。蓋し敎育制度の未だ完備せざる支那に於ては、子女の敎育は、殆んど全く家族團體の手に委ねられて居るからである。斯くの如き狀態の下に在つては、一家の首長たる家長が、其の家族員に對して負擔すべき敎育上の任務は、甚だ重大であり、讀書・算術等の一般的素養より、道德・風敎上の訓練及び經濟的・技術的敎育に至るまで、家長は全責任を以て之に當るべき地位に立つのである。前淸時代の刑律に據れば、尊長たる家長は、卑幼たる家族に對して、敎令違反の行爲があつた時には、之を折傷し、又は篤疾に至らしめても其の責に任じなかつたのであり、唯非理に毆殺するに至り、始めて罪ありとし、しかも「法に基いて決罰し、終に死に致し、及び過失殺の場合には各々之を論ぜず」（刑律鬪毆下「鬪毆祖父母父母」律）と規定して居るが、尊長の强大なる懲戒權を是認する點に於て、現在の社會的慣習も亦、此の法文の趣旨を是認して居るかの如くである。

更に重大なる家長の權限はその强大なる經濟上のそれである。之によつて事實上一家の統制を保ち來つたのである。

支那の家族制度に於ては、原則として家族は、自ら財產を所有する能力を認めず、其の取得せる財產は、すべて之を家に歸屬せしめ、家族の特有財產とはならなかつたのである。換言すれば支那の家族制度に於ては、原則として、家族員の所有し、又は取得したる一切の財産は、すべて家族團體に固有なるものとし、家族團體の存在に必要なる財産として、家族員が猥りに之を消費若しくは處分することを得ないものとされて居る。それは、家族員の生活を保障し、「家」そのものの成立を可能ならしめる物質的基礎であると觀念され、殆んど神聖不可侵のものと思考されて居るのである。[5]

夫婦の特有財産を認め（民一〇一三條）各個人の權利能力を前提とする（民六條）民法典の施行せられて居る現在に於ても、例へば子が官廳・會社等で得た收入も悉く父の手に收め、更に父の手から屢々自己の交付した以上の金額を得て生活して居る例が頗る多いといふことであるが、斯る家產の制度は、極めて古い起源を有するのである。此の點について牧野巽氏は主として禮記の記載を引用して次の如く論じて居られる。[6]

禮記曲禮によれば「父母の存するときは友に許《ユル》すに死を以てせず、私財を有せず」とあり、同じく坊記に「父母のいますときは、敢て其の身を有せず、敢て其の財を私せず、民に上下あるを示すなり」とあるのも同様であらう。內則に「子婦は私貨なく私畜なく、私器なく敢て私に假さず、敢て私に與へず」とあるのは婦を加へた點や、私すべからざるものの種類を數へ立てた點で最も詳しい。鄭玄はここに「家事は尊に統せらると」注した。家事は一家内の最尊長が統べると云ふ意味である。祖父母のゐる場合は明文はないが、祖父母が統べることにならう。次には夫婦の間が問題となる。しかしこれは禮には明文なく、ただ禮記雜記に諸侯が夫人を離婚した時、夫の側の使者が夫人の財産を持つて行つて返すことを記して「有司の官は器皿を陳す。主人の有司も亦之を官受す」とあり、鄭注には「器皿とは其のもと齎す所の物なり、律に棄妻には齎す所を畀《アタ》ふ」と漢律を引いて説明してゐるものがあるだけである。

次は兄弟の同財であるが、儀禮喪服傳の「昆弟は異居して同財し、餘りあらば、之を宗に歸し足らざれば之を宗に資る」と云ふ文がある。此の文の昆弟の子相互間の事を考へれば、同財關係は更に從父兄弟の間にまで擴がる。若し孫があれば、孫の相互の關係は再從兄弟の關係となる。儀禮及び禮記には財産の分割は何時如何なる方法に於て行はれるかは一切書いてないから、同財關係は永久に繼續して無限に遠い親族にまで及び得るとも考へ得よう。

斯くの如き、家財の觀念即ち家族が特有財産を有することを拒否する規範は、歴代の立法例に於ても、又各大家の家範に於ても永く維持せられて居たのである。

即ち唐律に於てはその戸婚律に、

「諸祖父母父母在、而子孫別籍異財者、徒三年」と規定し、明清律も、之を踏襲して、其の戸役門別籍異財律に次の如く規定して居る。

「凡祖父母父母在、子孫別立戸籍、分異財産者、杖一百」

即ち、祖父母・父母即ち尊長若しくは家長の在世中、家族たる卑幼が、戸籍を分つことは勿論、特有財産の所有を禁じて居る。

之と同時に、家族が、家産を擅用し得ないことも亦、律例の明文を以て規定せられて居た。即ち戸役門卑幼私擅用財律に、

「凡同居卑幼、不由尊長、私擅用本家財物者、十兩杖二十、毎十兩加一等、罪杖一百」

といふ規定がそれであつて、之は明律を經て唐宋律を踏襲したものである。此の條文に於て、「本家財物」とは、家産を指すのであり、卑幼たる家族が、家産に屬する財物を擅用することを禁止したものである。

斯くの如く、家族の擅用を許さない家産は、尊長即ち家長の手によつて管理せらる可きものであることは同律に對する左の註解によつて更に明瞭である。

「卑幼は尊長と同居共財す、其の財は總て、尊長により攝せらる。而して卑幼は自ら專らにする

を得ざるなり。」

斯くて家産は尊長が之を管理し、他の家族は之に對して異議を述べ得ざるばかりではなく、尊長の許諾なくして之を擅用し得ないことも明瞭である。かくて一家の最尊長たる家長は、家産の管理、用益權に、當該の一家を統制維持すべき、經濟的基礎を得たのである。[7]

清水盛光氏は、多數の家範、家譜を研究し支那に於ける家産制度の運營について次の如く述べて居られる。

「故李昉の家・子孫數世二百餘口、猶同居して爨を共にす。田園邸舍の收むる所及び官を有する者の俸祿、皆之を一庫に聚め、口を計つて日に餅飯を給す。婚姻喪葬の費す所、皆常數あり、子弟に分命して其の事を掌らしむ」とある溫公家範の文についても(馬司光、溫公家範卷之一、治家)、受用の共同のほか、さらに所有の共同を推定することが不可能でないと思ふ。もしさうであれば、李家の例では、在官者の俸祿をさへ私することが許されず、徐家の例では、子弟が異る職業に從事しながらも、その所得はすべて共同の財とされてゐたことがわかるのである。

もつとも溫公居家雜儀には、「凡そ子たり婦たる者は、私財を蓄ふるを得ること毋れ、俸祿及び田宅の入る所盡く之を父母舅姑に歸し、當に用ふべきものは則ち請うて之を用ひ、敢へて私かに假さず敢へて私かに與へず」とあるが（朱子文公家禮卷之二通禮第二、司馬溫公居家雜儀子婦不敢自私）、この文は、俸祿その他の財が必ずしも父母舅姑の專有物となることを意味せず、かへつてただ家族の共有財として、父母舅姑の管理に屬すべきことを指摘したに過ぎないと思はれる。文中に「敢へて私かに假さず、敢へて私かに與へず」とある言葉が禮記內則の「子婦には私貨なく私畜なく私器なし敢へて私かに假さず敢へて私かに與へず」から採られてゐることは明白であり、しかも鄭玄が、これを說いて「家事は尊に統べらる」とのみ記してゐるのを見ると（禮記注疏卷第二十七內則第十二）、子の私有の否定は必ずしも財の父母舅姑への歸屬を意味したものではないであらう。また典禮に「父母存すれば……私財を有せず」とあつて、孔穎達は、これに「私財を有せざる者は、家事尊に統べらるればなり、財は尊に關する者故に私財なし」と敷衍してゐるが（同上卷第一曲禮上第一）、この場合にも財を父母舅姑だけの有と解せしめる證據は存しないのであると」論ぜられ「尊長は、ただ財の管理權を行使するのみで所有權がなく、卑幼は、尊長の持つこの管理權の支配を受けることに定められてゐたのである[9]」と論結されて居ることは正當であると思ふ。

次に支那に於ける家長權の重要なる屬性は家長の公法上の地位である。支那の社會を構成して居るものは、實質に於て家であつて個人ではないといふ主張は既に承認を得た所のものであるが、社會的・政治的の單位としての家族は、民事的・刑事的機關を有し、且つ各家族乃至宗族の源泉たる最高の祖先の地即ち祖廟をその中心地として有する小國家の如き形態を備へるものであつた。この最高の祖廟の下に、各々の家族の營む小さな分廟があつて、その中にはその家族の生死・婚姻・離別を記載した家族名簿が保存せられて居たのである。これは民事事件の場合の法的證據となつたものであつた。家族及び宗族の各員は、この祖廟に對して平等の權利義務を有して、家族の習慣を遵守すると共に貧しい家族員には補助してやらねばならなかつた。且つ家族員の公私の行動に對する道德律が存してゐて、これを犯した場合には、種々の罰が定められて居たが、それは常に祖廟の中で行はれたのである。而もこれらはすべて家族員の裁判によつたのであつて、官吏が職務上犯した罪で、普通は許容さるべきものであつても、家族裁判の判決には服しなければならなかつた。この家族裁判の結果に不服で、國家の法廷へ訴へ出づるが如きことは極めて稀れで、もしさういふことをすれば、家名を汚すものと認められたのである。家族内の紛爭は多く相互の合意によつて解決せられたのである。

斯る場合にその中心となるものは勿論その家族の最尊長たる家長であることはいふまでもない。

而して村落に於ては、斯くの如き家が數個集合して——時として一族を以て一村を形成する場

合もあるが　外敵に對する共同防衞を完うするために強固な村落自治體を形成し、政府の不干涉主義はこの村落自治體の組織を益々鞏固ならしめたのであるが、家長は家を代表して村落の自治行政に參與しその自衞上の責任を負擔したのみではなく、家長は公法上の義務として租税を納入する義務を有し、又保甲制度等の警察的取締上の責任者として、國家に對して一家を代表すろ地位に立つて居たのである。

斯くて家長は、その家に於て、血緣的・宗敎的・敎育的・經濟的・政治的首長であると謂ひ得るのである。

次に支那家族構成の原理としての親親の原理について述べよう。

現今の支那に於て、一村全體乃至は、過半の者が同族より成る村落、更に詳しくいへば共同祖先の祭祀を中心に同族が結合し、そして血緣關係を通じて、村の自治が行はれる村落は南北各地によつて夫々歷史的・社會的事情から、其の間に濃淡の差はあらうが、支那全土に亙つて今尙かなり廣く殘存して居る。村落の名稱にしても、王家村とか李家屯とか趙家塞とかの如く姓を冠するものが多く見られるのである。

親親の原理は家族結合の根本原理であつて、血液を同じうするといふ自覺と、所謂同居同財同爨によつて、即ち住居を同じくし、財産を共通にし、食事を同じうするといふ事實によつて、始祖を同じくする族人間の親和感情は愈々强めらるるに至つたのである。而して此の親和感情が尊を尊とするといふ原理によつて更に鞏固なものにされたことは前述した通りである。斯くて魏書卷五十八、列傳第四十六方綱傳に於て「吾が兄弟、若し家にあれば必ず盤を同じうして食ひ、若し近行して至らざるあれば、必ず其の還りを待つ。亦中を過ぎて食はざるあれば、飢を忍んで相待つ。吾が兄弟八人、今存する者は三あり、是の故に食を別つに忍びざるなり。又願はくは畢《コトゴト》く吾が兄弟世々異居異財せざらんことを。」といふが如き家族間の親密さを生ぜしめたのである。農村に於ては耕作や紡織が家族の共同の生業であり、又都會に於ては祖先傳來の商業・工業を營むことが家族の共同事業であつて、且つその家の子女が他家に嫁して商業・工業上の秘密を奪はれることを恐れて婦女子にその技術を敎へなかつたといはれる程に、家族が生産の共同を有するに至つて貧富貴賤の運命を共同にする運命共同體となるに至つたのであり、其の反面の弊害として、家族中の一人が相當なる地位につけば、兄弟は勿論甥とか從兄弟といふが如き者が多數寄食坐居するといふ風を生ぜしめたのであるが、之によつて政治上・經濟上相互補助の利益を得て居たことも看過し得ない所である。斯くの如く支那の家族が親親原理に基く運命共同體なる事實から外國人から見て甚だ奇異なる現象を發現せしむるに至つた。例へば遠い祖先の債務でも子孫が之を支拂ふ父債子還の習俗の如きがそれであり、Johnston, Lion and Dragon in Nothern China, p. 138—141. に於て、彼が述べて居る所によると、ジョンストンが威海衛に裁判官として取扱つた事件に、父祖の債務がその子孫によつて百五年後に償還され、しかもその償還額は利子を加へて元金の二十倍にもなつて居たといふのがあるといふことであるし、又他の例では、滿洲に山東から出稼ぎに行つて歸つて來た男が、郷里にある彼の土地を占有して返還の要求に應じない從弟を被告として訴へた事件がある。然るに彼が其の土地を抵當に入れたのは何時頃であるかといふジョンストンの質問に對して「康熙三年」と答へたといふ。康熙三年は正に原告の曾祖父の時代に當り、彼はその父祖が土地に抵當權を設定した事實を恰も原告自身の行爲であるかの如く述べてゐたのである。

尙天海謙三郎氏の研究によれば、支那人間に於ては、同族近親間で土地を授受する場合賣契（賣渡證）を作成せざる慣習について述べられ、此の慣習は同族共産の遺制なりとせられ、「支那には古來「產不出戶」なる諺がある。凡そ戶に歸屬する產業即ち家產は、其の戶に隸屬する人丁即ち家族の共有である。故に如何なる場合に於ても之を族內に保有存續すべく、異姓外戶に讓渡する如きは、啻に家產減損の禍因たるのみならず、又實に族制破壞の行爲たるを免れぬとの意味である。家產の處分に當り、近親同族を先にし、異姓外戶を後にする所謂「儘近不儘遠」、換言すれば、同族優先典買の慣習は、即ちこの諺に包含せらるる同族共產の意識を、最も端的に露呈するもので、謂はば族人の家產擁護に關する必須の防衞施爲と解するを妨げぬ[10]」と主張して居られる。

次に親親原理の適用として注目すべき點は、家族相互間・同族相互間に於ける扶養關係である。少年や老人・病者等の保護及び扶養に關して國家機關の活動に期待し得ない實情にあつた支那の社會に於ては、此等の者の保護は、彼等が屬する所の家族又は同族の任務でなければならなかつた。而してその扶養關係の維持促進のための家族的制度の發達せることは到底西歐諸國に於て發見し得ない所のものであつた。而して此の支那固有の扶養制度の永續性と鞏固性とは、その制度の自然にして、無理の無い性格に負ふ可きものであつた。

家族間に於ける相互扶助は恩を養ふことによつて同族親和の媒介となることは明かであるが、例へば謝河黃氏宗譜卷一、宗規、宗族當睦に「幼者は稚年、弱者は鮮勢なり。人の欺き易き所は則ち之を矜む。一たび矜憫の心あらば、自ら處に隨つて之がために力を効さん。鰥寡孤獨は王政の先にする所。況んや同族の以て耳聞目擊するを得る者をや、則ち之れを恤む。貧者は恤むに善言を以てし、富者は恤むに財穀を以てす。皆陰德なり。衣食窘急し、生計典聊し、命運も亦乖けば、則ち之れを周《メグ》む。己れを量つて彼れを量り、爲すべければ則ち爲し、必ずしも其の報を望まず、必ずしも人をして知らしめず。吾れ吾が心を盡す」と書いてあるが、いづれも同族の互助共存を說くと共に、其の互助が己れをあまり犧牲にしない程度に行はれなければならぬことを指摘して居ることは注目に價するのである。

又この扶養關係を徹底するために、又同族中必ずしも、他の同族人を救濟するほどの資力を有せざる者の生ずべきことを慮つて、同族救濟のために捧げられた目的財産即ち義田・義莊の制度の發達を促した。これ等も初めは、祖先を同じくする宗族間の貧窮者の救濟の手段として發達したものであるが、現在に於ては地方自治團體に屬する人々を一般的に救濟する制度に變化しつつあるといふ(北京大學劉志敭教授談)。

しかし義田や義莊が其の初め同族の扶助のために設定せられたことは論なく、義莊の創始者とも稱せらるる宋の范仲淹の文正公初定規矩中の主要な條文をあげると、其の第一條に「逐房口を計り、給米毎口一升、竝びに白米を支す。如し糙米を支すれば、即ち臨時加折し、糙米を支するときは、斗毎に白八升に折す。逐月、實に毎口白米三斗を支す」とあり、第二條に「男女五歲以上數に入る」とあり、第四條に「冬衣は毎口に一匹、十歲以下五歲以上は各々半匹」とあるのは衣食の配給に關する規定である。即ち五歲以上の男女は、日に白米一升、または糙米一升四分の一を支給され、そのうへ十一歲以上の男女は每口一匹、五歲以上十歲以下の男女は每口半匹の割で、年に一度冬衣を給與される。ただ奴婢は「每房奴婢に米一口を給するを許す。即ち衣を支せず」とある第五條の規定により、房ごとに一口分の米をあてがはれるだけであつた。次に婚嫁喪葬の用については、第八條に「嫁女は支錢三十貫七十七陌。再嫁は二十貫」と見え、第九條に「娶婦は支錢二十貫。再娶は支せず」とあつて、嫁は娶より、初は再より多くを受け、また第十一條には「逐房の喪葬、尊長喪あるときは先づ一十貫を支し、葬事に至つて又一十五貫を支す。次長は五貫葬事のとき十貫を支す。卑幼十九歲以下は喪葬を通じて七貫を支し、十五歲以下は三貫を支し、十歲以下は二貫を支し、七歲以下及び婢僕は皆支せず」と書かれ、尊長は卑幼より重く、葬は喪の時よりも厚く補助されてゐる。[11]

斯くの如き親親の原理によつて支那家族の結合力は極めて鞏固であり、時に族と族との利害關係の衝突によつて、相互に兵器をとり、城塞を構築して戰ふ所謂械闘を生ぜしめることがあるが、この時は各族の青年は命を賭して戰ひ、その勇敢なること驚くべきものがあるといふ。支那の家族制に於ける親親の原理は國家の發達を阻害する程鞏固であるとも云ひ得るのである。

1 桑原隲藏、「支那法制史論叢」、六頁以下參照。
2 水谷國一、「支那に於ける家族制度」、六六頁以下。
3 桑原、前揭、一〇三頁〜一〇五頁。
4 水谷、前揭、六八・六九頁。
5 水谷、前揭、八二頁。
6 牧野巽、「儀禮及び禮記に於ける家族と宗族」、思想、昭和十七年一月號（二三六號）一七頁以下參照。
7 水谷、前揭、八六頁。
8 淸水盛光、「支那家族の諸構造」、滿鐵調査月報、昭和十六年四月號一五頁以下。
9 淸水、前揭、二〇頁。
10 天海謙三郎、「同族間に於ける不立賣契の慣習」、滿鐵調査月報、第十八卷六號、殊に一一九頁以下。
11 淸水、前揭、五六頁以下。仁井田陞「支那身分法史」一九二頁以下。

2）婚姻法と相續法に於ける尊尊・親親兩原理の適用

私は前項に於て支那家族制度構成の原理として尊尊及び親親の兩原理に就いて述べたのであるが、私の解釋によれば尊は巽《ン》（八卦の一、一陰二陽☴從順卑下の德を表はす象）であり即ち統制服從關係を其の基礎とするものであり、親は信であり、相互信倚・相互扶助關係を其の基本原理とするものである。

支那の婚姻法及び相續法について觀察するとき前者に於ては尊尊の原理が最も強く現はれ、後者に於ては親親の原理に依つて最も強く支配せられて居ると思ふ。

支那の婚姻法に於て、其の最も著しい特徴を爲して居たものは、婚姻の當事者は生涯夫婦として共同生活を爲すべき男・女そのものではなくして、その父母であるといふ事實である。現行民法第九百七十二條に於て「婚約ハ男女當事者ニ於テ自ラ締結スルコトヲ要ス」といふ規定は、實際上からは空文に過ぎぬといふ。私の先般の旅行中、中支で聞いた所によると、紹興酒で名高い紹興縣では、女兒が生れるとその父母は、一甕に美酒を滿たして土中に埋める。その娘が年頃になると、父母によつて定められた花婿のもとへ嫁ぎ行く娘は、この老酒の甕をいだき乍ら、まだ見ぬ夫の面影や、夫の父母は優しき人か、つらき人かと思ひまどひ乍ら、小さい胸をふるはせ乍ら輿に搖られて行くといふ。あの邊に多いポプ・でかこまれた田舍道を輿でゆられて行く娘の姿は一篇の詩であらうが、支那婦人の不幸なる地位はこの時に決せられるのである。

支那の婚姻に於て、父母その他の尊長が主婚人になるといふことは、前項に於ても詳說したる如く婚姻は婚姻當事者間の行爲ではないので、家の祭を絕たざらんがための家と家との間の行爲だからである。從つて、妻が其の家を繼承すべき子を生まぬ場合には、夫は蓄妾をなす可き正當なる理由を得、無子は離婚の主要な且つ正當な原因とせらるるに至つたのである。

そこで王禕の「妻の道に二あり。一は宗祀を奉ずるを曰ふ也、一は宗祀を繼ぐを云ふ也、二者は人道の本也。今その子無ければ、則ち是れ絶世也。夫婦の道は義を以て合し、禮を以て成る者にして、其の成るや又則ち禮を以て之を納め、合はざるや又則ち義を以てこれを出すは聖人の許す所也」といふ說を生じた所以である。

又婦人は祖先の祭祀を行ふことを得ず、從つて祭祀相續から除外せられる結果として又財產の相續權をも奪はれて居たのである。而して道德的にも男子と異り、家にあつては父母に從ひ、嫁しては夫に從ひ、老いては子に從ふ三從の敎によつて敎育されて居たのである。斯る點から支那に於ける男性と女性とによつて遵守す可き規範を異にする道德の二元性を生じたのである。

Sophia H. Chen Zen は、傳統的な支那家族に於ける婦人の地位に關して次の如く述べて居ることは注目されてよいと思ふ。

「支那家族の精神を構成するものは、夫と其の妻との間に於ける愛情ではないので、相互に對する全家族構成員の道德的義務である。性的愛情は支那の家族に於て、確かに存在する。しかし決して顯著なものではない。それは親子姉妹兄弟等の間に於ける道德的義務に對して從たるものである。それ故に子としての又は弟としての夫の義務と、其の妻に對する愛情との間に衝突が起れば、犧牲にならなければならぬものは常に後者である。其の結果は不幸でもあるし幸福でもある。其の結果が幸福だといふのは自己犧牲及び自己否定の精神の成長を促したのであり、斯る精神は、支那の女性について非常に顯著であつて、支那の女性史は、氣高き行爲と思想との、ことに美しい光によつて飾られて、一時我々の目を過去の姉妹達の不幸と苦惱に對して閉ざしめるのである。不幸だといふのは婦人に對する道德的な犧牲の要求が非常に大であり、極めて强制的であり、且つ屈辱を感ぜしむる底のものであつて婦人の運命を單なる精神的奴隸のそれに引下げて居るのである。婦人は忍耐强くあつていいが、人生を享樂するを得ない。彼女は喜んで苦難を受けてよいのであるが、幸福であつてはならぬ。彼女は淚をのんで笑はんとつとめてもよいが、本當の笑聲を出してはならぬのである。而して一民族の婦人が個人としてのみならず、母として妻として幸福でないならば全國民は幸福であることは出來ないのである[1]。」

相續法の範圍に於ては、其の指導原理は、尊尊原理より親親原理への變遷にあると思ふ。

蓋し支那古代の社會に於ては、一族或は一家を以て其の組織の單位とし、血統上の連繫によつて一の堅固な團體を構成して居たのである。斯くて族又は家の構成員は族長或は家長の統制下に共同生活を營んで居たのであり、當時族長或は家長の權力は極めて强大であつて對外的には其の全族或は全家を代表し、各般の事務を處理し、各種の契約を締結し、對內的には、其の一族或は一家を統率して各種の活動を爲し、且つ所有の財産全部を管理したのである。從つて一族或は一家の權力と財産は、悉く此の族長或は家長の一身に集注し、族長或は家長の身分に各種の權利が集合し、財産權は、僅かに其の身分に伴ふ一種の附屬物に過ぎなかつたのである。族人或は家族の個人の權利は未だ一般の承認を得るに至らなかつた。從つて族長或は家長の死亡其他の原因によつて其の身分喪失の事實が發生すれば、固より相續の必要が生じたのである。其他の人の死亡に就いて云へば、僅かに其の族中或は家中より一員を減少するのみで、毫も其の身分權或は財産權の消長に影響せず、相續問題は從つて發生しなかつた。故に當時に於ては、族長或は家長の身分權を承繼することが相續の唯一の目標であつて、財産權は之に隨つて移轉するものであるから、これは一種の附隨的結果たるに過ぎなかつた。支那の宗祧相續は斯くの如きものであり、祖先祭祀に關する主祭者たる地位の承繼であり、財産權(家産及び族産管理權)の相續は之に從たるものに過ぎなかつた。之はいふまでもなく尊尊の原理に基くものであつた。

宗祧相續の最初の方式は、子があれば之を嫡出子として立て、子がない場合には養子をとるべきものであつた。立嫡の方法は稍々複雜に渉るのであるが、概して之を云へば、嫡出子のみの場合は長男を立て、嫡出子と庶子があれば、嫡出子が先順位であり、庶子のみの場合には卜占に依つて定めたのである。嫡出子全部死亡したならば、弟を立つべきであるといふ質家（實質家）の説もあれば孫を立つべきであると主張する文家（形式家）の説もあるのである　從つて儀禮喪服傳に「人の後繼とは孰れの後繼を指すのであるか？　大宗の後繼である。何故に大宗の後繼となるのであるか？大宗は尊の後であり、大宗は族を收むるものである。斷絶すべきではない。故に族人は支子（分家の子）を以て大宗の後繼者とするのである」といふ意味を述べて居るのである。故に後繼を立てるのは大宗に限つたのである。大宗は族を收める責任を負ひ自ら特殊の權力を享有して居たのである。又逆に斯くの如き强力な權能を持つて居なければ、其の義務を遂行することが出來なかつたのである。詩に「之を君とし、之を宗とす」と云つて居るのを見ても、家長の任務の如何に重大であつたかを知るに足るのである。

宗祧相續は、身分權の相續が主たることは明かであるが、淸朝に至るまで其の律例には猶「祖父母父母在る者は、子孫分財異居するを許さず」及び「凡そ同居の卑幼は、尊長に由らずして、私に本家財物（家產）を擅用する者は處罰す」といふ規定のある所から見ても、最初から家長に財產權をも集中して居たことは想像に難くないのである。

歷史的に見ると、族長或は家長の專制權力は時代に隨つて進展し、漸次に衰退したのである。

それは權利能力の基礎たる經濟的・社會的事情の變遷に伴つて、族人或は家族の人格を漸次承認せざるを得なくなつたからである。即ち勳功を立てたために政府の賞賜を受けるとか、或は戰時に鹵獲した所得とか、或は商工業を營み個人の勞力によつて取得した財産は其の個人の特有財産と認め、族長或は家長の許可を俟つ必要なく、自由管理と自由處分とを許すに至つたからである。此等の特有財産を有する者が一朝死亡すれば、相續問題も隨つて起らざるを得ないのである。これ身分相續以外に財産相續制の依つて起る所以である。[2)] この事情はローマに於ても全く同様であり、ローマでも家長 pater familias のみが、財産能力を有して居たのであるが、それは「農業的家協同體の組織に基くのである。協同體が外部と接觸する限りにおいては、それは家長をとほしてなされたのであり、協同體内部における家長の地位は、ローマの法律家がその通常の用語によつて單獨所有權と呼んだところのものであり、又近代の法律家が財産能力と呼んだところのものであつた。家産に對する家構成員の關係は、存在しないわけではなかつたが、外部には現はれてこなかつたし、又裁判所はそれについて裁判をしなかつたのであり、だから法も亦それに關係しなかつたのである。

ローマ帝政以來、かかる家族組織は崩壞しはじめた。既にアウグストウス帝 Augustus [B.C.31—A.D.14]

は、家子が兵士として取得したものは家子のものとなるといふことを規定した。即ちそれは通常の傳承特有財產 peculium profecticium に對立する所の軍營特有財產 peculium castrense を構成する。軍營特有財產を、彼は生前行爲によつても、遺言による死因行爲によつても、自由に處分することができた。

同樣のことが、ディオクレティアーヌス Diocletianus〔281—305〕以後の時代においては、家子が官吏として又は僧侶として取得した所のものについてもいへるのである。それは彼の準軍營特有財產 peculium quasi castrense を構成する。既に二世紀において、元老院議決は更に、遺言をなさずして死亡した母の財產の相續權を、家子に附與した。帝政末期においては母方の尊族に對する相續權までも家子に認められ、又兄弟姉妹の相續權も著しく擴張された このことはおのづから、家子がかやうにして取得した物に對する家子の所有權を承認せしめるに至つた。もし、かかる所有權が承認されないとすれば、彼等の相續權は殆んど無價値であらうからである。[3]」

支那の宗祧相續制より財產相續制への過程とローマの祭祀相續より財產相續への推移とは極めて類似せる點を有し、比較法學的見地から觀て興味深きものあるを覺える。

支那に於ける財產均分制は周朝末期に始まり既に唐代に存した。即ち唐の相續法は、宗廟の祭祀と封爵品蔭の相續を重んじ、祭祀及び封爵朴絲に於ては長子（嫡子）單獨相續制を採り、財産相續に於ては均分相續制を採つてゐた。即ち戶令に據れば、先人の田宅及び財物は、兄弟(子)均分し、兄弟亡ぜば子（孫）父（子）の分を承け、兄弟俱に亡ぜば、諸子（諸孫）均分することになつてゐた。[4]

淸時代の法律に至つては均分相續主義を明かに規定してゐた。例へば私擅用財律には「同居尊長應分家財、不均平者、罪亦如之」と規定し、祖父母の死後に其の家產を分割するときは諸子均等なるべきことを明かにし、且つ其の附例に於て「分析家財田產、不問妻妾婢生、止以子數均分、姦生之子依子量與半分」と規定し姦生子以外には均分すべきことを明定して居た。

即ち周に於て尊尊主義に基く宗法制度が完備し、諸侯の嫡長子を世子と稱して、諸侯の死後其の諸侯たる身分を相續し得るものとし、次子以下は其の嫡出子たると庶子たるとを問はず、すべて之を公子と稱し、嫡長子と區別するために別子とも稱した、別子は卿大夫であつて、諸侯の領地を分配されるに過ぎなかつた。これら卿大夫の身分及び、其の領地の所有權は、その嫡出長子により代々相續された。之を大宗と稱した。此等諸侯の次子以下の別子は、永久にその嫡出長子の祭祀を受けるのである。嫡出長子以外の子孫は唯た士の身分を有して耕地の分配を受けるのみであつた。これを小宗といふ。此等小宗の子孫は、彼等の五世代以內の子孫の祭祀を受けるのみ。斯くて祭祀方面から見ても、或は身分關係から見ても大宗は斷絕することは出來ないが、小宗は斷絕するも妨げなかつた。

然るに封建制度瓦解以來、斯る宗法も亡び、社會の組織は家を以て本位として宗を以て本位とせず、祖先の祭祀も各家に於て主宰して統一せず、一族の共祭があれば族長が之を主宰するのであるが、必ずしも宗子ではない。從つて宗子の主祭制度は廢止せずして自ら廢滅に歸したのである。支那家族の大部分は農民であり、而も農家の大多數が農耕、牧畜、紡織の自給經濟を營んでゐた點から見れば、支那の家族は一般に財の共同所有、財の共同用益の外に更に生產の共同をも有して居たのであり、宗法廢れて一家に特に尊重すべき宗子を缺く以上、家產の管理權者の死亡した場合に其の遺產の共同分割、平等均分を要求することも亦自然であつたのである。

其の後分化の發展につれて血緣關係の團體は、人類生活の唯一の基礎たる意味を失ひ、大規模の商工業の發達した結果、人々は鄕里を離れて夫々の職業に從事する者が多くなるに從ひ、大家族制度もその重要性を失ひ、人々は皆獨立になれて、夫婦とその子を中心とする小家族を形成して生計を營むことを原則とし、家長權の範圍も極端に收縮して、獨立自營し得ざる未成年者のみが其の父母或は其他の後見人の保護を受けるに至つて、家長權は僅かに親權の方式に依つて其の餘命を保つのみである。ここに至つて祭祀權從つて家長權の承繼を主たる內容とする宗祧制度は、その實を失つて、純然たる財產相續たる遺產繼承のみが相續法の主たる對象を成すに至つたのである。斯る狀態になれば、相續は親密なる血族間に於ける遺產分割の問題となり、衡平の理由によつて均分相續制の發展を見るに至つたのである。而して一家に於て特に尊重すべき者なしとすれば、財產の均分こそ親を親とすることとなるのである。

1 Sophia, H. Chen Zen, "Sunposium on Chinese Culture" pp. 368, 369.

2 羅鼎、「民法繼承論」一八頁以下參照。

3 エールリ ヒ、「權利能力論」川島・三藤兩氏譯、二六頁以下參看。

4 瀧川政次郎、支那法制史硏究、五一頁。

3) 族產制と上述の兩原理

支那の至る所に、殊に中南支、長江沿岸、廣東・福建省方面に多い族產制度即ち宗族の共同の祖先を祭るための財源として發達した祖廟の財產たる祭田、嘗田、太公田等の制度は、第二章以下に於て詳述する所であるが、其の共同財產の收益を以て共同の祖先の祭祀や墓地保存の費用に充

て る點に於て尊尊の原理に基くものであるが、族產收入を以て同族の貧窮者を救濟し、一族の秀才を敎育するが如き養贍機能より觀察するときは、明かに親親原理に基くものと謂へる。

しかし斯る族產制度も後述の如く崩壞の一路を辿りつつあるものとせば、支那家族制度を指導する原理は、ここでも尊尊原理より親親原理への變遷を示しつつあるものと言へよう。

第三節　支那家族制度の特質と其の將來

1）支那家族制度の特質

私は支那家族制度の特質は、其の鞏固性と永續性と發展性にあると思ふのであるが、此等の特質が長く保存されたのは、決して各時代に於て制定された、形式的に完備せる家族法制によるものでなく、その國初より現在に至るまで國民の大多數の生業が農耕に存したといふ經濟的理由と、此の制度が民族の保存と發展とに役立つたといふ長き經驗上の自覺と、斯る家族制度の礎柱たる孝を中心とする禮敎の影響に歸す可きものと思ふ。

支那に於ける禮なるものは、法律的見地から見ても非常に興味あるものと思ふ。

服部宇之吉博士は禮を說明して「禮は左傳に鄭の子産の語として擧げてある所では、天の經・地の義にして民の行といつてある。即ち天地自然の法則に順ひ、又人情の自然に順つたもので一方から云へば自然法といふべきで他の一方から見ると人情の過ぎたるを抑へ、及ばざるを揚げて中を得せしむる人爲法である」として居られる。[1] 又宇野哲人博士は「禮は國家社會の階級を定め秩序を維持し、人々をして各其の分を守らしむる所以である」と述べて居られる。[2]

朱子は解して「禮者天理の節文、人事之儀則也」と稱した。近藤杢氏は古時に於ける禮の範圍を分析して

「(1) 國家の權力に由て行ふ所の社會秩序の規則(今日の法律)＝國家統治各種機關の組織權限、臣民の權利義務、又は王室と諸侯及各諸侯相互間の權利義務等は皆禮に因て之を定む。

(2) 社會の秩序を維持する規則(善良風俗習慣上の規定)＝是種の準則は多く儀禮にあり。

(3) 坐作進退に關する禮(作法)＝所謂曲禮にして個人の儀節を主とす。

是を以て之を觀れば禮は法と儀とを併せて言ふなり。故に古人往々禮法又は禮儀の語を用ふ。蓋し當時法律と道德とは區別儼然たらず。之を以て法と儀との間に明白なる區別なく、今日を以て見れば、儀に屬すべき者却つて法の中に、法に屬すべき者却つて儀に包括せらるるが如きこと

ありしは自然のみ」。[3]

又長谷川如是閑氏が「儒教に於ける『禮』の意義と其の『變質』」中に於て、「詩に興り、禮に立ち、樂に成ると論語で孔子はいつてゐるが、これは古代支那の政治的關心から生じた言葉であらう。采詩の官が設けられ、詩によつて民情（輿論）を察する方法がその時代に行はれて、從つて詩の編纂事業が國家的に企てられたのであるが、それ故に、詩の表現は比較的自由であることが要求される。それが『禮に立つ』である。而して國家又は社會の强力的統制は、やがて文化的統制にまで進展し、その强力性は次第に失はれ、自然の制約に近い、協和の域に達しなければならない。それが『樂に成る』である」と述べて居られる。

孔子やその當時の儒家の觀念は、長年月の中に或は全く形式的な儀禮的な或は形而上學的なものに變質したのであらうが、禮の習俗的文化規範たる屬性は失はれなかつたものであらう。あらゆる社會は、その構成員に對し、その社會の利益に適應した行爲を爲すべきことを常に要求し、從つてその行爲を斯る見地より批判し、その社會的行爲と反社會的行爲とを分析し等級を附するのであり、社會的行爲とは正に問題になつて居る協同體の文化と一致する行爲でなければならぬのであり、支那の家族制度を數千年に亙つて維持したものは、斯る文化規範としての禮であつたのであり、決して國家の法律ではなかつたのであらう。尤も歷代の王朝は儒敎的イデオロギーを以て國家統治の方策とし、孝をすすめ、五世に亙つて同居せる家族を賞したるが如きこと、又無爲にして化することを理想として家族的團體の成立、地方自治村落の發達に干渉しなかつたこと等は、支那家族制度の發達を助けたことにはなるが、家族制度の保存と發展の基礎となつたものは、實に文化規範たる禮の思想及び其の實踐であつた。

私は支那家族制度の特色を前述の如く、其の鞏固性と、永續性と發展性とに分つて論じ度いと思ふ。

A）鞏固性

支那の家族制度は、元來支那の農牧民の自然に成れる家族組織であつた。廣大な土地に於て、而も多數の非文化的異民族の間に亙して、なるべく武力を用ゐずして發展せんがためには、經濟的な發展方法を用ふ可きであり、之がためには、最も信賴し得る血族間の一大集團を構成することによつて、農業上に於て最も能率をあげ、且つ外敵に對して最も堅固な城塞を設定すべきであつた。支那民族數千年に亙る文化的發展の基礎は、玆にきづかれたのである。而して一箇の團體を最も鞏固ならしむることは、その構成者間に確乎たる命令服從の關係を、作出するに如くはないのである。これは前述の尊尊の原理であり、且つその原理が何人に對しても說服力を有するがためには人情の自然に出づることを必要としたのである。親が子を愛撫し、子が親を敬慕する孝道がその基本原理となつた。殷墟出土の龜甲文字に依れば父なる文字は元來人が杖を持つて立つて居る形であり、孝なる文字は子が老人を負へる形であるといふことは、古代支那人の親子關係に關する觀念を如實に示すものではなからうか。

從つて支那の家族制度は、祖先崇拜と密接なる關係を有するのである、蓋し世代の連續は祖靈の不死を實在たらしめてゐるからである。從つて祖先の靈を祭ることを怠るものは重大な罪を犯すことになるのである。此の意味に於て婚姻は萬人第一の義務として、婚約は幼少の中に結ばれたのである。從つて支那人の思想に於ては祖先崇拜は、唯生者を死者と相繼ぐものではない。却つてその一家の將來に於ける繁榮への準備であり、その一家の繁榮の源泉と看做されたのである。かくて彼等は人間以外に神を有せず、死及び忘却に打克つて、努力と運命とを意識せしめる理性と現實の宗教を生ぜしめたのである。支那人にも又天の觀念は存するが、然しそれは祝福せられた樂園でもなく、地獄でもなく、淨罪でもない。善行を勸め、非行を戒めるのは、ただ天の意志に從つたものであり、且つまた前者は酬いられるが、後者は罰せられるといふこの現實の世界のありふれた原則に基くに過ぎない。墓場の彼方に憩ひと幸ひの世界があるなどといふ約束は、もとより存しない。否有徳の君子でさへ窮することがあり、不遇の中に呻吟して死んで行くかもしれないのである。然しこの場合は、その人の子孫は必ずその人の餘德の酬いを受けると考へられる。斯くの如く、この地上の生活に、目的と道理とを見出す所の祖先崇拜は、宗敎としては、他の超自然的宗敎よりも劣ると考へる者もあるが、人生問題に對する解決には、これ程人間的な解決はない。從つて事實亦最もよく人間の要求に應じえたものであつた。

支那の人口の大多數を占める者は、國初より今日に至るまで農民であるが、農民ほど自己の經驗を重んじ、他人の經驗を重んずるものはない。支那の家族制度は今尙農村に於て最もよく保持されて居り、瑞西民法を基調とする新民法の親屬編・繼承編を知る者は稀であらうが、古來の孝道を知らざるものは殆んど存しないといふ。

斯くて、孝の觀念と尊尊の理は深く支那の民衆の心にしみ込んで居るのである。

「英國の宣敎師 Gray は廣東地方で目擊した事實として、船乘りの青年が賭博に負けて、老母にその辨償を爲さしめたために、老母の怒に觸れ、怒れる老母は、その青年を船から河中に突き沈め、浮び上ると又突沈め、再三繰り返へしたが、この青年は決して反抗しなかつた事實や、又杭州地方で目撃した事實として、「三十歳の男子が母親の臍繰りを盗み出しては、酒を飲み廻つて居たが、或る日泥醉して家に歸る所を老母に見付けられ、六十歳の老母は、片手でその子の辮髪を摑み、片手で激しく之を亂打したが、泥醉者は羊の如く柔順に、老母の爲す儘に身を委ねた事實を傳へて居る（China; vol. I, pp. 234—235）。」

又、支那人同志の喧嘩は漫々的《マンマンデー》であるとして日本人が齒がゆがるのであるが、此の場合にも老母が子を折檻する場合と同じく、もし當事者の一方がその先輩（年齢高き者）に對して手をあぐる時は、民衆の制裁が甚だ嚴であり到底その地に生活するを得ざるに至るが故であるといふ。

農耕家族の生活形式として發達した支那家族制は、後に詳述する如く、やがて商工業を營む者の間に幇の組織として採入れられ其の發達を促したのである。

私は支那家族制の鞏固性を、其の組織が彼等の經濟生活と殖民生活に最も適應し且つ初めは、親子の情義に發し、後、儒教的イデオロギーによつて紛飾された孝道の思想に歸すべきであると考へる。

B）　永續性

支那家族制度の永續性は、前述A）に於て述べた諸種の理由の外に、家族並に宗族相互間に於ける、扶養救助の組織と機關が完備して居ることに基くものであらうと思ふ。

前述の如く、支那の家族制は同居・同財・同產をその特色とする家族組織である。行動と經濟の共同は、其の參與者に對し深い親愛の情誼と、苦樂をも共同にせんとする相互扶助の精神を培養することも極めて自然な現象である。從つて家族構成員相互間に於ては、自己が自ら生活するに充分な資力を有しない場合には、同一家族又は宗族中の生活資力ある者の所に寄食するを以て當然なりとし、扶養すべき側に於てこの事に如何に苦痛を感じても、敢て此の扶養を續けなければならぬといふ。若し然らざる場合には、死して故鄕の墳墓に葬ることをすら同族の者は、拒絶するといふことである。斯くの如き親親の原理は、家族永續の基本原理であるが、今や同時に、傳統的家族制崩壞の原因とならんとしつつあるのである。

又同族間の相互扶助のためには、祭田、義莊等の制度の存することは、既に屢々述べ又第二章以下に詳述せんとする所である。

しかし、相互扶養の關係が、親子間に於て最も緊密に現はれることも亦當然である。而して支那人の觀念に於ては親が子を扶養することを慈と見、子が親を養ふことを孝と見て居た。大戴禮記に「孝や養なり」といひ、孟子も「世俗の所謂不孝なる者に五あり。其の四支を惰らせ、父母の養を顧みざるは一の不孝なり、博奕し飲酒を好みて、父母の養を顧みざるは二の不孝なり。貨財を好み妻子に私して、父母の養を顧みざるは三の不孝なり。耳目の欲を從にし、以て父母の戮を爲すは四の不孝なり。勇を好みて鬪很し、以て父母を危くするは五の不孝なり」と說いて五つの不孝中三まで親の養を顧みないことであると說いて居ることから見ても親を扶養することが子の行爲として如何に重大なものであつたかを示すに充分である。

又逆に親から子を見た場合、兩親の最大義務は、子を養育して一人前のものとし、且つ祖先より自己に至る血統を斷絕せしめざらんがために、その子女によき配偶者を選んで與へることであつた。次の諺は這般の事情を最もよく表現して居ると思ふ。「一兒成雙女成對一生大事已完」（息子が配偶者を得、娘を嫁入らせたら、一生の大事は既に了つたのである）」。

家の永續性の要求と希望は、祖先を祭り、拜を爲す行動に於て表現される。

支那の各家には、一の祠堂（祧・家祠・家堂等と呼ぶ）があり、其の中には祖先の木製の牌（神《シエン》牌《パイ》・神主《シエンチウ》・神木・家神《チアチエン》等と呼ぶ）が置かれてある。而してその牌の上には、色々な祖先の名や、位階・出生死亡の日附が彫られて居る。此等の位牌の前には毎日拜を爲して香が備へられ、而して月に二度再び牌と共に食物が供へられるのである。此の家廟の外に各宗族は宗廟を持つて居る。

その中には又神木《チエンムウ》又は石製の神砫《シエンチウ》と稱する位牌が置かれて居る。春秋には胙肉《ツウヨウ》を供へて、此の廟に於て定期的に儀式が取行はれるのであるが、同時に祖先の墓の前でも儀式を行ふのである。

祖先禮拜は拜神主《パイシエンチユー》又は拜祖宗《パーツーチユン》と稱せられる。拜といふのは、或人に尊敬を拂ふ。服從を爲す。崇拜する。訪問する（例へば拜客《パイケー》は、客を訪ふこと、訪問をなすことをいふ）といふ意味である。斯くてあらゆる家庭的の事件は、祖先の靈に告げなければならぬ。祭祀は如何に遠くとも、其のあらゆる祖先に眞摯な精神を以て爲されねばならぬ。即ち祖宗雖ㇾ遠、祭祀不ㇾ可㆓不誠㆒。

春の清明節に於ては祖先の墓に詣でて清掃が行はれる（拜墳《パイフエン》・拜掃《パイサウ》）のであるが肉（胙《ツウ》）が捧げられ、紙幣（金銀紙《チーインチー》）及び故人の用に供すべき、紙製の色々なものが墓前で燒かれるのである。次に墓前で祈の言葉を朗誦するが、それは、家族の永續を願ふ言葉に外ならぬのである。「我々は、あなた（祖先）の加護に對して、我々の感謝の意を表するために御墓の掃除をするために參りました、そして我々は今、我々の獻げ物を受けられ、我々子孫の繁榮と幸福とを齎らされんことを御祈りします」[5]。

祖先の名を辱しめまいとする家族構成員間の忠實、連帶の精神、相互依存及び相互救助の施設（支那では大族になると族人の物質的扶助のみならず、子弟の教育機關、裁判及び制裁の機關まで存する）及びある程度の命令服從關係の確立は、支那家族制度の美點でもあり、此の制度を永續せしめた要因である。尙儒敎に於て尊重せらるる禮敎の關する所は冠婚葬祭であり、主として家族制上の制度であることも注目されてよいと思ふ。

C）　發展性

Ⅰ）　支那の一切の社會制度は、其の家族制に基く。

支那民族の發展は、その家族制度を基礎としたものであり、地方自治團體の組織にせよ、商工業上のギルド組織たる幇《バン》にせよ、同鄕團體にせよ、華僑の發展形式にせよ、其の家族制度を基礎とし模範としないものは無いのである。以下此等の諸點について檢討を加へ度いと思ふ。

Ⅱ）　地方自治團體の組織

支那の政治組織を考察するに當つて、先づ理解せらるべきことは、支那に於ける政治的社會的單位が、個人ではなくして家族であるといふことである。この家族を模範として國家は統治せられて居たのである。此の意味に於て國家即ち國民の家といふ熟語が用ゐられ、知事や裁判官は、父母官即ち親たる官吏と呼ばれてゐたのである。斯る場合に家とか、家族といふ言葉は宗族全體を意味することが多い。即ち支那の家は、實際上民事的刑事的機能をも果す一の統一體であり、一小國家なのである。これは昔の希臘でも同一であつたので、ギリシャの家も單に社會の基礎たるばかりではなく、政治的社會的組織の框だつたのであり[6]、ユダヤの家族制度も同様な組織を有するものであるといふ。[7]斯る小國家に於ては、理論的には主權は家長たる父に存するのであるが、其の權力は集合的なものであつて、重要事項はすべて親族會議によつて決定され、家父はその決議を執行するに過ぎないのである。斯る家族が多數田園に集合するとき、そこに自ら村落を生ずる。斯る村落には、同族部落も仲々多く山東省には、張家山、姜家口、于家莊等が存し又王家村とか趙家塞の如く、家族名を附した村落も決して少くないのである。

支那の地方行政組織の一單位として設定され村落は、豫め國家の設けた規準に從つて自治を行つて居るが、斯くの如き他律的自治と並んで支那の自然村落は、村民自身の間に自然に發生した要求に應じて相互連帶と共同責任の上に自治機能を營んで居る。自然村落は自治を以て立つ一個の小王國である。「支那に於ける村落生活」の著者アーサー・スミスも「支那の村落はそれ自體が一つの國家である。尤も二つ或はそれ以上の村落が隣合つて居るとか或ひは其他の原因から多分同じ人々の手によつて一緒に取扱はれて居る場合も少くない。それは兎に角として此等の人々を郷長・郷老又は守事人と呼ぶ」といつて居る。村落自治の執行機關たる郷長は、その村落の住民中から出るのであるが、其の就住形式は血緣部落と地緣部落とによつて異るのである。血緣部落の場合には多く選擧によらず、同族中の最も强力な家族の代表者が、强大な家長權、財力、人格、社會的權威に基いて、村民の暗默の同意の中に、自然に村の統治者たる地位に就くのである。之に反して多數の宗族から成る地緣部落に於ては、鄕長の選任は多くの場合指定によるのであり、縣知事が其の地位を承認するといふことになるのである。

斯る自治團體たる自然村落は前にも一言した樣に一の王國であり、一の國家でもある。即ち自ら刑事民事の裁判を行ひ、又民團・公安團・鄕團・保衞團・自衞團等を組織して、村落を自らの手によつて防衞し、更に村の周壁の修繕、壁門の看視人の雇入、村々で開かれる定期市の取締、學校の經營、廟寺の建築と修繕・治水・衞生事業等の公共事業を經營するのである。村落といふ狹い地域的範圍に於て一切の國家的機能を發揮してゐるのである。

斯る自治團體に於ても其の鄕長等が非違を行ふ場合が少くなく、所謂鄕神地主と一般村民との間に階級の分化が甚しくなりつつあるのであるが、「それにも拘らず、支那の村落は自治の共同體として根强く生存するのみならず、支那社會存立の重要なる基石となつてゐる。これは如何なる理由によるか。その一半の理由は、村民の心を家族主義を內容とする禮敎の力が强くとらへてゐることと、村の實質上の統治者が强大なる實力の所有者であることにある」(8)。

即ち支那の自然村落の自治組織は、其の家族制度の發展擴大と見るのが妥當である。

幇は俗に帮又は幇と書くこともあるが、元來は、助けるといふ意味であり、後、仲間とか組合といふ意味を持つ商工業上のギルド組織を指すに至つた。

（三）商工業上に於ける幇《パン》（支那ギルド）の制度

私は前項に於て、支那の自然村落の自治組織が、家族制度の發展に過ぎぬことを指摘したが、都市に於ける統治の樣式も本質的には、家族のそれと變りはなかつたのである。各種の商工業を經營する都市の指導的住民は帮を形成して、一定の規則を定めて、商工業又は勞働關係上の各種の紛爭を調停し、或は貧困者の救濟や、子女の敎育の準備を爲したのである。又集團的に幇自身が孤兒院を經營し、貧困な寡婦に補助金を出したのである。帮の幹部の者は、學者、退職官吏、文人と共に都市の紳士階級を構成し、都市の行政に關しても法律的にではなく實質的責任を有すること、獨逸中世の Zunft の Mitglieder と同樣であつた[9]。

この家族結合の經濟的表現たる幇は、支那古來の家族制にならひ、同鄕・同族・同業等のよしみによつて一種のギルドを形成し、內は、支那商人をして、此の組織によつて國家の保護を受けないでも、生命財產を維持することを可能ならしめたのであり、外に對しては、これが世界的の商業慣習たる共同海損の法理をすら否定する程の勢力を有し、斯る制度によつて歐米の經濟的機構と技術とに對抗してゐるのである。

此等の同業組合たる幇も亦、支那固有の家族制度にちなんで、之を基體として成立したものであらう。

長野朗氏[10]は、支那同業組合の成立の主要なる原因として次の二點を指摘して居られることは正當だと思ふ。

一、支那人が鄕土的觀念に強く、從つて他鄕人は數代其地に居住しても、矢張り客籍として土着の者から差別待遇を受ける關係から、自然同鄕者の結合を促したこと、

二、各省或は各府縣には、其の省又は縣特有の產物があつて、同鄕人は同職業に從事して居る者が多い關係から自然同鄕人の職業團體が成立するやうになつたこと、

二に述べて居られる所は例へば、北京の水賣業幇は山西人に限り、北京の毛皮業者は、直隸、山西、山東人に限り、或は湖南の米茶、陝西の票號、廣東の雜貨商の如く、夫々自鄕の物產を運搬して賣捌くか、或は彼等特有の商賣を他鄕で營むのである。

斯くの如く、他鄕に出て商賣をするものは、或る意味で敵地に於て營業を爲す感があり、其の

愛郷心は、自己の企業内に最も信頼し得る人を獲得せんとする欲望と伴つて同郷人より成る、同業者の結合を持たんとするに至るのであり、又土着の商工業者に對抗せんとする意欲に基く以上初めは祕密結社の形式をとる場合が決して少くないのである。

經濟界に優位を占むる同業組合組織としては、船幇・銭幇・藥幇等が存在するのである。

根岸佶氏も「支那ギルドの研究」に於て、同郷團體の目的と組織について次の如く述べて居られる。[11]

「支那に於ては今日も尙ほ原則として、古代の希臘、羅馬風の家族制度が行はれてゐる。又家族的觀念を取り入れるときは、團體を鞏固にする利益があるから、如何なる團體でも、成るべく準血族關係を生ぜしむることに努める。支那の國家統治機關は、假想的な家族結合の上に立つものである。營利を目的とする合股即ち組合も、南方地方に於ては、其の業務を擔當するものを家長と呼び、其の下にあつて事務を分擔するものを互に兄弟と呼んでゐる程である。祖先の墳墓のある土地に同生したものが、集つて相互扶助のために組織した會館が、準血族的團體となることは亦當然ではなからうか」と云つて居られる。

支那の實業界に極めて大なる勢力ある幇や、公所、會館の制度も初めは、斯くの如き準血族團體より次第に發達して、遂には、血緣とは關係のない同業組合にまで發達して行つたもので、その組織は、家族制度を模範として居ることは疑無いのである。

又幇の組織そのものも甚だ家父長家族的で幇內の事務でも對外交涉でも、組合員全體の意思を尊重するよりは、幇の指導者の專制によつて行はるることが多いといふ。

例へば、モースの「支那ギルド論」によると、表面非常に民主的に見える汕頭ギルドに於ても、「實際商業上の問題が起ると先づ利害關係の深い主な店だけで審議し、大體の同意を見てから關係のある小さな店も會議に參加し、全員一致でギルドに提出するのである。ギルドの會議でも滅多に討議の行はれることなく、もし議案に大分反對のありさうな時はすぐ撤回して了ふ。更に重要な問題殊に管理者が關係してゐる場合等は討論もなければ記錄も殘されない。もし一般に議題の進行が望まれてゐる樣な時は、ギルド中の有力者で祕密の守れる主な動議提出者に一任して了ふのである[12]」。

Macgowan, Chinese Guilds or Chambers of Commerce and Trade Unions. 中にも、ギルドの神殿の舞臺に於て演劇の行はれる場合の情景を敍して「周圍の棧敷では特權階級が盛膳を喫し、且つ談笑しつつ芝居を見て居るが、一般人は廣場に居る」といふ齣があるさうである。

根岸佶氏も商工ギルドの組織について「ギルドにては、外に對しては ギルドを代表し、內に對して機務を裁決するため、董事を設ける。董事は一名なる場合もあるが、專斷に陷る嫌があるので普通數名を設ける。同鄕團體のやうに正副董事を選擧し、司年司月たらしめるものもある。又會員の少ないギルドにては、會員を輪番に董事の職に就かしめる。福建や臺灣に於てはギルドを郊と名づけ、會員を爐下と呼び、其の役員を祭祀を司るものと、祭祀以外の事務を司るものとの、二つに分ち祭祀を司るものを爐主と曰ひ、事務を司るものを董事と曰ふ。支那固有の大家族制に於て、祭祀を司る宗子と家産を司る家長とに別けたと同様である。爐主は每年交代するものであつて、重任を許されない。此等の規定は何れも皆理事者の專權を豫防するためであらう」といつて居られる。

斯くの如く、幇、會館、公所等と呼ばれる同業組合は、同業の統制機關として、價格の統制、品質の統制に當り、司法的業務として同業者間及び同業者と其の使用人間の紛爭を裁判調停し、又對外的業務として、同業の利益保護增進のために、戰亂や土匪の掠奪に對して或は官吏の誅求に對して共同の利益を擁護するのであり、又其の敎育的機能として、徒弟の養成に當るのである。

又勞働者の組合としての幇があるが、之も家族制度の匂が相當に濃厚である。此の種の幇には形態の異つた二つのものが屬してゐるのである。一は手工業者の組織する手工幇であり、之は勞働組合たると同時に企業者の組合であり、手工幇を組織する者は、企業者たる手工業の親方であつて、夥計(職工)とか徒弟とか呼ばれる者はこの中に入つてゐない。斯くの如き幇に於ては、幇の獨占的利益を擁護するために所定の徒弟年期を畢へた者でなければ組合員たることを許さないから、徒弟の養成といふ敎育的機能が手工幇の重要な任務となるのである。徒弟は師家又は師傅と名づくる親方に就き業を學ぶ者であつて、一切親方の命に服從しなければならぬ義務がある。親方にも又之を自己の子と同樣に之を敎養すべき義務を負はされて居るのであるが、例へば機械工組合規約に「凡爲師留徒弟者。敎養看待。必須知同己之子一般。不得自任心意。能使成業之後終身敬服。方不負爲師之道矣。」と規定してある。之を要するに親方と徒弟とは一家族であつて、親方は家長、徒弟は家屬に當るのである、[13] しかし實際は「三年徒弟三年奴隷」の語もある如く、徒弟は相當悲慘な境遇にあり、此等の徒弟の不平によつて屢々紛爭を生じ近代に於ける經濟機構の變革と伴つて徒弟制度も崩壞の一路を辿つてゐる。

苦力幇は手工幇と異り、不熟練勞働者の組合であつて、同一資格を持つ者の純然たる勞働組合である。斯くの如き不熟練勞働者を西洋人は苦力と呼ぶが、苦力の語源については說が分れて居り、或は印度語のコリス即ち墮落せる人種から出たと謂ひ、或はタミル語のキューリ即ち賃金から出たと云ひ或は土耳古語のクリー即ち奴隷から出たともいふ。

「一苦力帮は同一鄕里の者から成立して居るのを普通とする。滿洲に出稼ぎする山東苦力等も、皆同鄕の苦力頭に引率されて行く。苦力が一つの帮から他の帮に轉ずる自由は割合に認められて居るやうである。

苦力は苦力頭の命に從ふと共に帮規を守らねばならぬ。苦力と苦力頭との關係は、多少日本の親分子分に類した所がある。苦力は勞働に際しては一切苦力頭の命令を守らねばならぬ。苦力頭は苦力を代表して賃金を受取り、其の何割かを引き去つて自分の懷に入れると共に、幾分は貯へて置いて病氣其他で仕事の出來ない者に生活費を給し、癈疾者を扶助し、死者には葬儀費を給する。若し額が大きくて苦力頭だけで支出し得なければ、一般の苦力から醵金して之を補ふ。一種の勞働保險である。苦力側では多く頭を列ねる苦力頭を却つて信頼することがある」[14]といふ。

苦力帮に於ける親方と子分の關係も多分に家族制度の臭味を有するのであるが、苦力帮の進步したものにあつては、近代的勞働組合に近い組織を有するものもあるといふ。

しかし例へば有名な滿洲の苦力帮について見れば、「每年山東や直隸地方から移住出稼する苦力は數十萬を算する。彼等は通常同鄕の緣に沿ひ帮を組織する。其の方法は數十人相集まつて一班を爲し、數班相聯ねて大團を爲し、各々首領を戴くのである。一班の指導者を小頭目と曰ひ、一團の指導者を大頭目と呼ぶ。頭目は內にあつて苦力を指揮し、外にあつて雇主と折衝すること、恰も家長の一大家族に於けるが如きものがある」[15]。

斯くの如く支那のギルドたる帮《パン》は、同鄕にして同業なる者の家族制度的企業組織より發達したものであるが、その發達後に於ける重要性は決して、家族制度的なものではなく實に國際的であつた。

此の種の帮の如何に勢力を有するものであつたかといふ例を掲げると、支那と西洋諸國との貿易は一七五七年から一八四二年まで廣東が唯一の「開港場」で、普通公行と呼ばれる「十三行」の支那のツンフトが、いはば東洋と西洋との社會狀態が異る位の差異で西洋のギルド商人に當つてゐたのであるが、當時行商の權能は甚だ大であり、行商の商館內に住む外國人は、その行商の統制に服し、貨物の購入もその手を經なければならなかつた。これはもと外國人を敎唆して反逆を計る自國人を警戒するためのもので、その後、行商商館內の外國商人はさういふ反逆人と通商したり祕密にこれを計つたり出來ぬ樣自由な出入さへ禁じられた。

外國人は先づ寄宿先をきめねばならなかつた。外國人同志の取引は許されたが、その他は卸賣も小賣も寄宿先の主人との外は許されなかつた。外國人は時期（四十日）以外に廣東に留つてはならない。その持つて來た貨物を賣り、船の積荷を終へたならば歸國するか澳門に行くかしなければならなかつた。[16]

又例へば一八九八年フランスの官憲が、上海專管居留地を擴張するに當り、寧波人の設立に係る、會館所屬の丙舍（墓堂・停柩のために貸す建物）を横切つて道路を造らうとした場合、寧波人は大いに之を憤慨し、フランス官憲に對して暴動を起した。上海碇泊の外國軍艦から水兵を上陸せしめ、英米租界からも義勇兵を出して二十名を殺し、幾多のものを負傷せしめた。併し上海に在留する寧波人の經營にかかる商店銀行等は盡く閉鎖し、支那沿岸及び揚子江を往來する汽船に乘組んでゐた寧波出身の事務員及び海員等は一齊に汽船を去り、一時上海貿易を中止せしむる勢ひを生じ、事態益益重大化せんとしたので、フランス官憲も之を如何ともすることを得ず、遂に寧波人の希望を容れて纔に局を結ぶことを得た。[17]

從つて幇の規約に違反した場合の組合員に對する制裁も猛烈を極め、曾つて蘇州の金箔業組合のある一組合員が、地方官の默許で組合の規定を超過する多數の徒弟をある目的に使役したが、組合ではその組合員が地方官に庇護されてゐるので愼重にし、咬んで殺したのは死罪にならないとの言ひ分から、百二十人の組合員は、その一人を一々咬んで唇と歯とを血に染めなければその場を去ることが許されず、終にその反逆者は殺されて了つたことがあるといふ。

組合員に對する規約上の最も重い罰は除名なのであるが、組合員は之を以て滿足せずその場に於て打殺すこともあるといふ。

しかし輕いものは、會館に祭る守護神へ捧げる蠟燭代とか、或は宴會を設けるとか、芝居を寄附するとかいふことですむ場合もある。斯る場合には、罰を受ける者も他の組合員も同席するが此の場合には、禮を以て犯人を遇し、ことさらに體面をきづつける様なことをしない様に注意するといふ。

上述の支那古來の幇に對して、我國の商工會議所式の商會が民國十八年八月十五日の商會法に基いて設立さるるに至つたが、之は商工業者間の和合をはかり貿易的發展を企圖するものであり、且工商業公共的福利を增進する組織的法人であるとされて居るのである。又民國八年以降、新しいイデオロギーに基く勞働組合も出來たのであるが、この新式の制度にも、舊式組合の主要素である鄉土的結合が新しい組合の中にも相當に作用して居ると稱せられ、現に粤漢鐵道罷業の際、天津人だけで組織された組合が、之に反對して就業をつづけたことがあるといふ。

支那の家族制度が、其のあらゆる社會的結合に及ぼせる影響に對して驚くの外はないのである。

VI） 同郷團體

「同郷人《トンシャニン》といふ言葉は、實に恐るべきものである。この言葉はあらゆる方面に働いて、どしどしことを運んで行く、都會での同郷人といふ言葉の具體的な現れは、何々會館とか、何々公所とか言ふものとなつてゐる。然し其他にも隨時に團結し、隨時に解消し、六かしい會則も規則も持たないものがある。さうしてこれが實に偉大な力を持つてゐる。かうしたものを總稱して幇と云ふのである。この幇こそは支那本來の社會組織の中心核である。」と內山氏は云つて居る。[18]

幇は元來相互扶助の意味であり、血族間の相互扶助から發展して、同郷者又は同住者（同一家主の借家人などをいふ）・同業者に及んだのであり、例へば、同郷者の場合は寧波幇とか四川幇と云ふ。同業者の場合は、茶業幇とか、絲業幇とか云ふのである。[19]

同郷出身者のクラブとしての會館の設立は元來官吏のそれから發達したものであるといふ。北京の朱頤年氏の談によれば、昔は擧人・紳士等の試驗があり、擧人の考試は各省で行つたが紳士の試驗は必ず北京に於て行つた。紳士の試驗の行はるる場合には、受驗者は、各省から京師に集つて來る、その時、同鄕の先輩が後輩を宿泊せしめて世話をする場所が會館だつたのであり、淸國時代には、臺灣からの受驗者は、二年もかかつて北京に出て來たものであるといふ。例へば出身地により山東會館・福建會館等があり、吳縣出身者の會館が最大であつたといふ。天津の何慶元氏の談によれば、天津に安徽會館・浙江墳地等があり、斯る共同機關の基金は同鄕の者の醵金により、同鄕の先輩を祭つて居るといふ。

又商人も古くから同樣の制度を持つて居たのであり「商人は既に唐代に出來た（北京の）進奏院に合宿して居た。明初北京に會館が創設せられてから、各都市に傳播した。濟南府に寓居する江西官商は萬壽宮を建て、其の守護神たる許眞人を祀り、旁々其の集會の場所とし、後ちに之を擴張して江西會館と稱した。山東人の蕪湖に客商する者も亦、護國菴を以て其の集合所に充てたが、後ち之を山東會館と改めた」。

現在に於ても此の種の會館・公所は極めて多いのでゐる。「支那は見得る樣にされた歐州の中世紀である」（China is the Europian Middle Ages made visible）といふ立場に於て「動ける支那（The changing Chinese）を敍述したEdward Alsworth Rossも、南支那の諸都市に於ける會館を以て十三世紀のロンドンに於けるフランダース人及びハンザ商人のギルド・ホールに比較して次の如く述べて居る。

"In the larger centers sumptuous guildhalls are to be seen and the highly embellished club-houess of the men from other provinces, who feel themselves as truly strangers in a strange land as did the Flemish or the Hansa traders in the London of the thirteenth century. Sometimes men from different provinces join in establishing such headquarters and I recall in Sianfu the stately "Tri-province Club" accomodating strangers from Sze-chuan, Shansi and Honan."

斯くの如き、同鄕團體の發達した理由は、支那人の愛鄕心と排他心に歸すべきもので、他鄕より來た者は、幾代の間その地に居住しても「客籍」として取扱はれ、その子弟を土地の學校にも入れ得ないことがある程である。從つて同鄕人は、自衞相互扶助の必要上、同鄕團體としての帮を形成するに至つたものである。斯る同鄕團體から、同業組合としての幇を成立せしむる事情については前項に述べた所である。

會館の機能としては、之に屬する貧窮者・老人・寡婦・孤兒・病者等を救濟し、小學校・中學校・女學校・特殊職業學校を設けて、同鄕者の普通敎育・職業敎育をさづける外、自分の鄕里（省・

縣等）に關係した事件が起る毎に、一致して共同防衞に當るのである。同鄕團體は、敵國の中に陣營する樣なもので、いつでも、攻擊に對する防禦方法を講じて置かなければならぬ。從つて會館の管理が重要になるのであるが、其の管理上の責任は董事（支配人）に任され、これは每年選擧され重任する。その他に有給の副支配人と無給の數人の相談役が選任せられる場合が多い。「併し會館で一番重要な役員は常任主事で有給で學位のある人物から選ばれ、これが適當な語句を古典から引用したりして官憲との應待に當るのである。彼はその學位の御蔭で自由にどこの官廳へも出入出來るし、又會館の代辯人としての地位も相當世間から高く買はれるのである。彼は又各種の連絡掛りともなり、裁判所へは會館の法律顧問として出頭し會館のためにその利益を辯護したり、會員への賠償を要求したり、自分の力で會館の利益になることなら何でもやるし、裁判所の方からも、會館の力を借りる時は彼を呼び出し、地方當局も亦會館から慈善事業や非常事件への寄附については彼を通じるのである。同鄕の官吏も亦この會館へ加入しその利益を計ることはあるが、會館管理には與らない」[20]。

その他會館は、會員に對して裁判權を行使したり、商業の統制をしたりするが、同鄕團體の家族制度的色彩は、其の共同祭祀と丙舍の設備である。

會員は、他郷にあつて殆んどその地の祠宇に參詣することはなく、多く自己の會館内に祭壇を設けて、例へば江西人は許眞人、廣東人は關帝、福建人は天后、開漳聖王、或は郷里の偉人例へば、江西人は文天祥や謝枋得を祭つてゐる。これは、各家族に於て、その祖先を祭るのとひとしいのである。

又支那人は、死してその郷土に葬らるることは、この上なき念願であるから、各會館には、丙舍と稱して棺を安置する場所の設備を有し、又前掲天津の浙江墳地の如く、共同墓地を有して居るのであり、丙舍に於ては同郷人の死沒した場合にその屍棺を保管し、若干數に達すると之を郷里に廻送して葬らしめ、運賃及び手數を省くのである。又同郷人の貧困者に棺柩を無料か或は割引して提供するのである。死者への尊敬と故郷の土へ葬られたいといふ考は、最も強く支那人を支配してゐるのである。

前にも一言したが「寧波會堂」事件と呼ばれた一八七四年・一八九八年兩度の上海の暴動もフランスの官憲が、寧波人の會館に所屬する共同墓地及び丙舍を横切つて新道路を建設せんとしたことに端を發したのである。この兩度とも寧波人の勝利に歸して居る。

以上の諸點から見ても、支那に於ける同郷團體の組織が如何に家族制度的色彩の強いものであるかを知り得よう。

次に同郷觀念に基く相互扶助が支那の民族的發展に如何に大なる役割を演じてゐるかを知るために是非次の一例を引き度いと思ふ。

「山東、河南、河北から毎年滿洲に向つて、幾十萬の出稼苦力が出る。山東の奥地から滿洲の奥地まで行くには支那の農民にしては相當の旅費が要る。處が一文の金が無くとも、同郷關係の客棧（旅館）を尋ねて行けば、滿洲まで行けて、働き場所を得る。即ち客棧は、その貧乏な旅行者を同郷人といふので信用で泊めて次の驛までの旅費を前貸する。旅行者は次の驛の同郷出身の客棧に持參の前の客棧の紹介狀を見せる。すると其處の客棧の主人は、同じ様に信用で宿を與へて、翌日旅費と紹介狀を持たせて、次驛に旅立たせる。旅行者は目的地に到着して、客棧の世話で働いて、歸りには一年の稼ぎ高を持つて、往きに通つた客棧を通過しながら、宿泊代を支拂ひ、何がしかの稼いだ金を持つて郷里に歸るのである。内亂があつたり、土匪が出たりする支那の田舍の旅行には、客棧は一つの保護の機關であり、旅舍の主人は、旅行者の保護者である。若し旅舍の主人が不誠意なことをすれば、同郷の各客棧は一齊に之を排斥するので、商賣が出來なくなる。斯うした同郷觀念は、凡ゆる經濟的、社會的分野の中にまで及んで居り、國家や政府に超越してゐる。[21]」

V）華僑

丘漢平氏撰述「華僑問題」によれば、華僑を定義して『凡是中國人移殖或僑居於外國領域而並未喪失中國國籍的、叫做華僑』（凡そ中國人にして外國領域に移殖或は僑居（假住する）し而して未だ中國の國籍を喪失せざるものを華僑とよぶ）と云つて居るが、ジャカルタ等に數百年前より移住して居る支那人の子孫をも華僑とよぶ以上假住ひといふのはどうであらうか、やはり「支那本國から海外に移住してゐる支那移民とその子孫を指す」と定義するのが妥當であらう。

一九三九年十一月末現在に於て重慶政府僑務委員會調査によれば、全世界に於ける華僑數は八百三十二萬人であり、世界中華僑の居住してゐない所はない程であるが、海外移住者の群が近隣南洋に向つたことは自然であり、或史家は、中國人の南洋移住史は二千年前に始まると稱するが、清朝時代即ち十七世紀から十九世紀にかけて、南洋の諸國特に蘭印や馬來半島の爲政者が、其の領有地の開發や建設のために積極的な移動政策をとつた結果、主として廣東・福建兩省よりの南洋移民が激增し、今や南洋華僑は、全華僑數の七割八分を占め約六百萬の華僑が、馬來・東印度・比律賓・泰國・印度支那方面に居住し、實質上此等の地方の經濟上の實權を收めて居るのであり、和蘭人ブラオンをして其の著「東方の蘭領」中に於て「歐洲人は牛を飼ひ、支那人は其の乳を搾る」といふ嘆聲をすら發せしめたのである。彼等は單なる移民に過ぎないのであるが、殊に南洋方面にあつては、彼等無くして其の國の經濟が成立たないとすら極言されて居るのであり、南洋華僑が其の鄉里たる福建・廣東地方に殘して居る家族に對する送金及び主として南洋に投資された事業收入からの送金は俗に華僑の送金として一年間に二―三億元に上り、支那國際收入額の約二割に當り其の最も大なる項目であるといふ。

福田省三氏の推定によれば、「南洋に於ける華僑の投資額は約四十億圓に達する。而して其の半分以上は馬來と東印度にある。彼等の投資の內、最も大なるものは商業で全投資額の約六割を占めて居る。尙、此華僑投資の算定に當つて除外した香港、澳門、緬甸、其他の南洋諸國、南北アメリカ、印度、日本、滿洲、ヨーロッパ、アフリカ等に於ける投資を含めるならば、恐らく五十億圓に達すると思はれる。[22]」といふ。

然らば華僑の所謂雄厚なる海外發展は、如何なる組織に基いたものであらうか、私は是も亦、古來の支那家族制度に基く、同族團體、同鄉團體、同業團體といふが如き云はば、家族的結合を通じて行はれたものであると思ふ。玆では我國と最も關係の密接な南洋華僑について觀察して見よう。

前掲丘漢平の「華僑問題」は、所謂華僑の南洋移殖について六つの原因を掲げて居る。

(1) 沿海七省の人口と耕地とを相比較すれば福建・廣東の二省は山地最も多く人口に比較して耕地は彼等特に沿海一帶の居民に生存の資料を供給し難い情況にあること。即ち人口過剩の問題である。

(2) 此の地方の住民は性質強悍にして冒險性に富むこと。

(3) 天災人禍によつて異地に亡命したこと。

(4) 十八・九世紀の間、華僑の先輩は既に海外にあつて基礎を樹立し、富源の採發を始め、生活途に裕如を覺えた。是に於て相誘導し、黨を結び羣を成して海外に赴き、生活の途を見出さんとしたこと

(5) 交通の發達によつて海外移住が便利になつたこと。

(6) 鄕親觀念に因つて互に相帶同したこと。

一人の中國人が外國に赴いて勞働者になれば、彼は、機會ある每に、同鄕親戚のものを總て同道移住せしめた。

此の種の鄕親觀念は、中國人だけでなく、各國の移民も都て是一樣的であり、現在南洋地帶に

福建・廣東兩省民の多いのは、是が重要な原因をなしてゐる。海外に出稼に出た勞働者にして相當な地位を得た者があれば、故郷を去らずに居る仲間が之を羨望して、たよつて行くといふのもまことに自然なことである。

即ち丘漢平氏は、「因鄕親觀念而互相帶契」といふことが、閩粤人(福建人廣東人)の海外發展の主要原因として居る。從つてその目的地についた此等の人々が、同族・同鄕關係によつて相提携して、互に協同して生活し營業するといふことも自然である。

現に南洋にある華僑の家族生活はその故鄕たる廣東・福建兩省の大家族制度と同樣であり、其の經濟形態は、所謂血緣經濟である。唯僅に華僑の家庭に於ては女權が割合に認められて居ることが本國と違ふ位であるといふ。

「彼等は祖先に對する崇拜熱が極めて旺んで祖先を顯揚するといふことは人生に於て最も立派な行爲の一つであると考へて居る。また子孫は祖宗に對して祭祀をなすべき絕對的な義務があると信じて居るので、祭祀は非常に嚴格に取行はれてゐる。從つて家廟の造營とか、墳墓の修築とか、祭祀の典禮とかに對して富裕な家に於ては、往々にして巨額の費用を投ずることは珍しくないのである。

華僑は一般に早婚の風がある。男子が十五、六歳乃至十七、八歳に達すると、戸主の手で結婚をさせる。富裕家庭では結婚の費用の問題はないが、貧困の家庭でもこれがためには無理算段してでも費用を捻出する習慣がある。これは、彼等が子孫を繁榮せしめる戸主或は長上としての義務と思つて居るからである。

同族の者は往々相互に世話し合ふ便宜上からよく一箇所に集つて住んで居る。而して同族の中では直系に近いもの、男子の多い家族が重要視され發言權も大きいが、これは彼等の血緣經濟を根柢づける必要から見ても當然なことである。

家長は普通父親又は祖父であつて、年長にして比較的才幹のある者である。家長の權限は實に大にして、親族內の婚姻、喪事及び一切の經濟に亙り釆配を振ふ。以前は親族內の不義行爲に對しては活殺の權さへ認められて居つた。また內外の紛爭の處理も一切家長が裁判權を持つて居る。財產相續は多く分頭相續にして男子が財產を平等に分配して相續する。ただ長男が主として祖先の祭祀を司るところから、それ等の費用のために長男には餘計に與へる家が多い。

華僑の結婚儀式は新式と舊式とが行はれて居る。新式は殆んど洋式に近く極めて簡單なものであるが、舊慣による舊式のものは儀式が複雜で且つ費用が非常にかゝり、ために往々にして身分不相應の結婚費用を費し或は借財を背負ふに至る。[23]」

之によつて見ても華僑は、南洋に於てその鄕土に於けると實質に於て殆んど變らぬ家族制度を維持してゐることを知るのである。

從つて社會的にも、商工農業上に於ても、本國に於けると等しく、血族、同鄕等の關係に基いて幇を組織し、この組織によつて相扶助し、此の組織を通じて自衞し、此の組織によつて其の商權を伸張して行つたのである。

其の最も家族組織に近いものは、同姓の者が集つて團體を作る場合であり、例へば王同宗會、林同宗會等といふ。又昭南港より十哩離れて居る王家村の如きは同姓の者で一村落を形成して居るのであり、斯る場合には、其の團結力は實に强く、敬賢尊老の精神のため其の村は自治統制がうまく行つて居る由である。[4]

華僑商店の組織は、小は僻地の一商店より大は國際貿易に從事する有力なる巨商に至るまで獨力經營のものは極めて稀である。多くは親戚、同鄕人、友人、知己との合資組織として經營する。最も多いのは合資事業の形式による「公司」である。株式組織の場合は有限責任を表はすために「有限公司」とする。

更に、華僑は地緣關係によつて、例へば福建人は福建幇、潮州人は潮州幇を結成し、各幇內の結合は極めて緊密なるのみならず、各地に存在する同種の幇と幇との間の連絡も團結力も非常に鞏固なものである。

丘漢平氏も次の如く華僑團體の支那家族制度に基くことを明言してゐる。

「華僑教育が未だよく普及せぬ上に更に言語、習慣、鄕情等の關係により華僑の間には傳統的壘壁を保持する傾があり、同鄕觀念が特に發達してゐるので、凡そ事件の發生する每に同鄕同邑の利益のためには一切を顧みず力を竭して爭ふのが常である。隨つて職業方面に於ても同鄕關係によつて相牽引し自ら區劃をなして居り公共事業界に於ては此の區劃が特に著しい。試みに學校に就いて見れば、福建人には福建人の學校があり、廣東人には廣東人の學校がある。その廣東人の學校は又更に廣東市、潮州、惠州、瓊州等の各系統に分れて居り各所の墓地、喪事會等一として地域を以て中心となし同鄕を以て前提となさぬものはない。言換へれば華僑の社會は家族主義の社會であり地域思想の社會である。この事は華僑の拓殖と奮鬪とが九分まで彼等自身の力量によるものであつて、その國家の援助を受けた事實の無かつた過去を思へば當然の現象でもある。民國二十四年僑務委員會の調査によれば海外華僑の團體は一千六十九の多きに上つて居り、此の點に關しては發達して居ないとは云へない。そして又現在華僑が海外にあつて漸く餘喘を保ち得てゐるのも此等團體の御蔭を被る所少しとせぬのである。」[25]

以上の記述によつても、華僑の發展が、古來の支那家族制に基く團體的行動の結果であることは明瞭であらう。

又南洋の或る區域では、尙ほよく祠堂制度を維持してゐる。此の地方では家庭的團結が大體に於て依然保存されてゐる。比較的富裕な華僑は、一族大抵祠堂を持つて居る。スラバヤに一大家族が居るが、該處に已に五代も住んで居り、其の祠堂の家屋は一九三五年迄に已に二四三年の歷史を持つてゐる。祠堂の設立は南洋に於ては非常に普通である。一族公有の祠堂は只泰國と佛領印度支那等に於ては比較的少いやうである。泰國の華僑は歸鄉の機會が比較的多いために、多くの者は皆故鄉に祠堂を建築し、佛領印度支那の華僑は、祠堂の維持に對して比較的不熱心である。[26]

即ち知る、華僑の發展と伴つて宗祖崇拜の象徵たる祠堂制度も海外各地に移植せられつつあることを。

1　服部宇之吉、「孔子及孔子敎」、一七五頁。

2　宇野哲人、「支那哲學論」、二二三頁。

3 近藤杢、「支那學藝大辭彙」、一三九〇頁以下。

4 思想、一五五號、六〇一・六〇二頁。

5 永尾龍造、支那民俗誌、第一卷一二九頁以下及び P. G. Von Möllendorf, The Family Law of the Chinese, pp. 46, 47.

6 Ludovic Beauchet, Histoire du droit privé de la République Athénienne, I. p. 3 et suiv.

7 Mayer, The Laws of the Jews, Athenians and Rom ns.

8 大上末廣、「村落組織」、支那問題辭典、四七二頁以下。橘樸、「支那社會研究」、四七五頁以下。長野氏、「支那の社會組織」、三六頁以下

9 Schröder-v. Künßberg, Lehrbuch der deutschen Rechtsgeschichte, S. 698 ff.

10 長野朗、「支那の社會組織」、七八頁。

11 根岸佶、「支那ギルドの研究」、一〇一頁以下。

12 H. B. Morse "The Guild of China." 増井經夫譯、七六頁。

13 根岸、前揭、二七四頁。

14 長野、前揭、一一一頁。

15 根岸、前揭、二九五頁。

16 モース、前揭、一〇三・一〇四頁。

17 根岸、前揭、一〇〇頁。

18 內山完造、「生ける支那の姿」、一〇頁。

19 內山完造、「上海風語」、一八四頁以下。

20 モース、前掲、五三頁。
21 川合貞吉、「支那の民族性と社會」、八一頁以下。
22 「支那問題辭典」、一〇七頁。
23 南洋協會編、「南洋の華僑」、一一二・一一三頁。
24 前掲、三二頁。
25 丘漢平、現代問題叢書「華僑問題」、一一四頁に「華僑的社會、是家族主義的社會。這也不能怪」とある。尚、同書山崎清三譯、「現代華僑問題」一二二頁より一二四頁參照。
26 北京清華大學教授陳達著、滿鐵東亞經濟調査局譯、「南洋華僑と福建廣東社會」、一五〇—一五一頁。

2）支那家族制度の短所

A）國家意識を缺くこと（家族と國家との關係）

井出季和太博士は支那の國家と家族との關係に就いて次の如く述べて居られる。

「支那の國家なる觀念は所謂世界（天下）國家、德治國家又は禮治國家であつて、今日の法治國家の如くに、國法學上の嚴格なる意義に於ける主權、領土及人民の構成關係が有機的に統制せられず、其の主權の發動は人民に對して德治的、禮治的には無限であるが、法治的には有限であり、領土の如きも抽象的の限界はあれど、法律的具體的の區域は明確でない。斯くして國家は團體として極めて弛緩した組織の下に存するに反し、村落其の他自治體の結束、家族の結合は自存自衞上頗る强固である。而して家なるものは國家組織の中堅をなすもので、殊に周代より發達した祖先崇拜を骨髓とする宗法（族）制度に由來し、宋代より發達した大家族制度として縱の權力關係に在る公法的統制の機能を有する團體であり、近世文明國に於ける權利關係に在る私法的個人主義の小家族制度と全然其の特質を異にするものである。又家族は國家組織の中堅をなすと云ふものの我が國に於ける家族的綜合的國家の場合と異り、人民の國家に對する關繋は緊密を缺き、自ら古來忠道は發達せず、忠は第二義の德と認められ、孝道は發達し、孝は宗族血族の維持上國粹であり、第一義の最高道德と看做された如く、親族關係殊に婚姻關係を規律する法例が國家の典禮又は刑律の中に定められて來たことは、單に往時公私法の區別の存しないと云ふ事由のみではなく、其の關係を重要視したためである。蓋し支那の禮制中には近世の法令に該當するものが甚だ多いが、原則として禮は未發に防ぎ、刑は既發に懲らすのである。禮の及ばざる所を裨益し補充するものである。即ち禮は本で刑は末であり、禮は主で刑は從である。而も兩者は其の目的は同一であると云ふ根本觀念を存したから中世唐代の立法者の如きは古來傳統の禮制に則り、禮刑一致の精神を律文に現はしたのである[1)]。」

簡單ではあるが實によく支那の國家と家族との聯關を表現せられたものと思ふ。

井出氏も指摘されて居る様に、支那國家も亦天下即ち世界國家と考へられ、文明を有する世界と同一外延を有するものであり、此の圏外に住む者はすべて夷狄なりと考へて居た。而して王者は夷狄を治めざるものとひとりぎめして居たのである。從つて十六、七世紀頃より、西歐人が東洋に來た時に、支那の國土の大を見、北京の紫金城の偉容を仰いで清朝の實力を過大視して居た彼等は、治外法權の獲得は極めて困難なるべしと考へて居たのであるが、實際交渉して見ると清國は、極めて容易に之を許した、王者夷狄を治めずといふ思想によるのである。

斯くの如きは、コスモポリタン的な、限界を有せざる國家觀であつて、斯くの如き理念の下にあつては、國家意識が發生する餘地はないのである。又爲政者は、無爲にして化するを理想として、安寧の保持と、徴税の外は、人民に干渉せず、又人民も、政府の干渉を欲せず、又之を欲しても充分の保護を政府から期待し得なかつた。家族制度を基本とする各種の自治的組織によつて自らを保護する外はなかつたのである。斯くの如き事情は益々、家族を中心とする自治團體の形成を促し之を鞏固ならしむる誘因となつた。

ミュレンドルフは、其の「支那家族法論」中に於て、「支那の家族《ファミリー》(家 chia)は、アテナの οἶκος やユダヤの mispachah の如く、一人の首長即ち pater familias (家長 chia chang, 家主 chia chu 家君 chia chün) の下に立つ同一家庭の全構成員を含むのであり、彼等がその家族中に婚姻によりて入りたるや又は養子縁組によりて入りたるやを區別しない。更に家族中には僕婢及び奴隷を含むのである。又印度・希臘及び羅馬に於けると同じく、其の家族の全員は同一の家族の名(姓 hsing) を帶びることは義務的である。養子縁組によりてすら、一種の準親族關係が形成されるのである。

支那歴史の最も古き時代に於て、家族の數は恐らく氏族の數と同一であつたのであらう。百姓(百の家族の名即ち人民) po hsing といふ古き言葉は、詩經(例へば群黎百姓、徧爲爾德といふ句がある……宮崎註)に始まつて居る。同一の姓を帶びる家族の間には、一種の親族關係が存するといふ觀念は、現在まで續いてゐるのである。」と述べて居るし、(2) 郭沫若も「我が中國の古代に於ける所謂「國」なるものは、その實、單に一つの大きな或ひは小さな宗《フラトリ》であるに過ぎない。從つて、輒もすれば、萬國・萬邦と稱することが多かつた。易經にあらはれた所謂「國」なるものも、當然にこの例外以外のものではない。王といひ侯といつたものは、これらの大きな、或ば小さな宗の酋長・軍長に外ならない。」

と主張して居る。(3)

從つて支那の天下といふ觀念は、支那文化の及ぶ漠然たる範圍に過ぎないのであり、その中に現實に存したものは、多數各宗族を中心とする自治的團體であつたのであり、その中の最も勢力ある宗族が、皇帝の地位についたのであつて易姓革命なる語は、よく此の間の事情を闡明にして居ると思ふ。苛法を行はず、苛稅を徵收せざる政府であるかぎり、何人が天下を取るも人民の大多數は、無關心であり、專らその家族の安全と永續とをのみ冀つたのである。支那家族制度の保存原理は、祖先の祭祀を湮滅せしめないといふ點にあつたのであるが、度々の王朝の變遷と、外國人による統治のために、民族全體の休戚に無關心になつた支那人は、殊に漢唐以來起つた道敎的思想の影響を受けて「禍を去り福を招く」といふ極めて現世的な信仰をいだき、その追求する所は、儒家の理想に反して、財子壽の三者のみとなつた。財は財產であり之によつて世俗的な快適な生活をなし得る、又子は多數の子孫を得て勢力を張らんとするものである。現に、陳達も其の「南洋華僑與閩粵社會」中に於て、廣東・福建地方の家庭につき「男子が比較的多い家は勢力が比較的大で、一族の人々又は村人達が欺侮しないのは勿論のこと、社會的にも暗々裡にその家の地位が高まつて來るのである。往時武器を持つて鬪爭することが盛んであつた頃には、男子が比較的多い家は當然優勢であつた。此等の事情のために、一族の人々の集居を奬勵し、以て團體の結合に便ならしめたのである。一族の者が集つて居住することは、自衞に對しては明かに有利である。特に郷間に於て然りである」といつて居る。壽は長命に對する希望であり、秦始皇の東洋に藥草を求めたといふ傳説にもある如く、長命をたもつための藥物の研究、養生法の如き非常に進歩して居るものの由で、道教に於ても願求する中心は結局、息災延命の四字に盡きるのであり、如何に息災し如何に延命するかの方法に於て其の敎説が複雜多岐になつて居るに過ぎない。

既に支那人の追求する所が事實上に於ては財子壽にかぎれば、その多子を得、獲得せる財產を永く子孫に傳へ、其の老後を安かならしむるがためには其の希望は結局、其の一家の保全と發展を企圖することに歸するのである。玆に於て家族制度の異常なる發達を見たが、國家觀念は之と逆比例して冷却し行かざるを得なかつた。「孝子安家而忘國」といふ顏氏家訓は端的に斯る思想を表明して居るものであり、支那の家族制度が、我が家族制度と全く類を異にして居る所以である。

從つて支那人はその一家一族を守るがために勇敢であつたが、國家を守る兵としては弱兵たるを免れなかつたのである。

そこで孫逸仙も「市民と國家間の關係については、先づ家族への忠節、次に宗族への忠節、最後に國民的忠節が存すべきであり、斯る制度は一歩一歩擴大して、秩序立つたものになるであらう、小社會團と大社會團との間の關係は、具體的・組織的なものとなるであらう。宗族制度の再組織に當つて根本的なものは、在來の宗族の觀念が變形されねばならぬ事である。宗族はもはや從來あつた如き社會分裂と反目の要素でなく、統一的國民感情創造への意識的組織とならねばならぬ」旨を强調したのである。

これは明かに、我が家族制度を模範として之に近づかんと欲するものである。

支那に於ては、社會的、文化的、經濟的機能の全部が家族若しくは宗族なる血緣團體の中に吸收せられて、個人を萎縮せしむると同時に、國家の發展を阻害したのである。人々はその宗家あるを知つて國家の存存を知らず又之を知るの要もなかつた。これは歷代の不干渉的な政治方針に基くと共に、支那民族の著しい特性でもあるのであらう。私はこの例證を南洋に於ける華僑の發展に於て見た。

支那人をして眞に支那としての國家意識を懷かしむるに至つたのは、一八〇〇年以來の西歐諸國及び米國の支那に對する進出であり、その最大なるものは、阿片戰爭だつたのである。

支那人をしてその國家を忘れしめて居たのは、血緣團體があまりにも個人のすべてを包含し過ぎた結果である。

B) 同族に對する依賴心の强さこと

現在に於て支那家族制度を維持して居るものは主として親親の原理であるが、親親の原理は同族間の相互扶助、忠實、連帶等の美點を發揮せしむる原因ともなるが、同時に、族人の無氣力と依賴心をも甚しく助長せしめた。それで一族の者の一人が相當なる官吏となるか或は、會社等の相當なる地位を得るときは、兄弟は勿論甥とか從兄弟等が多人數厄介になるのは普通である。從つて官吏の如きは、其の同族を養ふがために收賄等を爲さざるを得ざるに立到らしめらるるのである。若し同族を扶助せざれば鄕黨間に於ける惡評を招き、實質上に於て、血緣としての交際を拒否せられ、死して葬むるに所無き狀態に立到るのである。

斯くの如き弊風は、官吏に於て甚しかつた。昔は官吏となることは、財を得るの手段であり、官僚の理想は在官中各種の手段を弄して蓄財し、後、官を退いて後世まで傳ふべき著作を殘すことであつた。淸末の政治家李鴻章の如きは、其の一生を國事のために捧げたが、「廣雅堂詩集」、「勸學篇」、「輶軒語」、「書目答問」等の著者たる張子洞や、「盾鼻餘藩」、「奏議」等の著者たる左宗棠より惡趣味であるとして嘲けられたといふ。

斯くて家族制度の官僚生活に及ぼした影響としては、官僚生活は支配階級の生活であり、支配階級にある者は其の面子を保つための必要條件として大なる家族組織を整へ、多數の使用人を雇入れなければならぬ、玆に於て家族が其の族內から出た族人のために必要とする資金を供給し、逆に官僚は其の不正收入の大部分を擧げて同族のために貢納し、且つ族人のために官吏乃至は准官吏の地位を用意するのである。その結果は政治を私事化し、官僚生活を營業化することになつたのである。又政治の局に當る者は、相當の學識才能を備へなければならぬのであるが、血緣者中より採用するため、勢ひ多くの無能者が局に當ることとなり、治政上の成績を擧ぐることを得なかつた。しかのみならず彼等は協同して公金を横領し、收賄を行ひ、其の弊まことに大なるものがあつた。

歴代の王朝も此の弊に鑑みて、官吏は、その郷土に於て任官することを禁止したり、或は御史をして血緣相牽くものあるときは、當該の官吏を彈劾せしめたのである。之を廻避《ホーピー》といつた。即ち廻避とは官吏をして私情のために公義を誤るの弊害を絶ち、又其の嫌疑に遠からしむる目的を以て特定の場合に必ず其の任を去り、又は新に之に就くことを得ざらしむる制度である。

清朝時代に於ては、京官（中央政府の官吏）廻避と地方官廻避と武官廻避が區別せられ、更に京官に於ては、一般官吏に關するものと特殊官吏に關するものがあつたが、前者についていへば、上は六部の尚書より下は筆帖式（前清時代各官衙の書記）に至るまで祖孫・父子・伯叔兄弟の關係にある者は同時に同一官廳に奉職することを得なかつた。又母の父及び兄弟、妻の父及び兄弟、女婿、自己の姉妹の子とは同一官廳に在ることを得なかつた。又特殊官吏についていへば、戶刑兩部の司官は其の本籍所在地省分の清吏郎中に任ずることを得なかつた。例へば浙江出身の者は戶部浙江清吏司若しくは刑部浙江清吏司の郎中となることを得ない樣なものである。地方官についても、近親關係者間に廻避を爲すべきことが要求せられたが、唯武官は其の職務上人民と直接の關係を持つことがなく、官職を利用して私欲を營む弊害が文官に比較すると甚だ少なかつたので廻避の制限も文官に比して頗る寛であつた。

現在に於ても、官吏が姻族相牽くことを裙帶關係《チユンダイクワンシー》（スカートの關係の意）と稱していやしむといふが、蔣介石が宋子文一族と結托して國策をあやまりつつあることは人の知る所であり、「人を罪するに族を以てし、人を官するに世を以てする」弊害は今尚相當に支那官界に殘存して居ることと思はれる。

C） 背理性

支那の家族制を存續せしめ且つ之を發展せしめた同一の原理が、支那の家制上極めて大なる缺陷を生ぜしむる原因となつて居るのである。

親親の原理に基き、同一の家根の下に多數の血緣者が、共棲することは、經濟上又自衞上重要な意味があつたのであるが、そのことは同時に、家族間に於ける不和・紛爭の原因となつた。「家族居を共にすれば、嫌怨嫉妬が起り易く米鹽の瑣少事でも僕妾の間に讒訴があり、家族愈々大にして紛爭が益々多くなる」。昔張公藝は九世同居した。高宗之を問うた時に張は默つて忍の字を百餘り書いて差出した。又浦江の鄭氏は太祖に對へて臣の同居に於ける唯婦人の言を聽かざるのみと云つたといふ。

五人か六人より成る小家庭に於ても、家族構成員間に、平和を保つことは、必ずしも簡單だとは云へない。況んや支那に於ける多くの家庭に於て見出すやうに十五人、二十五人、五十人以上の人々が一緒に住んで居る所では嫉妬・偏愛・好惡に基く紛爭の起ることが屢々なのである。殊に孫を溺愛する老人と若き者との間に於て、更に妻妾の間、正妻の子と妾の子との間に甚しいのである。又姑と嫁との間の不和は屢々、年若き妻の家出、自殺等の悲劇の原因となる。外國人をして不可解なりと嘆ぜしむる支那人の複雜なる性格は、この家庭生活の雰圍氣を反映して居るのであると稱せられる。

次に尊尊の原理に基く、祖先崇拜や孝道が如何なる病理的現象を生ぜしめたるかを觀察しよう。

孝道が支那に於ける道德の中心であり、之によつて如何に支那の家族制度を美しきものたらしめ且つ之を永續的ならしめたかは、先に詳述した所であるが、其の同一の原理が如何にして、支那家制上の幾多の救ふ可からざる缺陷を生ぜしむるに至つたのであらうか。

孟子は、不孝ニ有リ㆑三。無㆑後ヲ爲㆑大（孟子離婁上）と謂つた。この思想は、儒教的な意義に於ても、後に生じた道敎の思想に於ても、維持せられ牢固として拔くべからざるものであり、斯る思想が支那の風敎に及ぼしたる影響は測り知るを得ないものがある。

又法定離婚原因たる七去の中でも無子を以て其の主位に置いてゐる。此等の敎說や規範は支那人の解釋に依れば、妻が若し家の名と祭を繼續す可き子を生まない場合には、夫は妾を蓄へて子を生ましむべきであるといふことを意味してゐた。若しその妾が子を生まぬ場合には更に他の妾を納れてもよいのである。何となれば、祖先の祭を絕たざらんがためには、女性に對して如何なる犧牲を加ふるも子孫は得られなければならぬからである。

之に對する必然的歸結として婦人の低き地位を生じたのである。卽ち社會生活に於て、敎育的機會に於て、職能の觀念に於て、家族的儀式の執行に於て、財產の相續に於て、婦人は男性と同一の機會を持ち得なかつた。斯くて Sophia H. Chen Zen の言ふが如く、支那婦人は「忍耐强くあつていいが、しかし人生を享樂するを得ない。彼女は喜んで苦難を受けてよいのであるが、幸福であつてはならぬ。彼女は笑はんとつとめてもよいが笑聲を出してはならぬ」といふ境遇に置かれるに至つたのである。斯く婦人を殆んど完全な無能力者たらしむる制度に於ては、假令婦人に罰すべき過失あるも之を直接に罰することを爲さず、その監督者たる地位にある男性を罰すべしとするに至り、却つて婦人の專恣と橫暴を惹起し「畏內」といふ語を生ぜしめた程であり、支那の農村の平和を破壞する粗暴な婦人の各種の行動は、諸外國人の支那旅行記にも多數發見せらるる所ではあるが、社會的に見て支那婦人の哀れな低き地位は否定し得ざる事實であつた。湯良禮氏は「中國社會之新組織」中に於て家庭に於ける婦人の地位について次の樣に述べて居られる。

「學問文學にあつては、班昭があり、彼女は婦人のために最初の古典を書いた。また詩人では東晉の謝道韞、前秦の蘇蕙があつた。行政にあつては、明朝の秦良玉あり、彼女は二十年間巧に兵三萬を指揮した、これ等の婦人の話は、正史に詳細に見られ、決して傳說でも小說でもない。然しこれ等著しい例あるにも拘らず、婦人はその先天的才能を家庭以外に働かせる機會は實際には殆んどなかつた。つい半世紀前頃まで、支那の少女は世間のことは何も知らないやうに隔離された生活をなし、また隣人が彼女等を不眞面目と考へるのを恐れて、窓外をつく〲眺める樂しみをも許されなかつた。非常に若くして――通常十七歳位で少女は兩親の選んだ男に嫁いだ。彼女はそのことに與る權利はなく、また彼女は決してその男に會つたことがなかつたから、彼が親切であるかどうか、若いか年寄りであるかも知らなかつた。少女の親が貧しい場合、少女が既に三、四人の妻を持つて居るやうな富豪の老人に嫁ぐ例は非常に多かつた。さうした場合、彼女等（先に嫁いで居る妻）は新來者より高い地位にあつたから、彼女は習慣によつて、その侮辱・非難・横暴にも服從せざるを得なかつたであらう。彼女はしば〲夫の親戚によつて冷遇され、又三、四人子供を生んだ後でも夫を訪ねた男と話をすることを禁じられた。さうした心安さは育ちの良い婦人には不似合と考へられたのである。その姑に冷遇され、食事の時姑と一緒に座ることを許されず、ただ姑や家族の他の人々（自身の夫をも含めて）に仕へる「特權」を與へられ、若き妻は――五十年前多くの歐洲の姉妹達と同樣――家庭生活の奴隷と殆んどえらぶ所がなかつた。夫の寵愛をつなぐために、彼女は子供を產んだ。しかし祖先の祭といふ重要な義務を行ひ得る息子がない場合、夫はしば〳〵第二夫人か妾を納れた。」

又古來離婚を禁ずる法律は存しなかつたが、近世に入つて、支那の上流社會には殆んど離婚は行はれなかつた。離婚を以て脅迫された妻は自殺するか尼になる外方法がなかつたからである。明朝時代に於ては、夫が妻を離別するための唯一の正當な理由は姦通に限られるやうになつた。最近に至るまでの支那の婦人の地位は斯くの如きものだつたのである。

斯くて、光緒二十三年（明治三十一年）頃より不纏足運動が起り、現今では纏足する者が非常に少くなつて居るし、女子の敎育問題が高唱せられ、此の點も着々實行を見て居り又婦人參政運動も起り、孔子敎や孝道否定の論議すらなされて居る現狀であるが、事實上に於ては今尙、婚姻は其の當事者のために爲すものではなく、その傳來の家系を維持せんがために家のために婚姻を爲すといふ思想が强く、男女共に父母の意思によつて選定せられた配偶者との婚姻を强ひられ幾多の悲劇を生じ、且つこのことは、男子が自己よりも年長の女子と婚姻を爲さしめられるといふ事情によつて强められて居るのである。

ラムソンの「支那に於ける社會病理學」中にのせられて居る一學生の報告中に次の如きものがある。

「私の從兄弟は立派な敎育を受けた青年ですが、その兩親の命によつて七年前、結婚前に自分が見たこともない無智で無敎育な田舍の娘と結婚した。彼は斯る結婚の危険なることを恐れたのであるけれども、經濟的には其の家庭に依存し、自分自身では何等の權威もなかつたので反對することが出來なかつた。彼は其の研究を續け、休日にも休暇にも學校に止まつて居て、其の妻に會ふために家に歸ることはなかつた。彼は終に外國に行き學位を得て歸つて來た。彼は其の歸國に際して、彼女を離婚しようとしたけれども何等正當な理由を見出すことは出來なかつた。彼の妻も、その所謂夫からの此の冷酷な仕打を忍ぶことが出來ず抗議したが何等の返答も同情をも得ることが出來なかつた。その結果彼女は屢々自殺を試みたけれども其の度毎に救助された。最後に彼女は一切の貴重品を持つて其の生家に歸り、再び夫の家に歸ることはなかつた。私の從兄弟はこの事件を裁判所に訴へ法律的解決を求めて離婚の判決を得た。」

次に不合理な婚姻と蓄妾關係によつて生じた悲劇について述べよう。

Meng（明）氏は、ある市の市長であり、非常な富豪であつた。彼はまだ若い時に、兩親によつて結婚させられたのであるが、其の夫人は容貌はむしろ醜であり、彼はその妻を愛して居なかつた。彼等の結婚の後、此の青年は法律を學ぶために北京に行つた。其の業を終へて彼は政治生活に入り、遂には湖南省に於て市長となつた。それから約三ケ月後彼は妾を納れようと決意した。此の間彼は黄河の氾濫によつて破壊された其の故郷に引込んでゐる妻に一本の手紙も書かなかつた。彼の故郷の家は破壊され、彼の妻は夫が遠い街で役人になつて居ることを聞いて自分のため幸福な家庭を得んと望んで夫の任地に赴いた。

妾は其の夫に妻がその地に到着したら、其の妻を認めることを拒絶する樣にときつけた。そこで妾は門衞のある者に對して、妻と一緒に來た其の親族とを追出す樣に命じて之を實行さした。妻はこの不面目を痛切に感じて、門の扉の所にある石に頭を打つけて自殺した。其の妻の親戚は之を聞いて非常に怒り、其の市に赴いて Meng 氏を知事の前で糾彈した。知事は事情を調査し、市長の地位を退かしめ、彼を逮捕し一週間の後に處刑した。そこで妾は門衞の一人と逃亡した。[6]

祖先の祭を絕たざらんがために子孫を、如何なる手段を講じてでも得度いといふ慾望は、極めて背理的な、人性を無視する方法に於て實現せんと企圖されることがあり。清代には兼祧と稱して一人にして二家の祭祀（雙祧）や三家の祭祀（三祧）を並に相續するもののあつたことは、諸種の文獻の證する所であり、[7] 臺灣にも獨子の雙祧兼承の慣習があつたので臺灣私法第二卷下五一三頁にも「宗祧承繼ハ一宗一嗣ヲ以テ本則ト爲ス。若シ兄ニ子ナク弟ニ子二人以上アルトキハ兄ハ弟ノ子一人ヲ取テ其過繼子ト爲スコトヲ得ベシト雖、若シ弟ノ子が一人ナルニ之ヲ取ルトキハ爲ニ弟ヲシテ繼嗣ナキニ至ラシム。然レドモ之ヲ從兄弟以外ノ子ニ求ムルトキハ血縁遠ク情誼疎ナルヲ免レズ。故ニ法律ハ兄弟互ニ情願シ且同族ノ甘結ヲ得ルトキハ其獨子ヲシテ兄弟ノ兩祧ヲ兼承セシムルコトヲ許ス」と謂つてゐるが、現代支那に於ても此の風は今尙ほ行はれ、次に掲げる樣な甚しい場合も存する。

「Su（蘇）は二十七歲であり、郵便局の書記として雇はれて居た。彼の父は五人兄弟の一人であり、息子を有する唯一の人であつた。この若者が二十五歲に達した時に、五人の老兄弟の各々は、彼等が皆自分の財產を繼がす可き孫を得んが爲めに、此の青年をして別々の妻と結婚せしめようとした。他の言葉を以てすれば、此の青年は五人の妻を持ち、其の各々に對して異つた義父があることになるのである。結婚以來妻達は別々に住んでゐたが其の家庭には一日として平和な日はなかつた。その上五人の兄弟の各々は（卽ち自分の父と叔父達）は、此の青年をして自分が選んだ特定の妻と同棲せしめんことを欲した。可愛想にも此の青年は、五人の異る妻と四人の叔父、その上、自分の父との間にひつぱり廻された。彼等は皆彼等の特定の嗣子の母たるべく選ばれた妻によつて儲けられた孫を得んと欲したのである。若し彼が一人に好意を示すと他の者が不平を言つた。すべての妻は御互に非常に嫉妬した。而して此の生活は、若い周には堪へられなかつた。遂に誰にも行方を知らさないで、ひそかに彼は逃亡した。これは更に紛爭と相互の疑惑を惹起した。此の青年を探さうとして多額の金が費されたが無駄であつた。[8]」

次に支那家屋の構造が、近代的家族生活に適應してゐないことも注目されねばならぬのである。これが家庭に於ける老人と青年子女との摩擦の一原因となるのである。殊に上流小數の家庭をのぞき、其の缺點は床が大抵土間であること、天井のないこと、採光の惡しきこと、部屋の床を一段高くしてゐないこと、臺所に附隨して家畜小屋があること等であり、支那家屋には「以上の様に種々の短所があつて不潔であつたり、不便であつたり、殊に衞生觀念の薄いことは、これから伸びようとする若い人達の健康を非常に害することになり、女は始終かういつた様な家の中に引つ込んでゐなければならないので非常に榮養不良で結核性の病氣が多いのである」。近代教育を受けて居る者は、學校で新鮮な空氣や日光の價値を學ぶ、然るに彼等が家庭に歸ると、換氣裝置のない寢室及び家の方々に暗い場所の多いのを見て、壁に新しい窓をうがち、從來存する窓をもつと開いて照明を良好にしなければならぬことを感ずる。然るに其の家の年老いたる連中は、窓を開けて寢たり、部屋の中にあまり光を入れることや、あまり多く窓を開けることは、藝術的ではないと感ずるのである。ここにも新舊兩者の感觸の摩擦を見るのである。これは瑣事の様であるが支那家族制の改造は先づ家屋の改造より始められねばならぬことを痛感するのである。[9] 又阿片の吸入や賭博、泥醉、性的不秩序が、支那の家族生活を暗いものにして居る極めて重大な原因であることも看過されてはならぬのである。

尚支那の婚姻の解消について一の特色を成すものは、慣習上又は法律上認められた離婚の方法をとらずして、遺棄が極めて多いことである。換言すれば家庭的境遇の重荷に耐へかねた夫又は妻が、其の煩累から永久に逃がるる意思を以て、而も自分の意思に關する何等の言葉を殘さずに家庭を棄てる場合である。廣東、福建省等に於ては、斯くの如き狀態で南洋に逃れる者が多いといふ。米國で所謂 "the poor man's divorce" 又は "the poor man's vacation" と稱せられるものである。

法律的手段に訴へる離婚數も次第に增加しつつあるのである。

殊に一九三〇年に八〇〇件以上の離婚訴訟が北京の地方裁判所に提起されたが、其の三〇パーセントは婦人によつて提起されたものである。

廣東は同一の期間について約二〇〇の離婚について報告して居る。[10]

上海では一九二九年に於ては六四五の離婚を報告してゐる。一九三〇年、大上海社會事業局によつて蒐集された統計によれば、之に相當する數は八五三であつた。

現行支那民法典一〇五二條に於ては、我が民法八一三條と殆んど同樣な離婚原因が規定されてゐるが、一九二九年及び一九三〇年に、大上海社會事業局によつて蒐集せられた統計によれば、其の原因は次の如きものであつた(11)。

年度		1929	1930
離婚原因	性格不合致	501	626
	虐待	16	18
	經濟的壓迫	9	7
	不行跡	61	124
	強制結婚	13	11
	遺棄	17	16
	病氣及び肉體的無能力	3	5
	雜	21	41
	不明	4	5
	合計	645	853

以上支那家族制度の諸缺陷に就いて、之を指摘したのであるが、其の最大なるものは、その家族制度と國家との間に眞の融和が存しないことであらう。

支那の家族制度は社會及び國家に對する男子の義務を蹂躪し且つ隱蔽する程發達した。家族的忠誠の理論が發達すれば、それは擴大せられたる個人主義であり、擴大せられたる自己中心主義であるとも謂ひ得る。而して擴大せられたる利己心の哲學は、一般的利益と家族的利盆とが衝突する場合には、きまつて後者が勝利を得るといふ結果をもたらした。この點が先述の如く支那家族制度最大の缺點であらう。斯る家族組織が支那の政治腐敗の一大原因を成して居ることは看過し得ない所である。

支那の家族制度が、過度に發達したために、個人の發展を阻害したことは、其の第二の缺點である。

家族制によつて拘束さた支那人は、自由に職業を選擇することをも得ず、又假令事業を經營するも、官吏となつても、血緣關係による束縛を脫することを得なかつたのである。

又家長の絕對權と、家產制の嚴存によつて婚姻の自由も、財產の私有權をも認められず、個人の潑剌たる活動を阻止せられ、近代の文化的・社會的進步に伍することを得なかつたのである。

1 臺北比較法學會編、「比較婚姻法」第一部、一六七頁以下。
2 P. G. Von Möllendorf,“ The family law of the Chinese” P. 5.
3 郭沫若著、藤枝丈夫譯、「支那古代社會研究」、五六頁。
4 臨時臺灣舊慣調査會第一部報告、「淸國行政法」第壹卷下、二六二頁以下參照。
5 Herbert Day Lamson, Social Pathology in China, p. 502.
6 Ibid. p. 515.
7 仁井田陞、「支那身分法史」、四五・七六・五〇七・七九七頁。
8 Lamson, ibid. p. 517.
9 Lamson, ibid p. 503.

長谷川美惠、「臺灣の家庭生活」中、「民俗臺灣」昭和十七年五月號。
10 Lamson, ibid. p. 532.
11 China Critic, March, 12, 1931. p. 257.

3）支那家族制度の將來

家族制度の進化を論ずる者が、洋の東西を問はず、初めは氏族制が行はれ、後大家族制度に移り、更に小家族制に移ると論ずるのが普通であるが、支那の家族制に就いても大體に於てこの經過を跡づけることが可能であるが、歐洲に於ては、古の羅馬の大家族制なるものは所謂文化諸國に於ては其の痕跡をすら發見し得ないが、支那に於ては、其の社會構成、社會影響の點より觀察するときは依然として大家族制を維持して居るのである。これは如何なる理由に基くものであらうか、私はそれは、羅馬の家族制は、法律的大家族制即ち其の家長と家子との結合關係は、情義的・道德的結合であるといふよりは、むしろ、ひややかな權利義務による統制服從關係にすぎなかつたといふ事實に求むべきものであらうと思ふ。即ち其の家父（pater familias）の家子（filii familias）に對する關係は、主人と奴隷との關係に異らぬものがあつた。Paulus Diaconus に依れば „famel" といふ語は元來奴隷と同様なものを指したのであり、„familia" といふ語は人に對する所有權を意味し、其の所有權の客體たる人が、戰爭による捕虜たると、契約により雇入れられたる奴隷たると、自己の子たるとを問はなかつたのである。而して pater なる語も「產みの親」といふ意味ではなく――その意味では genitor といふ語を用ゐた――むしろ rex（王）、anax（支配者）、basileus（君主の地位）と同意語であり、即ち支配者を意味したのであり、從つて pater familias は、元來は、その famuli 即ち奴隷の主人を意味したに過ぎない。(1)

而して絕對無限の此の羅馬の家父權はその生涯存續したのであり、假令その子が成長し法務官《プレートル》、戶口總監《ケンソール》、執政官《コンスール》の如き大官に任ぜられても、子としては全く pater familias の手中にあつたのである。而して家父は何時でもその子の自身の勞働の結果たる收益を奪ひ、之を賣却し、之を殺傷することを得たのである。從つてローマの家父は、家庭の憎む可き恐ろしき暴君とみなされて居たのであり、その死は成長せる子にとつては、よろこばしきことであつたのである。(2) ローマ家族制の崩壞は當然である。

之に反して支那の家族制度を維持したものは、人性の自然に出づる愛情と尊敬を根本とする禮敎的規範であつた。尤も韓非子の如く「母の子を愛するや、父に倍す、父の令の子に行はるる者は、母に十す。吏の民に於けるは愛なし。令の民に行はるるや、父母に萬す。父母愛を積みて令窮し、吏威嚴にして民聽從す。」と解して服從の基礎をローマ人と同じ樣に命令の嚴に求めた政治家もなかつたわけではなかつたが、これは支那の家族制を維持した儒敎の精神ではなかつた。「君子は庖廚を遠く」「父は子の爲めに隱し、子は父の爲めに隱す」といふが如く、儒敎の敎義は理論的には不徹底であるが、極めて實際に則して居り、人情の自然をとらへたものであつた。又前にも述べた親族間の扶助も決して無理をしないことを理想とするものであつた。支那家族制度の永續した所以である。しかし、支那に於ても斯る大家族制を支持して來た經濟的・社會的基礎に大なる動搖を來して居る。支那家族制の將來如何、私は、その家族構成員の員數の問題と、小家族制への轉換の時期に分けて觀察し度いと思ふ。

A） 家族數

支那の家族構成員の數については、信憑すべき統計は一も存しない。その人口總數についても同樣であつて、私も先般の旅行中大陸の各地の權威者に聽けば、普通は四億と答へるのであるが、或者は二億說を固執し、或は四億といふのは、四十數年前の不完全な統計に基くものであり、六億を以て最も正確に近き數なりと主張する學者もあつた。

家族の員數についても、古來正確な統計は存しないが、現今我が國の支那學者中には、支那には古來、平均すれば、それ程の大家族は存しなかつたので平均五・六名位であつたであらうといふ説が殆んど大部分を占めて居る。例へば牧野巽氏は、「漢代に於ける家族の大きさ」なる論文に於て、[3] 其の趣旨を總括して

「一、父の生存中に子を分家させる所謂生分は、道徳的には非難されてゐたが、恐らく後漢まで可成り盛に行はれたこと。

二、父の死後兄弟が同居してゐた例も少くはないが、多くは間もなく或時期に分財したこと。

三、伯叔父と兄弟の子とは孤兒が成年となれば恐らく出來るだけ早く分財したこと。

四、特別の事情により一方が他に養はれると云ふ以外には、文獻に證據のある普通の同居家族の最も疎遠な者は從兄弟同志（これに其の子孫が更に加つた場合もあらうが）であること。

によつて、さして多人數のものでなかつたであらう。勿論、實際の家族生活、少くも經濟的一單位としての家族生活には、此等親族關係のある人々以外に、賓客、奴婢の類を考慮に入れなければならない。」

と云つて居られる。又同氏は、現在の日本及び、數氏による支那の特定地方の調査を基礎として「統計的に見た日支家族構成の比較」を「東亞問題」一ノ一〇に發表して居られる。

	一家平均人數	夫妻未婚子女の一家平均數	其他の家族員の一家平均數
日本全國	四・五〇人	三・五七人	〇・九三人
日本東北五縣	五・八四	三・七七	二・〇七
日本六大都市	三・六〇	三・一三	〇・四七
バック氏支那七省一六地方	五・六六（邦譯書には五、六五とあり）	三・四五	二・二一
李景漢氏河北省定縣	五・八三	三・一五	二・六八

即ち氏の計算によれば、一家の平均數は日本に於ても支那に於ても大體五・六人といふことになる。これは日本の徳川時代に於ける宗門帳に基いた計算でもさうなるし、その他の歐米の諸國に於ても、大體四・五人か五・六人平均となるであらうと思ふ。之は、五十人、七十人、百人といふが如き大家族を維持するがためには、之を支へるに足るだけの經濟的の基礎の存することを要し、斯る大資産を有するものは、經濟資源と人口との對比上極めて少數に限られ、多くは夫婦とその子を中心とする小家族に分れることは、極めて自然であり、これはある意味に於て必然家族と稱す可く、此の必然家族の構成員數が五・六名平均となることも人類の長き經驗上確認せられた所である。

支那に於ても、富裕なる家庭に構成員多く、然らざる家庭は概してその構成に於ても小規模なることは多くの研究者によつて指摘せられて居る所である。

例へば Milam 教授の「支那學生家庭之研究」中に於て、學生の六一〇家族の中で、その構成員は二人より三八人までであり、一家族につき平均九人である。七人より成る家族は七九あつた。又四十七家族は唯三人の構成員を含み、三九家族は四人のみより成立して居り、十人の家族は五七であり、一五人の家族は一四あつた。各々二十人の家族は十あり、三十人が共に棲む家族は三あつた。

然るに牧野氏の表中にも引用されて居る、バック教授による十六の田園地方の研究は二、六四〇の支那の農家について研究されて居るのであるが、その中間型は五・六五であり、その普通型は五・四六であつた。而して彼の研究した全家族中其の六四パーセントは、比較的大家族に屬するものであつた。

又マローン氏及びテーラー氏の調査によれば、バック氏の調査したると異れる農村地方の研究では、七、〇九七家族中、その家族數の平均は五・二五であつた。

此等の農家の家族平均數は上述ミラム氏の調査した學生群の家族より遙かに少ないのである。これは學生の家庭は、農民層に比して社會に於て多少選ばれたる層に屬するものであり、從つてその經濟力に於ても多數の傍系の親族數を支持し得るといふ事情に基くものであらう。

この樣な點から見ても、大家族制と其の經濟的の基礎との關係は、極めて密接であり、山本義三氏の「北滿一農村の家族關係[7]」によれば、經營農家の間に今なほ濃厚に大家族共同體が存在して居ることは廣く北滿穀倉地帶を通じて見られる現象であり、例へば產調資料「農村社會生活篇」第一五表によつて見ても、北滿一六屯六八一農家中に二一人以上の家族數を有するものが二二戶に及んでをり、百人前後の巨大なる農家も往々に存在してゐるのである。上揭バック氏の「支那農家經濟研究」によつても明かなやうに、中南支方面に於て大家族共同體の解體しつつある環境の中に育ち、その地を故鄉とする北滿の農民が、この北滿の穀倉地帶に顯著なる大家族聚居を形成し、それが今日まで存在してゐるのは如何なる理由に基くものであらうか、思ふにその基本的要因は、この方面が新しき植民地域として、土地の取得集中が容易であつたことにあるのであらう、と述べて居られる。從つて支那の家族は經濟的事情さへ許せば常に擴大せんとする彈力性を有する共同體であり、又其の社會的影響から謂つても、最も人口の多い地方の村落自治體に於ても、其の支配階級を形成してゐるものは官僚と鄉紳であり、此等の者の家庭は通常大家族的生活を爲して居るのであり、その他都市に於ける同鄉團體にしても、商業上の幇の組織にしても、外國に於ける華僑の活動形式にしても、主として大家族制を模範として居るのであり、此の意味に於て支那に於て大家族制度尚存するものと解するのが妥當であると思ふ。

之は歷史的觀察に於ても、同樣であり、支那の支配階級は常に大家族制を取つてゐたことは明かである。即ち斯る大家族は單に衣服住の共同關係に立てるのみならず、財の所有に就いても共同關係に在つたのである。隨に於ける劉君良の「四世同居、族兄弟猶ほ同産（新唐書卷一百九十五、列傳第一百二十、孝友）南北朝における季几の「七世共居同財、家に二十二房一百九十八口あり（魏書卷八十七、列傳第七十五、節義）宋における林昌朝の「四世不析居異財」及び陳炎の「七世同居、一百餘口あり私財を畜へず（宋會要稿禮六十一、旌表）等や、その他元の張閏について「八世不異爨、家人百餘口、間言なし、日々諸女諸婦各々一室に聚りて女紅を爲る。工畢つて一庫に斂貯し、室に私藏なし」といはれ（王折、續文獻通考卷五八十二節義考、義居）、清の徐季子について「同産五人、兄弟に子二十餘あり、季子年二十二、妻及び子を喪ひ、遂に鰥居して家事を治む。兄弟の子は耕者、賈者、授徒、客遊者、絲粟を私室に入れず。男女少長百人に近く、違言なし」と記されてゐるのはすべてその例であり、また「故季相昉の家、子孫數世二百餘口、猶ほ同居して爨を共にす。田園邸舍の收むる所、及び官を有する者の俸祿、皆之れを一庫に聚め、口を計つて日に餅飯を給す。婚姻喪葬の費す所、皆常數あり。子弟に分命して其の事を掌らしむ」といふ溫公家範の文について見ても、[8] 社會上支配的地位に立つ者は、悉く大家族を構成して居たのであり、小家族を構成して居たものは、農工勞働階級であつたのであり、諸學者の反對あるにも拘らず淸水盛光氏（「支那家族の諸構造」滿鐵調査月報）が「一般庶民の家族は昔から小さかつたが、上層階級の家族はもとは大きかつたものだが次第に縮小したものである」と觀察されて居るのは當つて居ると思ふ。

然らば、支那の家族制度は、何が故に縮小し來つたのであらうか。私は其の原因と將來の見通を次項に於て論じ度いと思ふ。

B） 大家族制の小家族制への轉換

胡適は古き家族制度の崩壞を語つて、運輸機關の改善は家族の一場所から他への移住を容易ならしめたのみならず、それを獎勵し、しかも都會に於ける生計費の高いことは、それ等家族の大きさを縮小する——家族を近親の人々に限る——傾向を生じ、一方古き故郷を長く留守することは年長者の若き者への權力を弱めるに至つたことを指摘したといふが、最も切實な原因は、經濟上のそれであると思ふ。

近代的工業の勃興は、農村の勞働者を社會に吸收し、近代的企業組織は、幇による商業組織、親方と徒弟との間に於ける手工業的ギルド組織を破壞した。從つて、近代工場の職工又は鐵道等の從業員等はいづれも歐洲に見るが如き小家族を形成して生活してゐる。例へば、華中鐵道に於ける從業員は約一萬五千人であるが、此等全部に關する同會社の調査によれば、その家族の構成員は平均四・五――六人であり、江蘇・安徽・浙江に於ける生活費は平均月百ドル位であるといふ。都會に於ける職工及びサラリーマンの生活は、自己の職場に於ける收入を以て生活し、其の生家を幇助せざる代り、その生家の恩惠をも受けず、又婚姻についても、其の父母の意見によつて決するよりも自らの選定による場合が多くなつて來た。

加ふるに外來の自由主義、共産主義的思想及び運動が盛行せられたこと、及び主として經濟的理由から中流社會以下の成年男子の婚姻は以前より遲くなり、兒童養育の難苦も受け、小家族の維持さへ困難なる狀態は、從來の支那家族制の基礎に深刻なる影響を及ぼしつつあるのであり、家のために個人の自由なる發展をさまたぐる各種の習俗は、青年層の異常なる反抗を呼び起し、最近支那の婦人が從來の家族制度內に於ける劣等なる待遇に反抗して、廣東に於て結婚拒否同盟を結成し、その中の一人が因襲結婚を拒否して自殺したのに對して多くの同志が殉死したといふ事件も生じたのである。

「しかし、斯かる家族制度が崩潰を始めるには、單なる思想だけによつて行はれ始めるものではない。かかる思想が受け容れられる經濟的條件が先行しなければならぬ。支那の有產階級が最近に至つてその家族制度を解體し始める遙か以前、已に支那に於ける資本主義の萌芽は、農村社會の下層農民の間に於ける家族制度を徐々に崩してゐた。女性が家族制度の制約から脫れるためには、彼女等が生きて行くための經濟上の獨立、といふ社會的條件が與へられなければならない。即ち同時代に發生し始めた問屋工業が、資本家的生產の優越を確保し、同時に始めて女性を市場生產の分野に乘出さしめたのである。最初の內は婦人達が家庭の雜務の餘暇に働いたのであり、その問屋から支拂はるる勞銀も、彼女達の獨立生活を保障するには足りなかつたので、家族制度の桎梏から完全に解放される譯には行かなかつた。今日でも北支の手工業工場に於ける通勤の婦人勞働者達の一部の娘は、母親と一緒に監督を受けながら家族制度の殼を付けて工場に來てゐる。しかし歐米資本主義の支那への侵入は、支那に於ける工場工業の急激なる發達を促し、貧家の女性達の地位に革命的變化を與へた。工場制にあつては先づ第一に工場が或一定地域に集中される。第二に勞働が工場內に集中される。從つて問屋工業時代には農村に留つて居た女性達も、今日では家族から離れて工場附近に移住しなくてはならなくなり、彼女等は家族生活から切離されて獨立の生活を始めねばならなくなるのである。かうして貧家の女性達は、生活上の必要から、その他の女性に先立つて大家族制度の羈絆から、支那婦人としては最初の自由と獨立とを贏ち得たけれど、家族制度なる絆の强制的苦痛に代つて、新たなる苦痛が彼女等に迫つたのである。それは工場勞働から來る健康の障害、機械と時間の束縛、病氣、失業、妊娠等の恐怖である。」(9)

從つて支那の家族制度改造の問題は、同時に支那の國家、社會、經濟の改造と密接不離の關係を有することを知るのである。

民國二十年以來施行された現行民法典親族篇相續篇は、從來の支那家族制度を改造せよといふ一部の輿論によつて、主として瑞西民法に倣つて編纂された近代民法であるが、之が事實上殆んど家族制度の實質的變更に寄與することがなかつたことは屢々述べた通りであり、昭和十四年七月中華民國臨時政府によつて發表された民法親族相續編修正案も、南京政府の民法親屬修正案も、現行民法とは反對に古來の家族制度を維持することを眼目とし、唯「女子ノ相續ノ調和」「降位相續ノ改正」等を企てたものである。勿論その中には、近代立法によつて影響された部分も相當に多く、殊に婚姻法に於て之を見るのであるが、起草者の意思はむしろ古來の禮敎の維持にあつたものと見る可きであらう。

私の今般の旅行中に於て面會した、支那の多數の智識階級の人々も、古來の家族制度の維持を主張する人々が多かつた。

例へば華北政務委員の朱深氏は、「たしかに昔の家族主義は長所があると信ずる。しかし十幾年前から個人主義が發達して、できるだけ家族主義を破壞せんとした。民法の總則、債權、物權の範圍では變りはないが、親族法相續法に於ては、長い間の慣習を破壞して現行民法の如き規定になつたが、田舍では爭が無ければ法律は進んで干渉されない。裁判所は爭ある時にのみ干渉するのみである。」從つて農村に於ては尙古來の家族主義が行はれて居ることを指摘されて居た。北京大學の劉志敭敎授も「國　黨時代の民法は、個人主義的で家族制度を無視するから行はれないのである。」點を力說して居られた。

又南京最高法院長張韜氏の祕書であり、豊かな敎養を受けた夏子明女史は近代的女性の立場から、中國の家族制度について次の樣な意見を述べて居られた。

「家事經濟の上から謂へば大家族制がよい。例へば女中などを使ふ上から都合がよいのであるが大家族制だと一族の中に偉い人が出來ると、之にたよる弊があり、個人個人として發展しない。現代では小家族制が妥當である」といふ意味のことを述べて居られた。

私も支那の大家族制が小家族制に向つて進むことは必然であるとは考へるが、我が國や中國の識者や英米佛等の學者によつて高唱せられて居る「中國家族制度の變更は急速に進行するであらう」といふ見解には、相當に疑を持つて居るのである。

支那の家族制については、上述「支那家族制の短所」の節に於ても詳說した所であり、又斯る制度の崩壞を促す思想的・經濟的要因に就いては、本項に於ても之を屢述した所であるが、

一、支那の家族制殊にその特色を爲す大家族制なるものは、元來農耕牧畜による殖民的發展のために、能率增進、自衞確保のために發達した制度であり、支那の現狀に於ては、その人口の八三%以上（三億五千萬人）が農民であり、農民は最も保守的で傳統を最も重んずること及び、大家族制を必要とする實際上の農村の狀況、殊に村落が自衞を爲し、家族が自らを防禦することを要するほど警察力の薄弱なる狀態。

二、支那の家族制度を維持して來た儒教的思想殊に孝道の觀念が今尙ほ依然として支那風敎の最後的基礎を爲して居ること。

三、支那の家族制度は單にその家庭內の組織であるばかりではなく、廣く地方自治團體、商工業上の各種の幇の組織、各種の同鄕團體たる會館・公所の制度の模範となつて居るのであり殊に、華僑は、北はシベリヤより南は南洋諸島、佛領印度支那及び馬來半島、泰國、東はア

メリカ大陸等到る所に移住し、漢人種の海外發展は、注目に價するのであり、先に華僑の發展性につき詳述したるが如く其の發展のためには、大家族制度を模範とする同血、同鄉、同業等の組織を利用して居るのであり、斯る發展形式を容易に廢棄するものとは考へられぬこと。

以上の如き諸種の理由によつて支那大家族制の小家族制への轉換は遲々たるものであらうと思はれるのであるが、其の婦人の低き地位の向上、其の相續權の確認、婚姻に於ける當事者の意思尊重等は、焦眉の急を要する問題であり、此等の事項の改革を初めとして、其の家族制の改革が除々に行はれて行くものと觀察されるのである。

1 Conf. F. Müller-Lyer, Die Familie, S. 173.

2 ibid, S. 172.

3 漢學會雜誌、第三卷第一號。

4 Milam," A Study of the Student Homes of China," pp. 9—11.

5 Buck, J. L." Chinese Farm Economy", p. 326.

6 Malone, C. B., and Tayler, J. B., "The Study of Chinese Rural Economy", p. 14.

7 滿鐵調查月報、第二十卷第六號。

8 淸水盛光、「支那家族の諸構造」、滿鐵調查月報、二十一卷四號、一五・一六頁。

9 川合貞吉、「支那の民族性と社會」、七六・七七頁。

第二章　支那族產制度

第一節　族產制度の起源と家產制度

紀元前三千年頃から、漢民族は、西北方から漸く黃河の沿岸地方に移住し來り、先住民たる苗族を南方に驅逐し、多數の部落を造つて土着し、農業・牧畜を營み、醫藥を發明し、商業によつて經濟力を蓄積し、武力によつて異民族を制壓して、遂に支那全土を其の生活圈とするに至つた。傳說の「堯舜禹」の時代はしばらく措くとするも、現存する資料を研究した結果によれば古く氏族社會が成立しその構成は母系を中心とするものであつたことについては、呂振羽の「史前期中國社會研究」は之を證すべき多くの文獻をあげて居る。又同氏は又部族聯合について次の如く述べて居る。

「古代支那における氏族社會組織の詳細については知るよしもない。いかなる部族が、いかなる胞族を包含してゐたのか、いかなる胞族がいかなる氏族を包含してゐたのか、いかなる部族が相集つて、いかなる聯合を組織してゐたのか、すべて知ることができぬ。

しかし「堯典」の傳說には次のやうな一節がある。

「以て九族を親しむ、九族既に睦めば、百姓《セイ》を平章に〔よく分ち章《アキラ》かに〕百姓《セイ》、昭明〔民、明かに治まり〕萬邦に協和し、黎民、於變《アヽ》り、時《コ》れ雍《ヤワラ》ぐ」

尙書の各編及びその他多くの古籍には、たえず九族・百姓・萬邦・黎民などといふ文字が現はれる。これを强ひて解釋すれば、一の聯合には九部族（九族）をふくみ、九部族は全體で百胞族（百姓）よりなり、百胞族は萬個の氏族（萬邦）よりなり、各氏族は若干の成員（黎民・萬民・兆民）を擁すると考へられぬこともない。敢へてこのやうに斷ずるものではないが、九族の族、百姓の姓、萬邦の邦が、最初、部族・胞族・氏族を意味したといふのは必ずしも牽强ではないやうだ」と述べて居る。[1]

それがやがて產業の發達と家產の形成の顯著となるに從つて母系制より父系制に推移した。而して夏の時代には、一夫多妻制なる家長制的家系が既に發生して居た。例へば、史記索隱所引括地譜に曰く「夏桀無道なり。湯、之を鳴條に放つ。三年にして死す。其の子獯鬻・桀の衆妻を妻とす」と。父の死後繼承したその子が、財產のみならず、その衆妻までも相續したのである。これは、家長制家系の特色で、これら衆妻は財產とみなされてゐた。[2]

支那の古代の家族制が如何なるものであつたかを明かにすることは今日に於ても非常に困難であるにせよ、家族制の變遷は大體上述の如きものであつたであらう。

支那民族の發展史を見るに、家族的團結を以て、その基礎とすることは、疑無き所であつてそれが農種や牧畜換言すれば、廣義に於ける農業を以て其の主たる生業としたる關係上、一家として多量の勞働力を必要とし、又國家組織、警防制度の完備せざる時代に於て、自己を防衛する必要よりも、多數の家族構成員より成る强固なる一大家族團を欲したることは、見易き事實である。

かくて支那の家族制度の形式的完成は、恐らく周代にあつたものであらう、其の所謂宗法制度が當時の貴族階級の制度なりしとするも、貴族階級の勢力が大なれば大なる程、庶民階級にもその影響を及ぼせるものであつたであらうと思はれる。

前述の如く支那家族制度の完成は、支那の封建制度の時代にあると思はれるのであるが、封建時代に於ては、諸侯の嫡長子を世子と稱して、諸侯の死後、其の諸侯たる身分を相續し得るものであつた。次子以下は、其の嫡出子たると庶子たるとを問はず、總て之を公子と稱した。又之を嫡長子と區別するために別子とも稱する。別子は卿大夫となつて諸侯の領地を分配されるのみであつた。此等卿大夫の身分及びその領地の所有權は、其の嫡長子が代々之を相續した。之を大宗といふ。これ等諸侯の次子以下の別子は、永久にその嫡出長子の祭祀を受けるのである。嫡出長子以外の子孫は唯だ士の身分を有して耕地の分配を受けるのみであつた。之を小宗といふ。これ等小宗の子孫は、彼等の五世代以内の子孫の祭祀を受けるのみである。斯くて祭祀の方面から、或は身分の方面から見るも大宗は、斷絶するを得ないのであるが、小宗は斷絶するも妨げなかつた。大宗は諸侯の別子の嫡出子孫であるが、時には不肖の嫡出長子がないわけではなく、或は長子にあらざる嫡出子がないわけではない。或は僅かに庶子があつて嫡出子がないこともある。或は嫡出子も庶子もない時に、如何に處理すべきか、ここには、一種の立嫡の方法がある。若し嫡出子の多數ある場合には、唯だ長子を立てるのであり、長子の賢不肖等は問はないのである。若し嫡出子もあり、庶子もあれば、即ち嫡出子を立つるのみである。嫡出子が長子なりや次子以下なるやを問はぬのである。若し庶子のみの場合は、則ち卜占の方法に依つて庶子中から選定するのである。若し嫡出子もなく庶子もなき場合は、則ち養子（嗣子）を立てるのである。而して養子たるべきものは次子以下の兄弟の子たることを必要とするのである。これは通説上封建時代に於ける宗祧相續の一般的形態であつた3)

斯る宗祧相續の行はる時代に於ては、家産と族産（一族の財産）とを區別することはなかつたのであらう。宗祧相續の行はるる時代に於ては、禮記大傳に云つて居る様に「親を親しむ。故に祖を尊ぶ。祖を尊ぶ。故に宗を敬す。宗を敬す。故に族を收む。」なる原則が行はれて、一族の財産權も家族統轄權も大宗を繼ぐものの手に收められて居たものと思はれる。

周代に完成した宗法の精神は、現代支那の社會中に存續して居るともいへるのであるが、形式的な宗法制度は宋代以後明代に及んで全滅した。別子宗法は少くとも隋唐以後は全然廢法に歸したといふ。[4]

法制史的に比較的よく知られて居る唐の時代に至ると祖宗を重んずる精神から宗廟の祭祀と封爵品蔭を重んじ、祭祀及び封爵相續に於ては長子（嫡子）單獨相續制を採つて居たが、財産相續に於ては均分相續制をとつて居たのである。[5] 一族の中財産を獨占すべきものなしとすれば、之を兄弟の間に平分するのが公平であるといふ考にもとづくものであらう。

宗法制度が崩壞して、大宗に特殊な權能を認められず、大宗の嫡男のみが一族の財産の所有權管理權を有せざるに至れば各房に於て、固有の家産の成立を見ることになるのである。斯くの如き家産を有する主體は居住を共にし、財を同じうし、炊事を共にする親族團體であり、カルプの所謂經濟的家族であつた。この點について清水盛光氏は次の如く述べて居られる。「支那では往々「家產」といふ言葉を使用するが、この表現のうちには、個別的所有の否定觀念が含まれてゐる。法律の規定にも、この點明示するものがあつた。たとへば唐宋律卑幼私輒用財の疏議に「當家財物」とあり、明淸律卑幼私擅用財の本條に「本家財物」とあるのがそれで財の所有主體は、家族を構成する個別人ではなく、かへつて當家であり本家であると考へられてゐる。また唐宋律及び明淸律の親屬相盜條は「己家財物」、明律親屬相盜の條の備考は「自家財物」の語を用ひ、同じ家の概念をかりながら、この場合の財物に對する限定語は、「己家」と「自家」であつた。同居と結びつく同財の觀念において私有の否定されてゐることは、右の語例によつて明かであるが、そこで所有主體とされた「家」とは如何なるものであらうか。

財の所有主體である家が、屋根と壁とによつて外から區切られた空間ではないことはたしかである。財を同じうし、財を共にするものは何らかの人格でなければならない。しかもそれが個別人格の否定の上に成立するとすれば、いはゆる「家」は、個別人格の否定の上に成立する、その ある人格にほかならないであらう。しかるに明律卑幼私擅用財條の纂註をみると、本文にある本家財物が「公共の物」といひかへられ、また淸律同條の輯註では、本家財物が「公物」と解釋されてゐる。羅振玉氏の教示によれば、公とは私を分つことであつた。ここから私に背くものが公といはれる。我々の言葉でいひかへると、公は私の否定において成立する全體である。人々が財を共にするとき、彼等の個別性は止揚されて、全體による財の所有觀念が生れる。これが公共の物であり、公の物である。羅振玉氏はまた、私はもと一物に象り「己有」を意味したと說明されてゐるが、もしこの見地にたてば、己れの有に背く公は、ただちに全體の有であるともいへるであらう。だから財の所有主體と見られた家は、生活のための單なる建物ではなく、また法人的な擬制人格でもなく、家族全員の個別性の否定によつて成立する全體でなければならない。民國民法の千百二十二條は、家を定義して、「永久の共同生活を以て目的として同居する親屬團體を謂ふ」と書いてゐる。團體は、一般に個別人格の否定において成立するものであるから、民國の民法は家を團體と解することにより、實は、家が全體にほかならぬことを認めたのである。いづれにせよ、家の財が公の物であるといふとき、それはその財が、全體の物であるといふ意味であつた。さうしてこの觀念には、あきらかに家族全體性の自覺が現はれてゐる。[6]」。

斯くて支那に於ては、唐時代から清朝迄一切の古代法律を通じて、親の存命して居る間若しくは祖父母の存命中は別居を許さなかつた。唐律を見ても

諸祖父母父母在。而子孫別籍異財者。徒三年。……

諸居父母喪。……兄弟別籍異財者徒一年。

と規定して居た。財を別にせざる以上、その各個の家族構成員の私産とは異つた家そのものの財産があつたことはたしかであり、民國十一年に制定せられた現行中國民法に個人主義的原理に基き其の第六條にて各個人の權利能力を認め、又其の第千百二十六條に於て「家長ガ家務ヲ管理スルニハ家屬全體ノ利益ニ注意スベシ」と規定して居るが、特に家産なるものを認めて居らぬにもかかはらず、子が、父によつて傳承せられたる財産が他に賣却せらるることに不平をいだき、又父の死後財産分割前に、兄弟の共同にて事業を經營する場合、その兄弟の一人が當該の事業によつて負ふ債務を兄弟の連帶債務として處理するが如きは、家産觀念が今尙實際には存して居るものといふべきであらう。

曾つて大理院長であられた、北京の董康氏も禮敎を重んずる以上父母健在なれば子に私産なし、清時代の法制はさうである。現在法制は變つても、それ等の事情には大した變りはないと述べて居られた。又北京大學法學院の劉志敭教授も、「非常に例が稀であるが清朝時代に爵位ある者に隨爵産があつたが、これは一族のものではなく、有爵者の直系の者が共有し得るものであつた。北京には當時爵位あるものあり、王侯あり、しかし地方には斯る財産をもつ者は滅多になかつた。大清現行律によると、一族の中で財産權を持つ者は族長のみである。子が金錢を得れば父に渡した。今でも大なる家族に其の習慣が殘つて居る。その後の法律は下輩の者、輩數の低い者も財産を持てることを規定し、その旨の大理院の判例もある。しかし今でも家屬にして家長の財產の處分に對し不平を云ひたがる傾向があるが、それは子が財產は家全部のもの卽ち家產のやうに考へるからである」と言つて居られた。從つて禮記內則の「子婦は私貨なく私畜なく私器なし、敢へて私に假らず、敢へて私に與へず」や、曲禮に「父母存すれば……私財を有せず」の思想、或は儀禮喪服傳に「昆弟は異居して同財し、餘りあらば之を宗に歸し足らざれば之を宗に資る」の實踐は、今尙その一部を現代支那社會に殘存して居るものであらう。

しかし、支那にも私產がなかつたわけではない。此の點について淸水氏は次の如く述べて居られる。

「たとへば宋の袁氏世範は、私產の設置とその性質について論じてゐる。そのうち以下にあげる個所は、私產設置の批判を通じて、財產所有の本來の形式が共同所有にあることを暗示したものとして、注目すべきものであつた。「朝廷法を立て分析の一事に於て、委曲詳悉せざるに非ず。

然れども果して是れ衆を竊みて私を營み、却て典賣の契中に於て妻の財に係りて置到すと稱し、或は名を詭つて産を宮中に置くあり。盡く根究を行ふこと能はず。父果して是れ貧寒に起り、父祖の資産に因らずして、自ら能く奮立、財業を營置し、或は祖宗の財産ありと雖も、衆に因らずして別に私産を殖立するあり。其の同宗の人必ず分析を求め、縣を經、州を經、所在の官府を經るに至り累年爭訟し、且つ必ず各々破蕩するに至つて後已むを致す。若し富者能く反思し、果して是れ衆に因つて私を成し貧者に分與せざれば、心に於て豈に慊る所なからんや。果して是れ自ら財産を置き貧者に分與すれば、明かなるときは則ち高義となり、幽かなるときは則ち陰徳となる。又豈に連年爭訟して家務を妨廢し、及び裏粮を資備し證佐を資絶すると、吏胥に囑託し官員に賄賂するの徒費とに勝へざらんや。貧者も亦宜しく自思すべし。彼れ實に衆を竊むも、亦辛苦營運に由りて以て增置するに至る。豈に悉く之れを分有すべけんや。況んや實に彼の私財、而して吾れ之れを受けんと欲す。寧んぞ自ら愧ぢざらむ。苟も此れを知らば、則ち分つ所微と雖も、必ず爭訟の費なきなり」。ところでそのすぐ後に、「余世人を見るに、……衆財を竊盜する者多くあり」と記されてゐるから「衆を竊みて私を營む」における衆もおそらく衆財であり、世範の別の言葉によると、それは「家産」であつたと思はれる。すなはち「兄弟子姪同居して不和に至るは、本大に爭ふ所あるに非ず。其の中の一人心に不公を設け、己れがために稍々重く、是れ毫末と雖も必ず獨り衆を取り、或は衆を分つ所あるも、己れにあつて必ず多得を欲するあるに由る。其の他心平なる能はず、遂ひに爭端を啓き、家産を破蕩し、小得に馴れて大患を致す」とあるものである（遠采、世範卷之上、睦親）。故に我々は、世範の記載を通して、當時の私産に、家産の擅用によつて生じたものと、さうでないものの二種あること、及び家産と關はりない私産についても分割、爭財がしばしば問題となり、その基礎には家産、すなはち共同所有の觀念が有力に作用してゐたことを知りうる。[9]」

又周の時代に於ては、妻の私有財産を認められなかつたが、降つて後世に至れば婦にも、或は其の小部分の財産があり、家によつて沒收せられることのなかつたことは陳顧遠の中國婚姻史「婚姻之效力」の章に詳しい。

然らば陳氏とか李氏とかいふ一族の共有財産については如何にして發達し來たつたものであらうか。

支那の族産制度の沿革についてはまだ詳細な研究はないのであるが、制度史的に見て氏族社會の成立するや、牛羊や土地が、個人に屬せずして氏族なる血縁團體又は大家族に屬して居たであらうことは容易に想像し得る所であるが、(10) これから研究の對象としようとする祀産とか祭田、義莊なるものは、何時頃から發達したものであるかは、何人も現在に於ては明確に主張し得ない所ではなからうか、北京の董康氏の談によれば、中國はもと封建制度をとり貴族の財産は賣ることが出來なかつたし、一般の農民の財産も唐宋の前は、國家の公有の財産で賣ることが出來なかつた、國家の所有物と謂はれた。唐宋の時代に一人の男子が丁(二十歳即ち成年)に達すると國家の方から百畝の土地を與へ、その人が死ねば遺族に二十畝を與へる。殘る八十畝は國家に返還した。この制度を口分田《クーフンテン》といふた。又之と同時に租調庸なる收税制度があり租は國に納める税金、調は女が綿花を國家より貰受け紡績を行ひ布を織り之を税めた。庸は國家のために働くことを意味した。昔は土地は國家のものであり宋の時代より土地を人民の私有とした、それは二十四史食貨志に書ける所である。斯くて祖先が一族の祠堂を建てると其れと同時に祭田を附置しその管理方法は設定の時の規約によつて決定するといふ制度は、明の時代から相當あつたといはれる。又金持の祖先が死ぬとき其の財産の一部を何人かに任せ、その一部を將來の祭のための財産として指定する制度は唐の時代既に存し、遡れば更に昔より存するやも知れずといふ。

又北京大學法學院劉志敭氏は、族産制度は封建時代に於ては、祖先の祭祀を爲すは大宗の直系のみであり、従つて祭田の設置を許されたるは、その直系の者にかぎる。分家の祖先も大宗に於て祭つたから、この時代には族產制度は發達しなかつた。南北朝時代には小い祠堂が出來たが、此の時代に蒙古の侵入を受け、祠堂の破壞されるもの多く、爾後衰微したと談られた。

又南京考試院考選委員會委員たる程滄氏は、祭田の制度は數千年前より存するものであると主張して居られた。しかし此等の説を確認すべき充分なる根據を御聞きすることを得なかつたのであるが、唐宋の時代に祠堂の設置せられると共に之が維持のために祭田の制度も恐らく存在して居たのであらうと想像されるのであるが、諸般の事情より判斷して、宋の時代に、祭田、義莊の制度がほぼ確立したことは疑なき樣に考へられるのである。

牧野巽氏は、祭田の起源について「臺灣私法」第一卷下三九八頁を引用して、

「何故ニ公業ノ制度ヲ生ジタルカハ、本島ニ於ケル相續制度ト關連シテ研究スルコトヲ要ス。案ズルニ財產相續ノ制度ハ所有權ノ觀念ノ完全ニ發達シタル後ニアリ。相續制度ノ起リタル當初ニアリテハ、祖先ノ祭祀者タル資格ガ相續ノ物體タリシモノニシテ、是殆法制史家ノ一致スル所ナリ。支那ニ於ケル宗祧相續ハ即祭祀相續ニシテ祭祀者タル資格ノ相續ヲ謂フ。然ルニ支那ニ於テハ祭祀相續ノ慣習ハ夙ニ廢シ、財產相續ノミ行ハルルニ至レリ。朱子家訓中ニ「何氏曰、古人

承繼宗祀、今人承繼財產、非禮也、亦非義也」トアリ。以テ祭祀承繼ノ嚴格ニ行ハレザルコトヲ知ルニ足ル。從テ祭祀ヲ以テ嫡長子孫タル者ノ特權ト爲スノ觀念ハ早ク廢レタリ。而シテ財產相續ハ鬮分ニ依リ、平等ニ分割シ相續スルノ慣習ヲ生ジタルガ爲、祖宗ノ祭祀モ亦兄弟共同シテ營ムノ慣習ヲ生ジ、從テ祭祀ノ費用モ亦相續者ノ一人ガ之ヲ負擔スルコトナク、相續財產ノ一部ヲ留存シ又ハ各子孫ガ醵出シテ公業ヲ設定シ、之ニ充ツルニ至リシモノノ如シ。」

とあるのは當らずと雖も遠からざるものの様に思はれると述べて居られるが、「秦が井田を廢止した後は、全國の土地は人民のために自ら獨占されたので、國家は彼等が占有してゐる田を調査してこれに税を課し、別に所謂公田なるものは存在しなかつた。そして人民によつて開墾されてゐない荒廢せる土地は、東漢の時代に貧民に賜つた。北魏より唐に至るまでの時代は均田時代であつた。即ちこの時代には國中の土地は二種に分たれ、一種は公田として、王侯、百官に分配されて耕作され、他の一種は民田として人民に分配されて耕作された。そして國家自身は、所謂公田なるものを持つてゐなかつた。國家が公田を所有したのは宋の官田に始まる。宋の官田は、前時代に優勢であつた私田並びに所有者の逃亡せる國中の田を沒收し、これを合併して官田となしたものであつて農民に小作させ、「鄉例」によつてその私租を徵收した。[10]」斯くの如き經緯をへて、宋代に至つて土地に關する王土觀念が存するにも拘らず二十四史食貨志（宋史卷一百七十三農田條）にも謂へるが如く、此の時代に至つて實質的土地私有制度が完成し（王志瑞「宋元經濟史」二二一頁以下劉道元「兩宋田賦制度」一〇頁）、他方相續制度も宗祧相續より完全に遺產相續の制度に移り、祖先の祭祀も兄弟が共同して之を營む風習の生ずるに至つて、義莊或は祭田の制度を生じたものではあるまいか。

劉志敭氏も、嘗田又は祭田は范仲淹の時が最も完備した時である。一族の者が官吏となり金が出來て故鄉に歸れば、其の金で祭田を設定したのであり、一族の者が據金して之を設定した場合は少なかつたと述べて居られた。

ジュルケームの社會構成理論を以て支那の家族制度、社會制度を分析研究したグラネーが、「支那研究によつて、民衆的社會組織原理と封建貴族の組織原理との對立が明かになる。農民を構成する同次的諸群にあつては、一切は、「親を親として取扱ふ」といふこと即ち家族的紐帶の感情に歸する。之に反して貴族社會に於ける特徴は尊尊の感情即ち政治的秩序に於ても家族的秩序に於ても構成せられたる權威を承認することである」[11] とし、宗祧相續が尊尊の原理に基き、遺產の分配相續制が親親の原理に基くことを說くのであるが、禮記大傳中にも謂へる如く「親を親しむ。故に祖を尊ぶ。祖を尊ぶ。故に宗を敬ふ」ことになるので親親の原理、尊尊の原理も祖先

崇拜の一點に至つては全く一に歸するものであらう、宋代に、范仲淹の義莊が設置され、又、朱子家訓の祭禮の部に

祠堂、君子將營宮室、必先立祠堂於正寢之東、爲四龕以奉先世神主、旁親無後者、以其班祔置祭田、具祭器定祭品。

といひ、祭田の制度が宋の時代に完成したのも上述の如く漢民族の家族制度がほぼ現存するが如き狀態に於て完成したることを示すものであらう。

朱子家訓にも見るが如く、祭田は初めは、專ら祖先の祭祀を全からしめんがための基本財產として設定せられたものであらうし、孔子廟の祭典のための祭田を見ても斯る目的のためにのみ供せられた祭田の存したことは知り得るのであるが、後この精神が擴大せられて一族の救濟を目的とするための義莊の制度、更に地方自治團體の貧窮者を救濟するための義田の制度に進展したものであらう。元來同族間の相互幇助が「當に力を量つて賙助すべき」ものであり、又「己れを量つて彼を量り、爲すべければ則ち爲し、必ずしも其の報を望まず、必ずしも人をして知らしめず、吾れ吾が心を盡す」程度のもので、己れをあまり犧牲にしない程度に行はれるべきことを以て限度としたものであつたから、[12]一族の人口が增加し、相互援助が益々困難となるに至つて、一

族の救濟のための特殊の財源たる義莊の設定を必要とするに至つたのであらう。

　義莊の設定について常に引用せられる范氏義壯は、北宗の名相范仲淹（謚文正公）の創建にかかる所である。仲淹は幼にして父を亡ひ、母の朱氏に嫁するに從ひ朱氏を稱したが、成年後、氏族人の認可を得て范氏に復歸した。仲淹は其後次第に出世したが、「族人の飢寒を免れざるを知り」「蘇州呉長兩縣に田十餘頃を置き」之を義莊と稱した。其の規則は最初は族人には一日に米一升、一年に冬衣一疋を給し、別に結婚喪葬の費を補助するにあつたが、子孫に至り次第に規則が増加し、敎育や官吏登庸試驗受驗者の補助等のことが現はれてゐる。而して此等規則増加中で最も注意すべきは、義莊創設後約十五年にして族人の規則を犯し義莊の存立を危くする者が多いことを理由にして、義莊規條に違反した者を罰することを地方官に命ぜられんことを乞うて許されたのと、一切の義莊田を小作せしめないことを定めたことである。族人に小作させないのは其の監督を嚴にして義莊の收入の減少を防止せんがためであつた。

　義田本來の目的は、其の字義の示す如く、族人を扶助しまた救恤するところにあつた。しかるに義田のうちには往々にして祭田の機能をも併せいとなむものが見出される。たとへば陸氏蒔門支譜卷十三、義莊規條に「義莊の設けは、祭祀を專らにして宗族を恤む所以なり」と見え、桂林張氏家乘卷第十三、族產に「其の專ら薦亨に供する者は則ち祭田と曰ひ、兼ねて貧乏を贍はす者は則ち義田と曰ふ。」とあるのがそれであつて、ともに祭祀の用を義田に仰がうとして居る。文公家禮によると、祭用に給する田は祭田とよばれ、それは義田と性質の異るものであつた。張氏家乘が、祭祀に專用される田を、特に祭田と稱して義田から區別したのは、やはり文公家禮の傳統にしたがつたのであり、義田は祭祀のために利用されるときも、それが義田と呼ばれるかぎり、救恤の機能を放棄することはできない。ところでまた、祭田をして義田の機能を兼ねしめるといふ右と反對の事例が、輔德の奏議、（輔德、覆奏查辦・江西祠譜・疏（乾隆二十九年）、皇淸奏議卷五十五）中に現はれてゐる。すなはち江西では、祭祀の用に供してなほ餘りあるとき、祠產によつて子弟を敎育し、貧窮婚喪の者を扶けたといふのである。これはいづれも、義田と祭田が相互に他の機能を吸收し合つて、兩者固有の限界を消滅させた例であるが、輔德と同時代の莊有恭の言によれば、江蘇地方では、先世の烝嘗を目的とする祀產と、同宗の救恤を目的とする義田の間に明瞭な區別があつたといはれる。だから義田と祭田の混淆をただちに普遍的な現象と解するのは危險であつて、族譜に於ても兩者を明確に分けて考へる場合が少くない（一）。

私の今次の大陸族行中に於ても、北京の董康氏や靑島高等法院長戚運機氏の如く義莊義田と祭田とを全く同一に解される說や、濟南の高等法院長張超曠氏の如く祭田は義莊の一部と解される說もあつたが、多くは北京大學の劉志敭氏の如く、祭田は氏族的のものであるが、義莊は地方的のものであり、他姓の貧窮者をも救恤する目的のために設立せられるものであるといふ說の方が多かつたのであるが、實際に調査して見ると兩者は、混同されて居るものの樣である。

斯く祭田、義莊等の制度が他の諸制度と明確に區別せらるべき形態を以て發達したのは、宋代であらうが、宗祠をつくり、祀産を附置する傾向は、明淸の時代に至つて益々盛んになつたのである。

陳宏謀、寄楊樸園景素書、皇朝經世文編卷五十八、禮政、宗法上によれば、「閩中(今の福建省)江西、湖南皆聚族して居る。族に皆祠あり」と書いてあるが、明淸時代宗族統合が特に發達をみせたのは中南支那に於てである。又江西省について前掲江西巡撫輔德の奏議に、以下のやうな注目すべき言葉が載せられてゐる。「同姓共に建つる者は八十九祠。一族獨り建つる者は八千九百九十四祠」。この字句について淸水氏は註解して、文中に同姓共建とあるは族屬を異にする同姓が、あたかも一族をなすかのごとく共同の祠を建てるものであつて、輔德によると、それは流弊の擴であるが、しかしこの流弊はかへつて、一族獨建の祠が九千といふ驚くべき數に達した事實とともに共同祭祀のいとなむ集團化作用の重要性を語つてゐるのである。輔德の奏議には、さらに「各專祠の祠產を有する者に至つては、六千七百三十九處を計ふ。僅かに祭享に敷ぶを除く外、其の餘りある者は其の計七百六十處、皆取具遵依して子弟を敎養するを爲し族中の貧乏婚喪の用に傾助す」と記され、江西におびただしい祠產のあつたことが知られる。朱子によると、上述の如く祭田はもつぱら祭用に給するために設けられた。これに對し、江西では祠產を、時に贍族、敎育等の費用にあてであるが、しかしこれは、祠產に餘りある場合にかぎられ、固產固有の目的は、ここでもやはり祭用に給するといふ點にある。とすれば、祠產設置の盛行もまた、宗祠建立のそれとともに、宗族生活における祭祀の重要性を示すものといはねばならない。廣東巡撫主檢の奏議（請除嘗租錮弊疏（乾隆三十一年）、同上卷五十六）に、「廣東の人民は、率ね多く聚族して居る。每族皆宗祠を建て、祠に隨つて祭田を置有し、名づけて嘗祖と爲す。大戶の田多きは數千畝に至り、小戶も亦數百畝あり」と見え、また江蘇巡撫莊有恭の奏議（請定盜賣盜買祀產義田之例以厚風俗疏（乾隆二十一年）同上卷五十）に「直省士庶の家、其の篤念親支の者は、每に祀產を立てて以て先世の烝嘗に供す」等とあるのを見ると上に述べたことは、おそらくこれらの諸省にもあてはまると思はれる。

かくて清朝末期一八六〇年頃に、福州に來て居た、アメリカ宣敎師の Rev. Justus Doolittle

が福州地方に宗廟（Ancestral Hall）の多きことをのべ、之を建設する一家族又は數家族によつて設置される永久的基本財産に言及して次の如く述べて居るのは注目に價する。

「宗廟を建設するに當つて、其の家族又は之を建設するために聯合した數家族によつて永久的基本財産が設定せられる。此の基本財産の利益を以て、指定せられた又は慣習上の時期に於て、擧行される禮拜及び犧牲の費用を支出する樣に豫定されて居る。此の基本財産は、通常耕地、家屋、又は商店、生産物及び賃錢より成り、此の生産物や賃貸料の如きものは宗廟の維持費に充てられる。斯る財産は、その宗廟に關係する一切の家族の先輩の一致せる同意あるに非ざれば讓渡することを得ないのである。宗廟に色々な品物を供へる仕事は子孫としての階級に從ひそれに關係した諸々の家族によつて一年を一期として順番に行はれ、ある年その番に當つた家族は、その年の土地家屋の生産物を收めるのである。豐年には通常その基本財産の利益は必要費を支拂つて餘りがある。其の樣な場合に、使用されなかつた殘額は、その家族の固有財産中に入る場合もあるし、或は之を數家族の間に分割し或は、すでに制定された規則に從つて、修繕費として留保される。他方饑饉の年に於ては、その基本財産の收益が費用を支辨するに充分ならざることもあり得るのであるが、さういふ時には、其の家族が殘額を供給する樣に期待されることもあれば、之を他の家族より集めることもある。每年の費用は各宗祠によつて異るのであり、數十ドルより數百ドルに上るのである。之は關係せる家族數と禮拜及び犧牲の作法のために定められた樣式によつて階級がつけられるのである。[15]」

ドゥリットル（一八二四―一八〇）は、アメリカ海外布敎敎會所屬の宣敎師で一八五〇年（道光三〇年）支那に渡り、最も多く、福州に滯在し、布敎の傍ら支那の日常生活・社會狀態に就て踏査し、兼ねて支那語を研究し辭書を作つた。在支二十三年に渉り、長髮賊の亂が起つた頃から明治六年頃まで支那に滯在した人であるから當時の福建地方の祀產の性質や管理方法は之によつて明瞭に知り得るのである。

又中華民國成立當時に於ける祭田の狀態については、後にも、詳細に引用するつもりであるが、民國二年五月八日の浙江高等審判廳民一の判決（最新司法判詞第二冊二一五頁 孟宗元對孟銀生祭田私賣事件）に於て「緣みに孟宗元等の高祖は名を佐淸といふ。嘗つて良田三百十餘支畝を置いて、其の子孫に遺して祀產として傳へたるものなり。……

而して本訴關係の祭田は、葆瓌と葆初兩派下子孫の相傳へて久しく年々輪番收益し來れるも……」云々と事實關係を述べて居り。又民國二年十一月十九日の浙江高等審判廳の判決（浙江高等審判廳實錄上冊一二六頁、祭田詐賣事件）に於て、「緣みに、蔡德麟等の第十代前の祖先東川公といふもの、所在地二十一都四圖の蔡莊に、荒字、拱字、餘字等の地番の用地面積二十九支畝九分二厘八毫を所有し居り、蔡東祭の名義の下に祭田（祀產）となしたり、四分家をして輪番收益して祭典に當らしむること既に歲月を閲したり」といつて居る（本稿一九五頁以下及び二一〇頁以下に此等の判例の全文を掲ぐ。參照あり度し。）。

又、斯る族產の支那各地に存することは、私も實際に視察し、又之を聞知し、多くの文獻にもその嚴存せる事實は次節以下に述ぶる所である。要之、支那の祖先祭祀を主要目的とする族產制度は、遠く唐の時代或は南北朝時代から存在して居り、宋代に最も形式的に整備し、明・清の時代に事實上最も盛んに設定せられ、中華民國成立以來現に尙相當多數存在し、現在に於て廣東省の耕地の三分の一は此の種の族產に屬すと稱せられて居るのである。

1 呂羽振著、後藤富男譯、「支那原始社會史考」、一三一頁以下。尙姉齒松平、「祭祀公業」二二頁以下參照。
2 前掲書、二〇一頁。
3 徐百齊編著、「民法繼承」二頁以下。
4 臺灣私法二卷下、五四六頁。
5 瀧川政次郎、支那法制史研究、五一頁。
6 淸水盛光、支那家族の諸構造（後篇二）、滿鐵調查月報第二十一卷第五號、二七頁以下。

7 昭和十六年十一月八日北京舊康氏宅にて。

8 昭和十六年十一月十九日北京大學にて、劉志歇教授談。

9 淸水、前揭、滿調二十一卷四號、一七頁以下。

10 瞿同祖、「中國封建社會」一一頁以下「公產制與私產制」。

11 Marcel Granet, La Polygynie Sororale et le Sororat dans la chine féodale. p. 46 et suiv.

12 淸水、前揭、滿調二十一卷四號、四八頁。

13 淸水、前揭、五五頁以下。

14 淸水、前揭、四五頁以下。

15 Justus Doolittle, Social life of the chinese, 1856, vol I. p. 227—228.

尙義莊、祭田の歷史については仁井田陞「支那身分法史」一七九頁以下參照、范氏義莊に關する詳細な研究がある。

第二節　族產の名稱と大きさ

前節にも述べたる如く、族產制度は、支那家族制の歷史と共に古いのであるが、其の主要なる目的が祖先の祭祀にある以上、朱子家禮にもあるが如く、祭田と稱するのが最も古く、且つ一般的な、ひろがりを持つて居たのではないかと思はれる。又宋の范仲淹を始祖とすと稱せられる義莊の制度は、初め同族を救濟する目的のために始められたのであり、義は義捐、義地の義と同義で、公共の用に供するの意味であり、莊は田園の管理者の居る所を意味する以上、祭田とは、その初め異る意義を有して居たものであらうが、その後相互に混同せられて、同様な意義を有するものとなつた事情は、前節に述べた通りである。私の調査した濟南に近い歷城縣冷水溝莊では、祖塋地と稱して居たのである。が南方では嘗田、烝嘗田、太公田等と稱する場合が多い。祀產と稱する場合も尠くない。その他祠產、塋田、奉祀地、義田、義塾、義地、祀田、義冢、祖嘗田、蒸田と稱せられる場合もある由であるが、義田・義地・義冢等は、地方自治團體に於て、單に特定の一族に限ることなく、廣く一般人の救濟のための制度の意味に用ゐられる場合が多い。臺灣に現存する祭祀公業も祭田、義莊とその性質を同じくするものであらうが、此の語は、「臺灣私法」を編纂する際に、祖先奉祀のための財團を之を以て總括したのであり、祭祀公業なる語も臺灣で創作されたものだといふ說があるが、南京で黃鼎房氏の談では廣西・江西・廣東・福建の四省に於て祭祀公業といふ語を用ゐて居る由である（天野元之助「支那農村襍記」一五七頁「義田と祭田」參照）。

私は、祖先祭祀を目的とする同族の共有財產にして、かねて一族の養贍、救濟、敎育等をなすための基本財產を總括して族產といふ文字を以て代表せしめ、以下この語を用ひて各種の機能を說明しようと思ふ。

族產の大いさについて、私が先般の旅行中聞知した最大のものは、天津特別市敎育局長何慶元氏より聞いたもので、寧河縣の李氏祭田であり、東は山海關より西は寧河縣に續くもので、土地證書を見ると明の時代に創設されたものであり、現在は、其の大部分は、人に奪はれ、その奪つた者が土地證書を持つて居るといふ。又河北天津地方法院書記官長萬誠吾氏の談によれば、現存する祭田の最大なるものは、二千畝位のものであらうといはれ、華北政務委員朱深氏の談によれば、北京附近にて祭田は今では百畝以上のものはなく、北京附近の田舍では最大百畝一萬圓位のものであるといはれて居た。又董康氏の談によれば、上海に居住せる淸時代の大臣盛宣懷の子孫の有せる愚齋義莊は、之が處分に關して相當の訴訟を生じ、十年位も爭ひ、最後に之を遺產として處分したが六、七百萬圓位の價格を有する義莊であつたといふ。

服部宇之吉氏「孔子及孔子敎」によれば、孔子の子孫たる孔家の祭田について「歷代崇敬の加はると共に田亦た增加し、淸朝は、前代の例により、祭田・學田・湯沐池三頃の田を給し、會典所載の田は山東省各地にて總計二千百五十七頃、均しく賦稅を免ず。其の外曾國藩・張之洞が嘗つて上奏裁可を經て聖廟祭田に充て免稅地と爲したるもの江蘇省内二縣に若干頃有り、會典所載の數は淸初の舊制にて、其の中荒蕪に歸したるもの或は水の淹するところとなりし者ありて、實際は半數を存するのみ、其の中又豪民に佔種されしものもあり、而して田は數省に渉り、一省内にても各地に散在するを以て、徵税のことは衍聖公より該省地方官に託して徵收し來れり、此の衍聖公自身の上申によるに、祖税の收入を以つて聖廟の祭祀を辨ずれば殘餘は年に三、四千金に過ぎずといふ。衍聖公は從來俸條の制無し。專ら祭田の收入によりて衣食せるなり。今祭田は之を國に收めて祖税を國に納れしめ、衍聖公には俸錢の外に別に祭祀公費を給すべく規定せるなり。每年聖廟祭祀に要する費額の若干なるかは知るべからざるも内務部の計算にては祭田の收入年額四、五千金に過ぎずと言ふ」といふ記事がある。現在に於ての實狀は知るを得なかつた。又南京で黃鼎房氏の談によれば、福建省に三千名の同族者によつて共有せらるる族產があるといふことである。上海滿鐵調査局調査役天野元之助氏の談によれば、最大三萬畝位であり、二萬畝以上等と稱して大きさの不明なるものも隨分あるといふ。

祭田の最小なるものは、諸家のいふ所を綜合すれば二・三畝のものであると考へられる。

族產の大さについては、支那全土に亙る統計はなく、天野元之助氏、支那農業經濟論、三六頁以下に各種の資料から蒐集された族田狀況表がある。

七省に於ける族田狀況表

省	縣名	族田名稱	族田面積	引用資料
河北	通縣	赫舍里氏祭田	五百畝	『續修通州志』光緒五年
	南宮(徐達村	張氏族產	二十畝	王德立「南宮縣徐達村概況」『津南農聲』第一卷第三、四期合刊民國二十五年六月
	樂亭(柏庄)	楊氏祭田	四十畝	『冀東地區二十五ケ村實態調査報告』
山東	靑島特別市(李村區西韓哥莊)	劉祭田	六・七五畝	福留邦雄『靑島近郊に於ける農村實態調査報告』昭和十四年三月
	同	葛公產	四・六五畝	同
江蘇	蘇州	申義莊	二萬畝以上	吳縣人袁人龍君報告(昭和十四年三月)
	同	范義莊	二萬畝	同
	同	陶義莊	二萬畝	同
	同	潘義莊	二萬畝	同
	同	汪義莊	二萬畝	同
	常州	盛義莊	五千數百畝	武進人段柏錦君報告(昭和十四年三月)
	武進(懷北鄉)	畫宗祠族田	三十畝	同
	丹陽(鄙城)	楊宗祠公田	三、四百畝	同
	同	冷宗祠公田	五、六百畝	同
	同	戴宗祠公田	百餘畝	同
	同	趙祠公田	二、三百畝	同

省	縣名	族田名稱	族田面積	引用資料
江蘇	無錫	榮氏義莊	三百畝	『無錫縣農村經濟調査』第一集民國二十年十二月
	無錫	張氏義莊	五百畝	『無錫縣農村經濟調査』第一集
	同（禮社）	薛氏義莊	一千三百五十畝	余霖「江南農村衰落的一個索引」
	婁縣	董氏祭田	百二十畝	『最近司法判詞』民國三年五月
安徽	廬江	章氏義莊	三千畝	『廬江章氏義莊記』
湖北	夏口	陶氏義莊	三千畝	『江夏陳氏義莊』
浙江	嘉興（秉讓鄉）	陶氏族田	二千畝餘	『嘉興縣農村調査』
	紹興（車阜鎭）	孟氏祠産	良田三百畝餘（現在十二畝餘）	『浙江高等審判廳書判實錄』民國三年五月
廣東	番禺	孔氏太公田	百畝	マヂャール『支那農業經濟論』
	同	王氏太公田	四千畝	同
	同	吳氏太公田	數千元に値する土地	同

附記 安徽合肥の李鴻章家の族産（營産）は、年額二萬五千擔（大興集三千擔、隣村の馬崗一萬二千擔、霍山・六安・舒城等一萬擔）の收入がある（郭漢鳴「安徽土地調査日誌」『滿鐵調査月報』昭和十三年十二月譯載）。又浙江杭州に於ける所謂紳士の家には、殆んど毎家數百畝乃至數千畝の祭産があると稱せられる。（孫曉村「浙江的土地分配」『中國農村』第一卷第五期民國二十四年二月）

滿鐵河北省京漢・正大鐵道沿線土地槪況調査報告によれば、邢臺縣、申家莊、申氏の族産として水田四畝あることが報告され[1]、

定興縣の鹿家の祀田の所在地面積は、次の如くである（鹿公祠乾隆五十一年建立の碑文面に依る）。

東關春廠地	一二・二七	城南杜家莊地	一一・六五
東關春廠後地	四・五〇	城北祖村店村東園地	〇・七七
東關蔡家墳地	一六・四〇	城東侯官地	二四六・八一
城東南北壩地	一三・八六	城東彭各庄地	九三・三、四八
城東地	七・〇〇	王各庄村南北地	四九・五二
卌上新庄村北地	六・六六	城西北章村南北地	三九・二〇
大北關後地	二〇・〇八	計四四段	五二九・七二

但し定興縣現縣署建敎股長、鹿篤疆氏に依れば、祀田は現在城外五處（田畝二一・七畝・一五畝二・一〇畝・一五六畝五九四）になつてゐると、いふ[2]。

1、滿鐵北支經濟調査所、河北省京漢・正太鐵道沿線土地慣行槪況調査報告（下册）、二四六頁。

2、上揭書（上册）、一〇五頁（原文に多少の誤植かある様であるが暫く原文に從ふ）。

第三節　族產の法律的性質

現存する支那の族產は、主として祖先の祭祀を目的とする祭田・嘗田等を稱するものであり、後述する如く、山林・牧場等にして主として土地の用益を目的とする族產も存する樣には思はれるのであるが、前者について主として研究を進めて行き度いと思ふ。

宋代、義莊・祭田の制度が盛んとなつた頃から淸末に至り、日本・歐米等より近代的法律思想及び技術が輸入せらるるまでは、此等の族產については、恐らく、客體的には「同族の公產」と考へ、主體的には、「族人の共有」と考へて居たものであつて、別に法律的にその族人による不動產の所有形態について深く考へては居なかつたのではなからうかと思はれる。

現存する民國初年以來の下級審判例を集めた、最新司法判詞（上海商務印書館發行）・浙江高等審判廳書判實錄・武進汪志翔署「直隸高等審判廳判牘集要」等及び上海法學編譯社編輯、會文堂新記書局發行「最高法院判例彙編」をできるだけ綿密に調べたのであるが、直接に此等の族產の法律的性質に關する判例を見出し得なかつた。

私が今次の大陸旅行に於て、中國の學者及び司法官に御會ひして意見をただした所によれば、大體左の如き說がある。

甲）法　人　說

1）北京、董康氏

義莊は、法人として取扱ふも、遺產として取扱ふも、差支ない。裁判所は、大體法人として取扱ふ。又族人全部の同意あれば解散するも差支ない。

2）濟南高等法院長、張超驥氏

祭田の性質は財團法人である。公益のために之を置くが故である。

乙）共　有　說

1）華北政務委員、朱深氏（現在は華北政務委員長）

祭田は墳墓を共通にする者（墳族）の共通の物である。昔は、犯罪によつて財產を沒收されても、祭田は沒收しなかつた。祭田は法律上は賣れぬものであるが、墳族の中から異議が無ければ祭田は賣れる。

2）北京最高法院華北分院長、朱頤年氏　　祭田は同族の共有に屬する。

丙）公同共有說

1）北京新民學院敎授、邵同怡氏

祭田に關しては、民國現行民法八二七條乃至八三一條を適用すれば、別に規定はいらぬ。現行法上、公同共有なる規定があるが、祭田は其の一種であるからである。

2）北京大學法學院敎授、劉志敭氏

民法中の物權編に共有に關して規定してゐるが、二つに分けて居る。即ち一般的共有と公同共有である。祭田が問題になる時、此の公同共有の規定が適用されるのであるが、不完備であり、族產のため獨立法を規定すべきである。

一般共有には持分があり、公同共有には持分はない。大體に於て獨逸の Gesamteigentum に該る。

中國には昔より總有の考はない。法律で定めたのである。

3）南京最高法院院長、張韜氏

祭產《チーサン》は共有財產である。公同的共有(財產)である。歷史上の精神からは、公同的共有であり、取扱上は（持分的）共有の財產となる。

4）江蘇高等法院第三分院推事、吳熙氏談

祭產の法律的性質は、公同共有であり、公同共有になれば特定の人の物でなく、(族人)全部のものである。

これにつき特別の規定を設くるを要せず。共同公有の規定のみを以て足る(民法八二八條一八三一條)。斯く中國人の間に於ても族產の法律的性質については、必ずしも見解が一致して居ないのであるが、中國現行民法上は恐らく合同共有の規定を適用するといふ說が最も妥當なのであらう。

然らばその公同共有とは如何なるものであらうか? 朱采眞編「中國法律大辭典」によれば、「公同共有」とは、「並不區分原物，也不分割所有權却是全體共有支配的權利　如同祀堂　，祭田　，合夥等類　。民法上關於公同共有的規定，有『公同關係存續中，各公同共有人不得請求分割其公同共有物』，(民八二九)幷且除了依照公同關係所由規定的法律或契約另有規定外，非經公同共有人全體的同意，是不得處分公同共有物或行使其他權利　。(民八二八)」

公同共有に關する中國民法の規定は次の如くである。

第八百二十七條　法律ノ規定ニ依リ又ハ契約ニ依リテ、一ノ公同關係ヲ成ス數人ガ其ノ公同關係ニ基ヅキテ一物ヲ共有スルトキハ公同共有者トス

各公同共有者ノ權利ハ公同共有物ノ全部ニ及ブ。

第八百二十八條　公同共有者ノ權利義務ハ其ノ公同關係ヲ規定スル法律又ハ契約ニ依リテ之ヲ定ム
前項ノ法律又ハ契約ニ別段ノ規定アル場合ヲ除ク外公同共有物ノ處分及其他ノ權利ノ行使ニ付テハ公同共有者全體ノ同意ヲ得ルコトヲ要ス
第八百二十九條　公共關係存續中各公同共有者ハ其ノ公同共有物ノ分割ヲ請求スルコトヲ得ズ
第八百三十條　公同共有ノ關係ハ公同關係ノ終止ニヨリ又ハ公同共有物ノ讓渡ニ因リテ消滅ス
公同共有物ノ分割ノ方法ハ法律ニ別段ノ規定アル場合ヲ除ク外共有物ノ分割ニ關スル規定ニ依ルコトヲ要ス
第八百三十一條　本節ノ規定ハ所有權以外ノ財產權ニ付キ數人ガ共有シ又ハ公同共有スル場合ニ之ヲ準用ス

即ち中國民法に所謂公同共有は、我が國語でいへば合有又は合手的所有權であり、Eigentum zur gesamten Hand である。合有の場合には總有に於けるが如く、所有權の質的分割もなければ、又共有に於けるが如き所有權の量的分割もない、即ち合有關係に於ては、各權利者は、結合の基礎たる身分關係に基き、合有財產の全體に對し、身分的持分權を有してゐるが、其の財產の各個の權利義務に對しては、物權的な持分權を有してゐないのである。元來共同的所有の形態には、總有、合有、共有の三種が存し、合有は總有から共有へと轉化する架橋的形態として、本質的機能を發揮するものとされるが、支那現行民法中には、所有權に關する合有の規定以外にも、公同共有を認めた規定がある(組合財產に關する第六六八條、夫婦財產制に關する第一〇三一條以下、遺產分割前の遺產に關する第一一五一條、第一一五二條等)。

「支那現民法が合有に關する規定を、民法中に明瞭に定めた點は、規定そのものはもとより外國の模倣であつたであらうが實際慣習に照し極めて妥當なものと思はれる」と、福島三好氏は述べて居られる。[1)]

私も中國多數の學者と共に、現在の法規及び法律智識よりいへば族產を以て族人の公同共有に屬するものと解するのが最も妥當であると考へるのである。

前述の如く最高法院の判例中には、直接族產の法律的性質に觸れた判例は見當らないのであるが、大理院の判例中傍論として族產の法律的性質に觸れたものは、相當にあり。左に示す諸判例の大多數は、祭產・祀產・塋田を以て公同共有的性質を有し、特別なる事情があつて同族の同意を得たる場合、或は特別な慣習、合意の存する場合でなければ、之を分割讓渡することを得ざる旨を規定して居るのである。從つて現行中國民法の解釋としては、族產を以て公同共有的性質を有するものと解すべきは、ほとんど疑を容るべき餘地はないと思ふ。[2)]

大理院判決例擇要

1）同族の中、公產を設置し、以て一定の用途に供する者は、其產業應に一定目的を有するの公同共有財產たるを視るべし。公產を設置するの各房全體の同意を經、併せて正當理由あるに非ざれば、其目的を變更し或は其財産を處分するを得ず、該財産の收益に至りては則ち、應に設置目的に依り、經營各房の共同の事業を以てすべし。惟各房正當理由有るに因り、共同經營する能はざる者は、同一目的內に於て、其收益額數を分析し獨立計畫することを請求することを得、其額數に至りては、自ら應に共同設置の房分を以て標準と爲し平均分析すべし(三年上字第一一四四號)。

2) 祀産は共有性質に係る、其所有權は同派の各房に屬す、自ら其の祖先の祭祀を維持するの宗旨之を言ふ、もと永遠保全を期す。擅に廢することを容さず。故に凡そ祀産を設定するの字據內、例へば永遠に典賣するを得ざる等の字樣あり。然るに我國の慣例を查するに、たまたま必要の情形(例へば子孫生計艱難、或は管理に因りて重大の糾葛を生ずるが如し)有れば、各房全體の同意を得る時は、仍ち分析典賣し、或は其他の處分行爲を爲すことを得。併せて公益に害無く亦强行法規に背かざれば、卽ち現行律は關盜賣祀産の規定に關しては、意ふに僅に盜賣を禁ずるあるのみ、所謂盜賣とは、出賣の權無きの人を以てして出賣を私擅するの謂なり。未だ各房の同意を經ず僅かに一房或は數房により出賣を主持するが如きは固より盜賣の例にあり。若し已に各房全體の同意を經れば、自ら盜賣を以て論ずるを得ず(四年上字第七七一號)。

4) 塋田の性質は、現行法上にありては、亦公同共有に屬し、分別共有に非ず。公同關係存續中(卽ち分析の前)に在りては、原より共有人の一人其應有の分を處分するをゆるさず(四年上字第一八一六號)。

5) 祀産は現行法上、不可分を以て原則と爲すと雖も、遇々必要の情形(例へば子孫の生計艱難、或は管理によりて重大の紛糾を生ずるが如し)あれば、併せて各房全體の同意を得る時は、仍ち分析を准《ユル》す。此種の必要情形、若し已に顯然存在せば、各房中故意に自利を計り、同意を表せざる者あるも、審判衙門は他房の之を分たんとする請求に據り、亦其分析をゆるすことを得（四年上字第一八〇九號）。

1　福島三好、中華民國民法上の土地權利。滿鐵調査部、「支那土地問題に關する調査資料」五二一頁。

2　江蘇高等法院長の喬萬選氏は特に書を寄せられて次の如く述べられて居る。
査祀田、祀產、祭田等均爲公同共有性質、現依民法第八二八條辦理「第八二八條公同共有人之權利義務、依其公同關係所由規定之法律或契約定之、除前項之法律或契約另有規定外、公同共有物之處分及其他之權利行使、應得公同共有人全體之同意」

上に掲げた大理院の諸判決も、極めて御多忙中にも拘らず喬院長が自ら蒐集して私に寄せられたるものである。深甚の謝意を表する次第である。

第四節　族產の設定方法

族產は多く、祭產たる性質を帶びて居り、而して祭產の制度は、一は以て同族の祖先の祭祀を繼續せんがためであり、他は同族の共通の財產を保全せんがためである。

一　祭祀不令湮滅
二　財產永久保全

これ祭產制度の存在理由である。

南京最高法院長の張詔氏はこの點について說明を加へて、「祭產は、もと他人に對して賣ることが出來なかつた。昔の制度によれば、人民が犯罪を犯した時、人權を剝奪するのみならず、其の家の財產をも沒收したこともあつた。然し祭產は之を沒收することはなかつた。祖先を敬つたことがわかる。昔は其の財產に祭といふ文字を附すれば賣れなかつたのである。習慣上も斯る財產を重大視したことを知り得る。

祭產を登記する時に祭といふ字をつけた冊書を縣政府に持つて行く、今でも縣政府に持つて行く。市では市政府の財政局に持つて行く。

祭產を公同的共有と認めるのは祭祀の精神によるのである。

祭產を持分的共有の對象とせんとするは、之を單なる財產と見るのである。今ならば祭產を以て持分的共有と認むるが故に、全部の家族が同意すれば賣れるのであると。」

而して、諸家の說を綜合すると、祭產は次の如き場合に設定せられる。

a）大官若しくは、富豪の祖先の一人が自己の財產の一部を以て祭田とし、他を子等に分割する場合。

斯る場合が最も多いのである。

例へば上述の民國二年五月八日の浙江高等審判廳民一の判決に「孟宗元等の高祖は名を佐清といふ。嘗つて良田三百十餘畝を置いて、其の子孫に遺して祀産として傳ふ」とあり、民國二年十一月十九日の浙江高等審判廳判決に「蔡德麟等の第十代前の祖先東川公といふもの、所在地二十一都四圖の蔡莊に、荒字、拱字、餘字等の地番の田地面積二十九畝九分二厘八毫を所有しあり、蔡東祭の名義下に祀産となしたり」といつて居る（本稿一九五頁以下參照）。

又乾隆十年重修寶抵縣志卷之十七藝文上、冀明王君墓表中之一節によれば「公（王鼎呂）晚年倣范文正公義田法、捐田租於城南青口莊、以贍族之貧者、哀其秀廪之」とあるが如きものである。この種の族産が最も多い。

b）同族の者が出捐し合つて族產をつくる場合である。斯る場合には多く小額の金子を出合つて之を利殖し、其の金錢を以て畑、沓（水田のこと）を買ひ共有とするものである。

斯くの如き例としては、前揭 Justus Doolittle, Social life of the Chinese, p.277 に "At the time of erecting an ancestral hall, a permanent fund is established by the family or the families who unite in erecting it." なる記事がある。

中國民事習慣大全、第六編第四項に、江西樂安縣習慣として「樂安各姓。皆有祠產。多由本族人捐集」の記事がある。

この點についても此の度の旅行で御會ひした多くの法律家は、このことを認めて居られた。

c）富家の祖先が死するとき、其の財產の一部を何人かに委託し、之を以て將來の祭產たらしむる場合、問題は多く斯る設定方法によりて生じたるものについて存するといふ（董康氏）。

d）父が死し財產を分配して殘れるものを以て祀產を設定する場合。

e）上海市公署地政局長范永增氏は義莊及び祭田の設定につき次の如く述べられた。「祭田は義莊の一部であり、義莊の費用の一部を出して、一定の田を祭祀の用に供することとする。又其の收穫を以て貧民を救ふのである。

義莊の組織を云へば、一族の者が集り、グループの中からインテリの人をあげて代表者とする。其の人が不動產（田）を管理し、その收穫を如何に分配するか、或は、一族の者の貧乏なる者の救濟のため、又は一族の秀才のために如何程の學費を出すか、さういふ規定をつくり、一族の者の名を書き、其他數名の代表者を書き、官廳に持つて行く、官廳はなるべく一族の者の意に適ふ樣にする。一族の中によい人のみではない。中には橫領する者もあり得るから規定を定めると文句を言はない。又官廳の方も此の規定によつて監督するから便宜である。別に特定の名詞はない。普通何族の義莊の章程といふ。南の方では今のべた樣なやり方でやつて居る。北の方は小部分は違ふかも知れぬが大同小異であらう。義莊は浙江省・江蘇省に多い、例へば杭州西湖に大なる義莊の地がある（恐らく徐氏の義莊をさしたものであらう）。

f）一族の者が家廟に自分の土地を寄進し、其の代り自家に於てなすべき祭祀を營んでもらう場合がある。之を助入といふ（上海天野元之助氏談）。

g）一族の者の一人に子が無く、妻も死し他に相續人なき場合に其の財產が族田中に入る場合がある。

h）一族の共同占有によつて即ち共同耕作、又は入會ひ等の事實によつて、原野・山林等を占據し、同族の財產となれるもの、この點は、英國が威海衞を占據して居た頃の英國司法官 Johnston, Lion and Dragon in Northern China, p. 135, 141 に、同族の共同牧地に關する記載がある。

又南京の某氏の談によれば「自分が曾つて役人として福建省に赴任したとき械闘（雙方徒黨を組み各々兇器を持つて闘ふことをいふ。福建・廣東地方に多い。）、即ち村と村との爭を見た。即ち相隣接する山林があり、一方の山林を例へば甲村の李姓の者が持ち、他方の山林は乙村の陳姓の者が持つとし、乙村は陳姓のみであり、甲村は李姓の外に多くの他姓の者があるとする。この時陳姓の者の勢力が强ければ李姓の者を壓して、次第に李姓の山林を併呑してしまひ、之を陳姓の山林とする。斯る場合には甲村の李姓の者は、他姓の者をも合して乙村と爭ふに至るといふ。斯る實力行使の方法によつて一族の共同財產が發生した場合も多かつたのであつたであらうと思はれる」。

族產は上述の如き、祭祀不令湮滅、財產永久保全の目的によつて生じたものであるから、その確實を期する上から、不動產ことに土地（畓、畑）より成る場合が大多數で、之を祭田、祀田、嘗田、蒸田等と稱するのであるが、近年は借家、債券、金錢より成る場合も少からず、廣東省では魚池（養魚池を云ふ）より成る場合も少くないのである。

尙族產設定當時、前にも一言したが、其の所屬、運營方法のための規定を作るが、之を合同（契約に當る）、字據（一家族の相互の何等かの意思表示を書いたもの）、譜規（邵なら邵といふ族の內規である）等と稱する。殊に中支・南支に於ては家譜をつくることがやかましいのである。

第五節　族產の分布

呉文暉氏は其の「現代中國土地問題探究」[1]中に於て次の如く述べて居る。

「或人は、三百五十年前に於ては、中國の耕地面積中、僅か五〇%だけが私人の占有に屬し、其の他の九・一九%は兵隊の屯田であり、二七・二四%は各種の官田であり、殘一三・五七%は廟田及び祭田であつたと謂ふ。[2]この推計が當時の事實に符合するや否やに就いては、我々は深く探究の必要を認めないが、ここに注意を要するは現代の中國に於ても、「屯田」「廟田」「祭田」「學田」等の前資本主義的土地所有形態が殘存して居ると謂ふことである。併しこれらの形態に於ける耕地總數が、三百五十年前より增加して居ると謂ふことは問違ない。之を說明すれば商品經濟の加速度に發展する過程に在つては、前資本主義的土地所有形態は漸次沒落し、土地私有形態が次第に絕對的優勢を占めて來るのである。全國的に見れば、現在私有土地は恐らく九〇%以上を占め、前資本主義的各種土地所有形態は、恐らく唯氏族的占有形態が南支(廣東等)に多く存在する外は、總て既に崩潰して居ることは明かである。更に永小作權制度に結びついて居る一種の前資本主義的土地所有形態があることを我々は注意しなければならぬ。即ち永小作制度の下に於て、土地は「地下」及び「地表」の二つの部分に分れ、地主は地下權を、小作農は地表權を所有して居る。小作農にして若し規則通りに小作料を納付さへすれば、彼は永久に地表權を占有することが

出來る。又地表權は一定の價格を有し、小作農は之を他人に賣却したり又は「抵押」すること
が出來る。この種の土地所有形態は、長江流域或は珠江流域の各省には尙ほ存在して居るが、漸
次消失して資本主義的所有形態に變じつゝある。その變化の過程は、大半は地主が地表權を回收
するのであるが、小作農が地下權を買收する場合もある。この趨勢も亦商品經濟の發展せる結果
である。之を要するに中國に於ける土地所有形態は、漸次近代化、資本主義化しつゝあるが、前
資本主義的殘滓は今尙ほ存在して居るのである。」と。

族產の分布に關して未だ網羅的な研究は存しないのであるが、唯云へることは、族產の制度
は、支那全土に存するといふことと、其の分布は、南支に最も多く中支之につぎ北支並に支那西
部地方に最も少いといふことである。

支那全土に存するといふのは、族產の制度は漢人に固有な家族制度より生じたものであり、從
つて漢人の存する所至る所にこの制度が存するのである。南洋華僑もその僑居する地方に於て祭
田等の制度を有して居るといふ。而して族產を構成するものが、主として田地である關係上、都
會に少くして田舍に多いのも又その自然の數である。

族產の沿革に關する節に於ても述べたるが如く、この制度は、中支に發達したものであるか

ら、今でも浙江省、江蘇省に多い。例へば杭州西湖に廣大な徐氏の祭田があり（張超騤氏、范永增氏談）、又無錫、松江、蘇州にも多くの祭田がある（天野元之助氏談）。又、南京最高法院長張韜氏の說によれば、錢塘江を中心として、浙東と浙西に分けるが、浙西に於ては、斯る祭田の制度は重大視しないが浙東の方で之を重大視する。氏の談によれば寧波府、紹興府にこの制度が多いといふことである。蘇州には、范文正公によつて創設された義莊が今尙存する由である。

北支では、山東省には上述孔家の祭田の外、德縣に千數百畝の族產があり（山本斌氏調査）、濟南にも王一亭の大なる祭田ありといふ。湖南・重慶方面には族產が少いといはれるが、乾坤塡（塡字想係壎字之訛）なる地に存する先祖遺留蒸嘗田十四畝について、四川高等法院の第二審判決を經由したるものについては最高法院判例彙編第十四集四四頁以下にのつて居るし、雲南省昆明縣に族產一千畝のものあることは、農村復興委員會「雲南省農村調査」民國二十四年四月にのつて居る。族田の最も多きは、廣東・福建の兩省であり、廣東の如きはその耕地の$\frac{1}{3}$は族田であると稱せられる。廣西・江西の二省は之につぐのである。

然らば此等の地方に何が故に、族產制度が發達したのであらうか。

其の原因について今次の旅行中も大いに研究したのであるが、諸家の語は大體次の如きものであつた。

1）廣東・福建方面に族産が多いのは、この方面の出身者には華僑多く、南洋方面に事業を營んで、富豪となる者少なからず、此等の者が財産を鄕土に持ち歸り、同族の財産として寄附する者多きこと。又廣西と江西兩省にも祀産の多きは、此等の地方は廣東・福建兩省の御蔭で發達した地方だからである（程濟氏、邵同怡氏、趙上海大學長、范永增氏）。

2）廣東・福建方面は佛敎徒が多い、從つて祠堂の崇拜が盛んであり、從つて祀産もこの方面に多いが、湖南・重慶方面は、回敎徒が多く、回敎徒は祠堂崇拜をなさず、從つて祀産制度も發達して居ない（程濟氏）。

3）嘗田の制度が何故に南方に發達して居るかといへば、例へば、廣東地方に於ては、地勢の關係上、言語の種類が多く、大別して二百二、三十、細分すれば數千種になる。こちらの村の者が山を越えて、隣村に行けば言語が通じない程である。そのために同族の結合は鞏固になり、大家族の形成を促した。從つて祭田も大になつたのである。廣東省の土地の三分の二は祭田だといふ（南京實業部政務次長季祖虞氏）。

4）「支那の歴史に之を徴すれば、中世紀北方支那は、夷狄に侵掠されて、かの晋の南遷・宋の南渡は、當時の貴族・名家の集團的移住を伴ひ、これを契機として南方支那は、經濟的にも將又文化的にも、全く開化して來た。而も南方支那は、その氣候條件の良さと、風土的な好條件によつて、水田耕作てふ支那に於ける最も發達した農業地帶を現出し、そこに剩餘生產物收取の極めて大きい物的地盤を確保し、大土地所有・小作制度の發達と共に、所謂名族・世家の自己存在の基礎が構築せられたのである。これこそ、南方支那に淸朝の縉紳が七五%を占めたと云ふ經濟的基礎も窺はれ、そこに又宗法制度の具現された祖廟に附屬せしめた族產の成立の根據を、推測するに難くはない」(天野元之助氏著、支那農業經濟論上六四頁)。

5) 北支に族田の少くして南支に多きは、支那の文化は北方より開け、南方に大家族制・大祀產制の殘れるは文化の程度未だ低きがためである(北京某氏談)。

南方に族產多き理由については、以上に述べたるが如くであるが、そのいづれも全部的な理由ではないであらうが、そのいづれもが當つて居るのであらう。但し第一にかかげた理由が其の最も重要なものであり、海外に發展した華僑が、家鄉人に誇るがために、或はその體面を維持するといふ考慮から、大なる祠堂を建て之に附屬して多くの族產をもうけたものと思ふ。

概していへば族產の制は福建・廣東地方に最も發達し、次いで長江沿岸に最も多く、北支、支那西部地方に少しといへると思ふ。

中華社會科學社發行の雜誌「新社會科學季刊」第一卷第四期（民國二四・三・一五出版）に掲載されて居る。山本純愚氏譯、滿鐵調査部「支那土地問題に關する調査資料」五七三頁以下。

2、陳翰笙 The Present Agrarian Problem in China, 一九三三年譯文「現代中國的土地問題」（「中國經濟」第一卷第四、五期合刊掲載）。

第六節 族產の管理

Ⅰ） 族產管理方法の規定

族產が祖先の一人によつて設定せらるる場合でも、又族人が相集り、各々據金して族產を設定する場合（中華民國十九年五月司法行政部印行「民商事習慣調査報告錄」一二・九九一頁によれば欒安縣慣習として「欒安各姓皆有祠產,多由本族人捐集及由祠產餘利項下出價典買云云」の記事あり）でも、多く族譜とか家譜をつくつて、或は合同・字據等所謂契約書によつて族產の管理方法を規定するのが普通である。

Ⅱ） 族產管理方法の種類

族產の管理方法は、各族によつてまちまちである。甲の族と乙の族とは、同一の經濟狀態ではないからである。しかし諸家の說及び各種の調査報告を比較研究すると現在では、族人が輪流管理即ち一定の年限をかぎつて交替で管理する例が最も多い様である。

a）輪流管理する場合

これは、前述の如く族人中に於て、毎年交替或は二、三年に一回といふが如くに、順番に管理の任にあたるものである。

族産は上述の如くほとんど祖先祭祀の目的で設定せられるものであるから、祭祀の精神を以て之を管理すべきものである。即ち其の目的は財産の管理ではなく、祭祀の管理である。

輪流管理といつても寧波の習慣では、直系の子孫が長男・次男・三男といふ様な具合に管理する場合が多いのである（張韜氏談）。

初め同族の人數は少くとも、年代の經つ中に子孫が甚しく增えるのである。從つて大族になるとその中の一人が一度管理すると、一生の間順番が廻つて來ないことがある。又その番が廻つて來るまで七、八十年たつことがあり、或人には一度もその順番が廻つて來ないことがあるのである。それで問題は複雜になる。

而して大なる族產の管理をなすときは、管理者は多額の餘德を得る場合があるのであり、管理者たらんことを望む族人が多いのであり、或は、將來自己の管理する順位になつた時に取得すべき利益を擔保として金を借りる場合もあるといふ。

又他面に於て例へば浙江の人でも或者は官吏となり、或者は生活のために、他省にまで出稼ぎする場合がある。しかし自分が族產を管理する番になれば、歸國せねばならぬのである。習慣上少しの財產の管理にも歸鄉せねばならぬので、たとへ雲南・西藏に住む者でも歸らねば、鄉黨の批難を受けるのである。しかし斯る場合に順位に當る者が歸鄉せず、各種の紛糾を生ずる場合があるといふ。

この種の管理方法の實例としては滿鐵北支經濟調查所、河北省京漢・正太鐵道沿線土地慣行概況調查報告上冊一〇五頁には「定興縣ニハ、明、清時ノ高官鹿善繼、鹿傳霖ヲ祖先ニ有スル豪族鹿家ノ祀田アリ、鹿家同族(四・五〇家アリト)ノ公有ニシテ之ガ經營ハ鹿家同族ニ依リ每年交替制ニテ行ハレ、租收入ハ祭祀・墓地修理・同族勸學費ニ充當サル」といふ記事がある。

又前揭の司法行政部印行の報告錄一・二四頁によれば、高陽縣之習慣によれば「祭田之管理」に關し「族中の祭田あるは即ち同族中の公田と爲し、淸祭祭掃に至る每に族人に由り輪流管理し一二人の擅行處分を許さず」なる記載がある。

又民國二十一年四月二十八日の最高法院民事部判決(上字第九三八號)にも「暫行輪流管理」の語が出て

居る。

族產なる者が、同族の公同共有に屬するものとすれば、族長が之を管理するといふのが自然かも知れない。實際斯る場合も決して少くはないのである。

b）族長管理

族田は、祭祀のための土地であり、傳統的觀念に依れば家廟の持つ土地である。從つて祖先のために祭祀を爲す場合に祭主となる族長が族田の管理を爲すのは合理的である。

族長は一族中の最も輩數の高き者であり、或は一族中人格高く智識ある者が選出される場合もあるといふ。族長が外出、他出する時或は管理能力無き時、管理人を置くのであるが、それは族長の指示の下に族田の管理を爲すに過ぎない。

族長管理の實例としては、前掲河北省京漢・正太鐵道沿線土地慣行概況調查報告、上册一六〇頁に淸苑縣の例として

「族　產

共同祖先祭祀費ヲ得ルヲ目的トシ、同族者間ニ於テ特定地ヲ祀田ト爲セルモノアリ。沿革概シテ古ク、同族者ノ公有トサレ、族長之ヲ管理ス。槪シテ賣買讓渡、分割禁ゼラル、本縣下ニハ同

族部落ナシ」

の記事がある。又上掲書下冊二〇三頁に井陘縣の族產として

「祭田アリ。一族ノ共有財產トシテ代々繼承サレ、族長之ヲ管理ス。近代ニ於テハ漸次土地分割行ハルル傾向ナルモ、老契ハ依然家長保有ス。田賦免除サレズ。」

とあり。又上掲書二四五頁以下にも、邢臺縣の「同族部落・族產」として左の如き記事がある。

「本縣ニハ他縣ニ比シ同族部落多ク觀測サル。第一區李演莊ハ主トシテ李姓ノ者多シ。第一區申家莊ハ縣城ヨリ西南三哩ノ地ニ在リ。全村五四戶ニテ申姓二四戶、朱姓一三戶、王・梁・趙姓各一戶等ナリ。本部落ハ往時山西省、洪同縣出身ノ申・朱兩族ニ依リ創設サレシモノナリ。村政ハ申姓ノ手中ニアルモ閭長、牌長ノ職ハ申・朱姓ニテ均分サル。族ニ世襲制族長アリ。族長ハ同族統率の外、族產ノ管理、族內紛爭ノ處理、同族ノ救濟扶助ヲ主要任務トス。」とある。

c） 長《ノアン》房《ファン》管理

之は祭產設定者の宗孫が管理する場合である。即ち長子の系統が管理するものである。董康氏の說明によれば、昔は義莊は長房一人の名義で登記したが、今は、同族が連名で共同に登記するといふことである。

d）　吃會管理

この點については上述河北省土地慣行概況下册九二頁以下定縣の慣行として左の記事がある。

「又祖先ヲ同ジクスル氏族公有ノ祀產アリ。原則トシテ分割許サレザル土地ナリ。之ガ經營、管理ハ吃會ニ依リ行ハル。吃會ノ財的基礎ハ祖先ノ遺產タル同族公有地ノ收入ニ依存スル場合多シ。該地ハ第三者ヘノ出佃又ハ同族者ニ於テ交替耕作サル。吃會ニハ任期一箇年ノ會長一名、同族選出ニ依ル歛首二名乃至四名、其ノ他會務ヲ處理スル爲役員ヲ置ク。會首ハ祖先命日到來ノ前後吃會ヲ招集ス。出席者ノ年齡制限ナキモ婦人ノ出席ハ許サレズ。吃會ニ於テハ、祭祀其ノ他同族間ノ重大事項、同族間ノ金融、公有地ノ出佃等ガ議セラル。但シ子弟學費補助、凶年ノ賑恤、孤獨ノ扶助等、廣汎ニ涉ル相互扶助ヲ目的トスル所謂祭田制ノ如キモノハ見當ラズ。吃會ニ理由ナクシテ列席セザル者ハ酒一、二升ヲ課罰セラル」

e）　貧しき族人をして管理せしむる場合

一族中の貧困なる者に、其の土地を貸し、小作料をとらぬ代りに其の小作人に祭の費用を出させる場合である。これは小規模の族田について行はれる所である。斯る慣習は朝鮮にも存する所である。祖廟の祭りは即ち子孫の繁榮である。其の族田の財產を以て一族の貧窮を救濟せんとするは、所謂「義莊膽祖」の思想に適するものであり、家族制の儒教的精神の現はれである。

三）　族産管理の實際

祭田・義莊・嘗田等と稱せられる族産も、その小規模なるものについては、同族中の比較的貧しき者が管理し祠堂中に住む樣なものも見受ける所であるが、其のやや大規模のものになれば、家譜・宗譜の定むる所に從ひ或は「輪流」の形式で管理が行はれ、或は「長房管理」の形式をとるのであるが、事務の複雜化するに從ひ、諸種の名義で、實際の管理者を置く場合が少くないのである。例へば中支松江《スンキャン》にある顧といふ家の族田は、律士（辯護士）が管理人となつてゐるのである。

やや大規模な族田の管理狀況を見ると祭田の事務上の管理者の頭は、之を莊正といふ。之を經理、理事、値事、管事的《カンマダ》、董事ともいふ。此等の管理者は、族長或は長房等の命によつて管理するのである。

族田の大なるものは、之を小作に出し其の收益を義莊に預る。義莊は土地を管理する者が居る所である。小作によつて得たる收穫物を持ち來る倉である。

問題は、義莊は倉だといふのであるが、穀物を入れず、金でとるものも存する。歷史的に見れば、倉を持ち、そこに小作米が入り、端境期の高い時に賣つて、之を祖先祭祀とか同族の養贍、教育、結婚等の費用に當てるのである。

又莊正は、現金は銀行に預入れ、庶務の係の者は、田地の見廻り、登記・納稅等の事務を負擔するのである。又年に幾回か、何時に祭を行ふかを一族の者に通知する。莊正、董事は此等の事務一切を統轄するのである。更にその上に會長があるが之は族長であり、多くは年寄りで輩數の高い者である。

現在に於て、族田も、普通の田地も稅金は同一である。通常の場合その田租は地方政府に納める。

少くとも春秋二季には祖先の祭をする。その際には、同族は特別なる支障なき限り宗祠に集り、祭祀を行ひ祖先の墓を淸掃する等の行事があるが、終つて盛宴を開き、胙肉を分ける。一族の中の不都合を働いた者は、此の宴席に列することを許されない。之を胙肉を與へずといふ。又この際祭田の收穫を同族に分つことがあるし、族田の管理について相談することもある。

又族田を賣却する等の大事を決する場合には同族の會議を開き之を決する。族田は其の性質上賣却し得ざるものであるが、今は判例上「同派各房同意」を得れば、賣却し得ることは次節にのぶるが如くである。

族田管理の狀況を明かにするために、東亞研究所第六調査會學術部委員會による「滿洲北中支農村視察狀況」中の一節を引用しよう。

「顧義莊

上海・杭州の中間、大都會に近く、クリークによる頻繁な航運による農產物商品化の顯著なこの松華陽橋村において、しかも宗祠を中心とした廣大な族田があることは、注目に値した。この族田は顧氏の義莊を中心としたものであつて、同姓五十三戶がこの華陽橋村に同族紐帶を强固にもち千四畝の廣大な面積をもつこの族田を聯有する。村內二〇〇戶のうち、同族たる顧氏は五十三戶も、この村に居住してゐる　軒を並べてゐるわけではないが散居してゐるといつても、村內戶口の四分の一を占めるこの顧氏は、村落生活の上に緊密に結び合つた勢力である。同族村落を構成してゐるわけではないが、この同族紐帶は村の支配的勢力である。族田は之を小作人――同族ではなかつた　に小作させ、それより納付される小作料收入は、同族共同祖先の祭祀に充てられ、その他の費用を控除した殘額は半分を冬至節の祭のとき族人に分配し、更に春の清明節の祭の時に、他の半分を族譜に揭げられてゐる族人に分配する。その額は一人當り三石六斗、これは必ずしも同村落居住の族人のみでなく、他村の族人にも分配する。

家廟の祭祀は、族長が司祭をし、族長の不在のときには、最年長者が代理をし、十六歳以上の男子が參加して祭を行ふ。式の後に盛大なる賀宴が開かれる、その際に女子は祠堂に入ることができない（位牌もつくることができない）。

顧氏の族長は鄕外に住んでゐて、族田の管理は、管理者たる主務者がゐて、その下に事務員を使つて會計事務その他の事務を管掌してゐる。納税は族長名儀である」。

前にも一言した樣に、管理者には相當の餘德があり、中には自分の所に順番が廻つて來るのを待ちきれないで、將來自己の當番の際に取得すべき利益を擔保にして金を借りる者が存する」程である。

從つて族田の管理をめぐつて、同族間に紛糾が少くなく、地方法院（族田に關する事件は、事實問題がその爭點の中心になるから地方法院關係の判例のが多い）、及び大理院、最高法院の判例集中に非常に多くの之に關する事件を發見し得るのである。その大なるものは、管理者の一、二人の者が同族の同意なくして族田を賣却する場合であり、或は手當とか、義莊財產より生ずる利息を横領する場合がきはめて多い。殊に族產設定後數百年たつときは、派下の人數が增大し此の種の葛藤が益々繁くなるのである。又會計係りたる帳房が、田租を集め或は收入支拂の事務を行ふ場合に、私曲を營む場合も少くないのである。

又、小規模の族產になると、順番に當る者が管理の煩雜を厭ひ歸鄕せざるための事件も多い。此等の點は第八節「族產に關する紛爭と其の解決方法」に於て詳述するつもりである。

茲に一言しなければならぬのは、同族中の所謂强房が祭田管理の實權を握り、族中に明瞭な階級分化が起り、時には尖銳化もする事實である。此の點について天野氏の支那農業經濟論、上卷、五六頁以下より各種の實例を引用しようと思ふ。

a）廣西省でも族產の管理は族中の少數の智識分子に握られ、彼らは此の中から利をおさめ、一般の族人は、精々輕い小作料を納めることによつて、餘惠を得て居る。併し族產の管理者は、族外人に土地を貸して、高い小作料を徵する方が自分の利益となるので、族人はなかなか土地が借れなくなつて居る。同時に管理者たちは、互ひに祕密を守り合つてゐるので、族產集中の眞相は、容易に知られないとの事である（農村復興委員會『廣西省農村調査』民國二十四年一月）。

b）山西の平順縣に於ける族田の支配權も、すべて紳士の手に操られ、ただに地租《こさくりよう》が多く彼らに佔用せられるばかりでなく、小作人に對しても非常に大きな權利を有し、擅まに壓迫してゐる（趙梅生「平順縣農村經濟概況」『天津益世報』民國二十三年七月二十八日）。

c）河南省に於ける祠產も、其の收入は、完全に族中の豪强に歸してゐる。即ち彼らは、往々學校を經營してゐると云つて侵奪し、貧乏な族人は絲毫も之を過問する權利をもたない（天野「河南省農業經濟」『滿蒙』昭和十一年九月號）。

第七節　族產の處分

族產は、昔は全然賣れなかつたのである。「それが發覺すると云ふと、元の本人に返させて、買つた者が出した金は官に沒收」されてしまつたのである。又族譜・家譜・族規等の祭田の章には、その賣却を許さざる旨を規定することが多いのである。

祭田は、現今に於ても、原則として、其の讓渡、質入、抵當が禁ぜられて居るのである。族田を債務に變へることは、全族會議の議決を經ればよいのである。この點については判例がなく民國十八年に司法院で解釋として、其の可能性を認めたのである。但し全族の同意あることを條件としたのである。この際にも女性は其の決議に當ることは出來ないのであるが、司法院は前述の如く、全族會議の同意があれば族產の客體を變更し得ることを認めたのである（劉志敭氏談）。

支那に於ては、本來行政官たる司法院長は、法令の解釋及び統一を期せんがために最高法院其他の同院部長會議に諮り、其の決議を經た上で法令の解釋權及び判例の變更權を行ふことを得るものであつたことは注目に價する（國民政府司法院組織法第三條參照）。

然らば、族產は、現行法上之を賣却し得るであらうか？　上述の如く族田は公同共有に屬するものであるから、民法第八百二十八條第二項「前項ノ法律又ハ契約ニ別段ノ規定アル場合ヲ除ク外公同共有物ノ處分及其他ノ權利ノ行使ニ付テハ公同共有者全體ノ同意ヲ得ルコトヲ要ス」といふ規定によつて、全族の同意があれば之を賣却し得るのである。

從つて、全族の同意を經ないで之を賣れば、その賣買行爲は無效である。此の點に關しては、大理院及び最高法院の多數の判決が存する。其の代表的なものをあげると、例へば、民國四年上字第九七七號の大理院判決で「族人、祖遺の祭田を處分するは、共有物の常規を以てすれば、自ら當に族人全體の同意を得るを以て有效要件と爲すべし。惟だ地方舊有の習慣或は、族中特定の規約に依れば、各房の長、全體族人の共同代理を以て、以て處分を爲す可く、抑々或は各房の長、集衆會議し、族人多數の決議により、以て處分を爲すべき者は、則ち該習慣或は規約の處分行爲により、未だ族人全體の同意を得ずと雖も、亦應に有效たるを認む可し」

又最高法院の判決としては、民國十八年二月二十六日民事三庭判決上字第一四三號（最高法院判例彙編第五集六三頁以下）が存する。曰く、

「田畝共有祀産に係屬するときは、同派各房の同意を經るに非ざれば、祠董一人に由り、擅自拋棄すること能はず」

と、即ち族産は、原則として族人全體の同意を得なければ之を賣ることを得ないのであるが、地方的な特別な慣習があるか、族人間に特別の規約があれば、多數決によつて之を處分することが可能なのである。

又族人全體の同意といふが、家族の者と雖も他に移住する者がある。それで規範の上からは全部の同意を要することになつて居るが事實上はそのまま實行し得ないのである。又他地に移住した者は、別に祠堂を作るのである。從つて現に地元に居る者の全部の同意を要することに歸する。一般的には、中國では、民事上の財産の移動は、登記するを要するのであるが、登記制度は完備せず、登記はあまり實行されない。契約すると賣れるかどうかがきまるのである。北京では、市公署の財政局に提出して、其の許可を得なければ、族産の賣買について契約しても無效であるといふ（北京大學劉志敭教授）。

然らば、族産の管理人が、全族、若しくは特別な場合に族人多數の意思に依らないで之を賣却したら如何なる效果を生ずるのであらうか。それは無效であると解せられて居る。この點につい

ての代表的な判決は民國四年上字第二二六七號の大理院判決である。曰く、

「塋地は、公同共有の性質を有するものなれば、遇々必要の情形あり、派下各房全體の同意を經たるに非ざる場合又は已に分割讓與或は其他の處分行爲を許さざる旨の確定判決ありたる場合に於ては、之に反する處分行爲は無效なりとす」

從つて、族產が族人の同意を經ずして、賣却せられ、善意の第三者の手に入つた場合でも、第三者は、賣買行爲の當事者たる管理人に對して、民事上の訴を起せるが、賣つた行爲そのものは無效で族產（祭田）は取戾されるのである。

管理者が族人の同意なくして祀產を賣る場合には之を盜賣といふ。斯る盜賣が行はれた場合、族中の何人でも訴を起し得るのである。或は共同的に訴へてもよく、單獨に訴へることも可能である（部同怡教授）。

又祀產の盜賣が行はれたとき族人は、地方法院に訴へ、斯る不都合な者は、その祀產を設定した祖先の子孫とは認めないといふ判決を訴求することがあるといふ（程清氏）。

又祀產の盜賣を爲す者は侵佔罪（占有を侵す罪）に問はれる（張超駿氏）。

朱深氏の談によれば、昔は土地が割合に廣く地價も高くなく、一畝百圓位のものであつたが、

今は一畝二千圓乃至三千圓位であるといふ。族產の小なるものでも十畝以上のものが多いから、族產の價格は二、三萬圓を下らず、之をめぐる訴訟が相當に多いが、之は第八節族產に關ずる紛爭と其の解決方法に於て詳論するつもりである。

支那の習慣上に於ては、同族の財產を他姓の者に、同族の同意を得ずに賣つた場合に同族の先買權卽ち所謂先儘親房《センテンチンファン》を殘す慣習は、支那の各地に存するのであるが、「斯る不動產先買權の慣習は、同族の家產擁護の端的な表現であるが、それは所有權處分の自由を制限するのみでなく、之に藉口して、買主に於て賣買價格を低減せんとする傾向を生ぜしめた。併し右の如き慣習も、今日では次第に消滅し來たり、民國四年以來、大理院判決も斯る物權的先買權を否認して來た（民國四年上字第二八二號、民國六年上字第一〇一四號）」のである。[3] 但し管理人は族田の收穫を處分し又は族產に屬する鑛山の產出する鑛物を處分する權能を有するのである（萬誠吾氏）。

1　桑原隲藏、支那法制史論叢、二二六頁、張韜氏同意見。民國二年十一月十九日浙江高等審判廳判決、本稿二一一頁參照。

2　初め宣統元年十二月二十八日の上諭によつて公布せられた法院編制法によつて最高裁判所としての大理院が設けられたのであるが、民國四年六月二十日の北京政府の公布施行した法院編制法に於ても之を認め、北京に大理院を置いたが、國民政府の時代になつて、首都南京に最高法院を設けた。

3　天海謙三郎、「同族間に於ける不立賣契の慣習」、滿鐵調査月報十三年六月。天野氏、支那農業經濟論、上卷、四七頁。

第八節　族産に關する紛爭と其の解決方法

祭田《チーテイエン》・祠産《ツーサン》といふが如き族産は、元來祖先を埋葬した墓の周圍の土地であつて、そこからとれた收穫物でその墓の祭の費用を據出したものから發達し來れるものである。

即ち族産は其の發生の初めから、墳墓を共通にする者（墳族）の共通の財産であつたのであり、此の意味から墓地及び祭田は、絶對に賣却することを得ない性質の物であるが、同族が貧窮に陷れる場合に之を賣ることがあり、現在では、全族の同意があれば、之を賣ることが出來ることになつて居り、幾多の判例があるが、さうではなくして、一族のある者が、全族の同意を得たりと詐稱して之を賣る場合があり、又斯る者が一族中の有力者にして、族産管理の實權あるものを唆して之を賣らしめる場合がある。之を廣く族産の盜賣といふ。又族産を同族の同意なく無斷で賣拂ふ場合及び之を横領する等の場合を總稱して覇占《パーチャン》と稱する場合もある。斯る場合に如何なる解決方法を實際上とつて居るであらうか、民國以前の家族主義を極端に尊重して、族内の事件の處理については族長の處分權を認め、政府が之に干渉しなかつた時代には、族長が斯る不都合な行爲を働いた者を祠堂に召喚し、祖先の靈前に於て、判決を下し、時としては、死刑に處したこともある様である。少くとも、入祠と散胙（祖先を祭れる時供へた肉を祭典後に宴會を開く場合に分與すること）を停めたり、當該の族譜よりその者の名を削ることは廣く行はれた慣行であつたらしい。

例へば謝河黃氏宗譜宗一、凡例に「男、胥吏・僧道・優伶・竊盜・自鬻等の賤行を爲し、及び祖塋を侵犯し祖地を盜賣する者あらば、皆名を削る」とあり、又餘姚朱氏譜に「倘し不肖の子孫、（祠產を）侵佔盜賣するあらば、通族して本人に告理し、黜譜を決行す」[1]

尤も黜譜や、胙肉を與へないなどといふことは、まだ輕い刑罰であるが、昔は族人の懲治手段として、同族裁判が行はれ、其の刑罰として死刑・追放の如き苛酷な方法までも採用されたのである。

民國成立後に於ても、裁判所も、出來るだけ同族の自治規範を尊重する方針に出でたのであり、例へば、最高法院判例彙編第一集三九頁以下に掲載されて居る趙能鑫與趙恩藩等因祭祀涉訟上告案に於て「凡そ一團體立つる所の規則は、苟も未だ强行法規に違反せず、又公秩良俗に背く無き者は、法律上に在りては當然有效たるを認む。而して該團體は卽共同遵守の義務あり」といつて居り、又大理院判決例全書二〇六頁に掲載されて居る民國八年の大理院判決によれば「作姦犯科に關しては、國に常刑があるから、それに向つて私人の處罰を加へることを許さず、ただ祖宗を玷辱する罪に對して族內で削譜或は除名の處分を行ふことは、一種の團體規約として强行法規に抵觸しない」といつて居る。

斯くの如き祠產の覇占の場合の外に、祠堂について紛糾の生ずるのは、財產の管理人が收益を誤魔化す場合であるが、最も問題になるのは、田租を收入する時である。國家の租賦ならば、その課税の率が一定して居るのであるが、族產に關する租賦はある所は現金を收め、ある時は米・麥・棉花を收める。從つて年の豊凶によつて收める量か異り、又、經濟上の事情によつて、その價格を異にするのである。

從つて現時に於ても族產に關して、盜賣とか、誤魔化し等の問題が生ずれば、其の第一法としては、族長が同族の會議を開き、その會議で、多數決によつて其の裁決を下すのである。之によつて解決しないと地方自治機關の裁判を求めるのである。地方の自治官が之に對して仲裁を試みるのである。これで大概の場合解決がつくので裁判所に出る事件は極めて少いといふことである（上海大學趙校長談）。

これらの點は昔から同樣であつたらしく、例へば、北嶺徐氏宗譜に「設し不肖の子孫・勾引匪徒・肆飮賭博・作踐祠宇を敢へてし、以て祠產・祭器を盜賣するに及ぶ者あらば、宗領宗副宗長に稟知し、族人を會同して、輕ければ則ち家法議責し、重ければ則ち官に稟して懲處す」[2]。

上述の如く、族內裁判によつても、地方自治官の仲裁によつても解決し得ざる事件は、訴訟の方法によつて訟庭に持出される外はないのである。全體の族產に關する事件にして訟庭に提出される比率は少であるとしても、判例集等に於て、寬贖地・私佔塋地・捏據覇地・贖地涉訟・田產糾葛・地畝涉訟・買地糾葛・基地爭執・嗣產糾葛・私呑廟租・私賣祭田・贖田轇轕覇產廢嗣・義子覇產・獨覇家產・私賣基地・强佔民基・强覇賣田・盜賣地皮・抵田覇種・發串田單・技界佔地・敎謀買地基・諾佔田地・佔據田園等として裁判所に現はれて居る族產に關する訴訟事件も相當の數に達して居るのである。然らば、斯る族產訴訟は如何なる形式で、法庭に提出されるであらうか。

斯る事件は、固有の必要的共同訴訟であるが、民法第八二〇條第二項により、單獨に訴訟を提起し得る場合もあるといふ（邵同怡敎授）。

又請求の形式としては、族產に關し、確定判決を請求するものあり、盜賣せられた族產の返還の請求をなすものがあり、族產分配の請求をなす者がある（朱頤年氏）。從來中國の法庭に現はれた最大の族產訴訟は淸時代の大臣盛宣懷の子孫の共有して居た愚齋義莊に關する事件であり、族人中に困窮した人もあつたので義莊を處分したことに端を發したものであり、評價額六、七百萬圓の族産に關する事件であり、最後に遺産として處分した(董康氏談)。

而して族産訴訟に於ては、裁判所は、多く原告の方の主張を尊重する傾向にあるといふ。又訴訟は民事事件としても、又刑事事件としても訴庭に現はれるのであるが、民事上の效果從つて民事事件は如何に判決せられて居るかは、前節に詳論した所であるからここには刑事事件としての解決について述べ度いと思ふ。

義莊を賣ることがあるが、會議の議決で賣る場合は少いのであり、族人中のある者が、族人に諮ることなくして賣る場合や盜んで賣る場合が多いのである。

義莊を盜んで賣る場合には、其の場合場合によつて異るのであるが、嚴密に謂へば義莊を管理する者が賣る場合は侵佔罪(占有を侵す罪)になる。卽ち我國に於ける横領罪となる。

義莊を管理して居ない者が賣れば、盜賣となる。祭産は全族の同意がなければ、賣れぬので、僞の文書を作り一族の最も勢力ある人に依賴して之を賣る場合には、刑法二百十條の私文書僞造罪となり、「私文書ヲ僞造又ハ變造シ以テ公衆又ハ他人ニ損害ヲ生ゼシムルニ足ルモノナルトキハ五年以下ノ有期懲役ニ處ス」ることになるし又二百十四條、二百十五條に問擬せられる場合も生ずるであらう。

祭田・義莊の盜賣そのものについては、「自己又ハ第三者ノ不法ノ利益ト爲サンコトヲ意圖シテ他人ノ不動産ヲ竊取シタル者ハ前項ノ規定（五年以下ノ有期懲役、拘留又ハ五百元以下ノ罰金ニ處ス）ニ依リ處斷ス」るのである。又盜賣の外に、族産を抵當にして金錢を借入るる抵押の場合も相當に多いといふ。殊に族産を輪流管理する制度は、とても複雜な訴訟を生ぜしめる溫床となるのであり、かかる弊害によつて、寧波地方の人々は、輪流の制より經理制に直し度いと希望して居るといふことである（張衍氏）。しかし經理制をとつても、董事長が主謀者となつて、盜賣をなす場合も少くないとの事である。

尚興味深く感ぜられることは、斯る盜賣其他が行はれた場合に、斯る者は族産設定者の子孫であるとは認めないといふ判決を要求することがあるといふことである（程清氏）。

尚族産の取得、管理・處分等に關聯して大族・大姓の間に械鬪を生ずる場合があることを注意すべきである。而して斯る場合には、地方官廳は、その主謀の元兇を嚴究するだけでなく、族産中の一部分を祭祀の費用として留保し、爾餘の畓及び金錢を族人の間に分割すべきことを命じたことも屢々存した。これが此の種の械鬪に對する拔本塞原的處置であつたのである。

左に、族産に關する民事訴訟の實際を闡明するために、典型的な判例を全譯して掲げる。事實の審理に重點が置かれる關係上、下級審の判例を取上げたことを諒とせられ度いのである。

1 滿調、第二一卷第五號、六八頁以下參照。

2 滿調、第二一卷七號、五五頁。

3 董康氏の談によれば、義莊は、法人として取扱ふも、遺產として取扱ふも差支ないのであるか、裁判所は大體法人として取扱ふ。從つて全部の同意があれば、解散してもよいのである。

族產訴訟に關する諸判例

孟宗元對孟銀生祭田私賣事件（上海商務印書館、最新司法判詞第二冊、二一五頁）

浙江高等審判廳判決

控告人 孟宗元 紹興縣由泉鎮王墩經村 四十歲 讀書人

被控告人 孟銀生 同 王墩津 三十五歲 農業

孟文濬 同 東郭門裏 二十歲 學生

關係人 孟宗顏 同 王墩津 四十三歲 商人

宗周 同

宗武

宗棠
宗澤
宗善
宗義
宗遴
宗銘

右控告人は、中華民國元年十二月三十日附紹興縣法院の孟宗元對孟銀生の祭田私賣事件に就きて爲されたる第一審判決に不服を聲明し、元の第五地方法院に控告したる所、審級制度の改正により本廳に移送せるものなり。本廳に於ては已に四月十七日兩當事者及關係者を召喚して公開審理し、辯論終決を宣言せり、特に主文の如く判決す。

主　文

原判決は之を棄却す。但し分割の點に關しては、仍ち原判決の效力を維持す。

控告人自己の配當分たる田地十五畝及び各房の提出せる祭田十二畝二分四毫を除く外、葆懷と葆初二人の子孫の配當分たる田地の面積により一畝毎に大洋三元を出さしめて控告人の損失を補償す。本判決確定後、原審判衙門に納めて以て之を支給す。本控訴の費用貳拾貳元五角は兩當事者の平均負擔とす。

事實

縣みに孟宗元等の高祖は名を佐淸といふ。嘗て良田三百十餘畝を置いて、其の子孫に遺して祀産として傳へたるものなり。佐淸に二子あり、長を葆懷といひ、次を葆初といふ。葆懷は祇だ越亭と稱する一子あるのみ、越亭の後は二房に分れたり。然るに葆初には五子ありて五房に分れ、本訴控告人及び被控告人等は皆葆初の子孫に屬するものなり。而して本訴關係の祭田は、葆懷と葆初兩派下子孫、相傳へて久しく年々輪番收益し來たれるも、前淸宣統三年浙路公司が農村に赴きて土地を買收するに至るや、葆懷派下の子孫なる子香なるもの等は、私かに祭田八畝餘りを賣りたり。是に於てか、葆懷派下の子孫相次ぎて八十餘畝を賣却せり。其後も亦陸續として七十畝前後を處分せり。當時曾て葆初第四子たる雲卿といふもの等に依りて縣法院に繫訟追究したことあるも間もなく、雲卿なるものの死去に依り、未だ其の結末を得ざるのみならず、其後適〻革命に遇ひ各地とも人心安靜ならず、玆に於て葆初派下の子孫にして尊長たる宗顔等が、不肖の子出でて擅に祭田を賣却處分することあるやも計られざるを恐れ、遂に本家の一族を集めて協議せし結果、各自の配當分たる田地を分配して管理せしめ、以て前轍を踏まざらんことを期せるが、控告人の本會議に參列して協議せざるを除く外、他の一族の者は悉く之に同意せり。然れども各自の配當分を分配するや、控告人は直ちに紹興縣知事に起訴し、其の訴狀には、被控告人等が公物たる祀産を盜みて私腹を肥やすものなりと稱せり。而して被控告人等の論駁に依れば、こは衆議の決する所に依るものにして、決して恣に祀産を盜みて分配したるものにあらず、こは控告人が被控告人文濬なるものより債權の請求ありし怨恨を報すべく、又被控告人の銀生なるものの愚直欺むくべきを覗て弱肉强食せんがためなりといふ。當時已に該縣の司法係の手により、元年五月十一日原被兩當事者を呼出して審理裁判せし結果、命令により被控告人等の一族の親族を集めて公議解決せしめ且つ祭田の設は既に家族の各分支より相前後してその配當分より一部を削除して祖先の祭祀費に充つるものにして、必ず之を永遠に保存するものとす。但し餘分に出す必要はなく、以て後日子孫の爭ふ原因を絕つこと等を御諭しあり。是に於てか、被控告人等は、御諭しに從ひ、一族の尊長たる宗顏等を迎へて全體會議をなしたり。然れども控告人及び宗德といふもの二名缺席の外、他は滿場一致分配に贊成し、祭田十二畝二分四毫を控除して、其の他は各自分配管理することに決議せり。而も當時合同會議の決議書に、葆初一族の子孫にして來會したるものは悉く署名捺印せり。これは既に尊長宗顏等により縣政府に提出報告せり。次いで九月頃紹興縣法院成立するや宗顏は直ちに該法院に至り訴へたるが其の陳述に據れば、控告人は始めは捕賊者なるも、終には自ら賊となりたりと稱す。之に對して控告人の陳述に據れば本年は控告人は三十年一回の輪番收益權を有するが、被控告人等は祭田を盜む故、現に損失莫大なりといふ。既に當該法院より數回に亙り訊問したる結果、十二月三十日次の如く判決を與へたり。即ち其の合同議決書を有效とし、祭田分配を許す。唯だ控告人の損失賠償額大洋四百元として、葆懷及び葆初の兩家の子孫をして共同負擔せしむるにあり。然れども、控告人は原判決に不服にて、元の第五地方法院に控訴せり、已に二月十四日開廷辯論したるも、未だ結審に至らずして、偶ゝ審級の變更により本廳に移送し來れり。本廳は原調書を再檢討して、四月十七日兩當事者及び族長宗顏等を召喚して公開審理せり。控告人の陳述によれば、本件祭田は本年は自分の當番の年にして、之に伴ふ祭典費用も殆んど使ひ盡し、且つ同祭田の年収益額合計は二千元前後に達するが故に、原判決の賠償額大洋四百元のみにては、不服なり。故に原状に復すべく請求に及べりといふ。之に對して被控告人銀生の答辯には、元來祭田なるものは祖先の祭祀費に充つべきものなれば、從來の慣習に依れば出賣することを得ざるも、本家の葆懷公の子孫が之を盗みて出賣したる前例ある故、若し一族のものが同一轍を踏むに至れば、祭田の保存は不可能になるを恐れ、是に同血族のものを會同して合同決議の結果、各自の配當分を分配管理することとせるも、現在一人當り僅かに十畝のみ分配し居るに過ぎず、而も全部未だ賣却するものなき故、悉く回收し得る實狀にあり。且つ本件祭田の分配は、控告人の輪番に來る前にある故、此の事は豫め承知の上のものなれば、何ぞ費用を消耗する筈あらんやといひ、被控告人文濬なるものの陳述も銀生と同一なり。族長宗顔を訊問するも亦、葆懷公血族の子香なるものが先づ私かに祭田を賣却したる故、葆初公血族の子孫が分配を發議し多數の賛成を得たることを確證したり。唯控告人が自己の輪番収益の年なる故、自然之に服し得ざるなり。又宗遴なるものも出頭したるを以て御訊問あらんことを乞ふといふ。仍て證人宗遴を訊問したるも、その證言も宗顔の言と異ならず、玆に審議を終り、本件事實は已に證明せられたり、仍て判決を與ふべきなり。

理　由

本事件の爭點は、被控告人等は果して祭田を盗賣したるや否やを辯明するを前提とす。、先づ族長宗顔等の本院に於ける陳述及び合同決議書に據れば、その訴訟原因として、信憑すべき點は、實に荏懷の血族下の子香なるもの等が、前清宣統三年に於て、浙路公司の土地買收の際、高價にて賣却し得ると思ひ、先づ私かに之を處分したるに端を發し、孟氏の一族が人口多き故、被控告人等は、若しその中に不肖の子孫が相率ひて同樣のことを反復すれば、祖先の祭典は危險の地位に陷るを恐れて、是に同血族衆を會同し、分配を共議したるものなれば、則ち一二人の私意に非ざるや知るべきなり。而して被控告人等の中には買戻約款付賣却(活賣)等を約したる事あるも、これは分配決議以後の事にして、之を以て盜賣と謂ふことを得ず。

抑々汝等の祖先が祭田を設けたるは、固より後世子孫が絶えず祖先の祭祀をなさんがためなり、これ我が國の古今の慣習にして、祭田に關する登記許可の規則には其の賣買を嚴禁しあり、且つ創設者の初志に違背するに由り、分配を許すことは頗る困難に似たり、然れども如何にせん、子香等の如き不肖の者が、分外の利益を望む故、擅に祭田を賣却せり、是に於て其の惡風の端緖が開かるれば、第二の子香が續いて起つものなきを保し難し。今既に一族の同意に依り分配して各自之を管理し、以て各自の配當分を保存することは、各個人の權利範圍を越えたるものと云ふ能はず、且つ合同決議書には、各血族員より祭田三畝を割戻し、合計十二畝二分四毫ありて、毎年祭田として割戻したる者に限り之を輪番收益することを明瞭に書留めあれば、これも亦合法といふべきなり。原判決が其の分配を許したるは、亦多數者の願望に副ふものにして、孟氏一族のために永遠に同族の爭鬪をやめしめんがためなり。故に分配の點に關しては、仍て原判決の效力を維持す。唯控告人が恰も祭田の小作料を收むる年番に當り、偶々分配の共同決議に遇ふ故、意外の損失ありと謂はざるを得ず、故に(先の判決に）心服せずして、繫訟して止まざるは怪しむに足らざるなり。然れどもその陳述に據れば、當番の年には二千元の利益を得らると稱するも、其の數の正確なりや否やは暫らく論外としても、三百畝より得らるる利益は、一畝當り五元と計算すれば、略千五百元となる。これより稅金及び祭典費用を引去れば、其の純益は千元前後となる。原判決に賠償額大洋四百元とするは未だ公平なりと謂ふを得ず。故に原判決を改めて、葆懷と葆初の兩家の子孫より面積に按分して控告人の損失を賠償し、即ち一畝に付大洋三元を出さしめば、その合計總額は控告人の純益と大體一致す。現在既に賣却したる田地は固より回收困難なり、唯、分配以後は、各自が祖先創業の艱難を思ひ、祖先の祭祀を重視し、よく自己の配當分を保持して、永久に變ること無くば、即ち今日の分配が將來に保存せらるる所以にして、孟氏一族の幸といふべきなり。本廳は情を酌み理を辨へ、分配の中に於て和睦の意を寓して、特に右の如く判決せり。

右の事件は檢察官王序賓臨席の上、檢察官の職務を執行す。

中華民國二年五月八日

浙江高等審判廳民一庭

＊　　＊　　＊

蘇乏對蘇霖、墓地の共有を許さざる事件（武進汪志翔署、直隸高等審判廳判牘集要第一冊、民事一二七頁）

判　決

控訴人　蘇　雯　天津の人　年三十九歳　貿易

蘇　煥　天津の人　年五十歳　貿易

參加人　蘇　慶　天津の人　年三十歳　手藝

蘇紹英　天津の人　年二十九歳　農業

蘇　才　天津の人　年五十二歳　農業

代理辯護士　楊述傳

被控訴人附帶控訴人　蘇霖　天津の人　年六十二歳　貿易

蘇霙　天津の人　年五十四歳　商人

代理辯護士　崔亮辰

右控訴人は中華民國二年五月十二日天津地方審判廳に於て、控訴人が、被控訴人蘇霖等の墓地の共有を許さざるの事件につき爲されたる第一審の判決に對し不服にして控訴せり。本廳は審理を經て判決すること左の如し。

主　文

原判決は之を破棄す。

蘇霖、蘇霙は中遷の墓地に對しては、唯從前の如く耕作權を有するも完全の處分權を有せず、其の締結したる賣買契約は全く無效に歸す。又該地には新第二分家は持分を有せざるものとす。第一審第二審の訴訟費用は蘇煥、蘇才。蘇紹英等を除外したる他の當事者の負擔とす。

事實

蘇霖、蘇霙、蘇慶、蘇雯及び蘇煥との共有にかかる中遷せる祖先の墓地一枚あり。所在地は宜興埠村の南にあり、該墓地は一祖三宗にして分れて三分家となるものの(共有)に係る。蘇霖等は本家なり。年月日不明なるも、舊本家は該墓地より錦儀（後作衣）衞橋の新墓地に移して埋葬せし故、是に於て分ちて新本家と新分家となし、蘇霖、蘇霙は新本家にして蘇雯、蘇慶は新分家なり。蘇慶は貧困なる故に曾て前後二回に亙り新墓地を賣却したるも、新本家の蘇霖等の知る所となりて天津地方廳に訴訟を提起したる所、その時は新第二分家の族長たる故蘇有英(卽ち蘇雯の叔父)が中介人高富榮と張福慶を誘いて調停を爲さしめ、第二分家が共有の新墓地を前後二回に亙り之を賣却したるも、新本家は毫もその利益に與からざるを以て今後新本家の共有する宜興埠舊墓地は、新本家の自由に任かし、新分家は一切干與せずとの書面契約を立てて證據とせり。然るに蘇霖等は本年訴訟以前に宜興埠の墓地を分割して賣却せんとせる時、新第二分家（新二門）蘇雯と舊第三分家(老三門)の蘇煥、之を傳へ聞きて其の墓地の分割賣却を阻止せんとして地方審判廳に訴へしも、其の判決にては、蘇霖は前契約により墳墓前の土地四畝を分割して賣却するを許し、其他は兩家の共有として一方的意思により賣却するを許さずと。蘇雯（原作霖）、蘇煥は之に對して不服なり。尙ほ上訴期間に在り乍ら、蘇霖は該地を分割して林瑞麟に四畝餘を賣却せり。本廳の認めたる事實は右の如し。

理　由

案ずるに、控訴人の重要なる主張理由としては、(一)當事者等は一族を分ちて三分家とせるも、地方廳が證據として論斷したる前清光緒三十四年の契約は、分家たる蘇慶と蘇霖間の契約にして、蘇慶のみは本契約の拘束を受くるも、其の效力を舊第三分家に迄及ぼす筈はなし。(二)蘇霖は既に此の墓地を以てその祖先の遺產とし自らの所有と主張するならば、前清三十四年に於てなんすれぞ、新第二分家と書面契約を爲して該墓地を彼の所有地(營業)と註釋する必要ありや。此を以て之を推せば、これは蘇霖等は以前より已に該墓地は一族の共有墓地なりと默認し來りしことは毫も疑を容れず。(三)控訴人の訴訟代理人の追加申立によれば、被控訴人の讓渡契約の締結は、訴訟後に在りとせば、買主の惡意より買受くるものにして、其の契約は當然無效なりと。

次に被控訴人及び附帶控訴人の申立としては、(一)蘇有英は新第二分家の族長にして、分家の蘇慶が錦衣(一作儀)衞橋の新墓地を私かに賣却するを以て、舊墓地は本家の自由に任かせ、新第二分家とは無關係なりと被控訴人と書面契約を結びたり。故に之を賣却するや否やについては、控訴人の干涉すべきに非ず。(二)況んや、中遷したる墓地に關係せる家としては、唯舊二家あるに過ぎず。蘇煥のみが舊第二分家に屬することを除けば、他は悉く舊第一分家に屬し居たるものなり。該墓地につきては、舊第三分家なるものは初めより存在せざりしなり。道光三年蘇煥の祖先たる超林(林は後に來)等は既に舊分家の持分たる六畝を被控訴人の祖父たる蘇義峰（即ち蘇蔭池）に賣却處分せり。今に爲ぞ蘇煥の持分として言ふべきものありや。（三）被控訴人訴訟代理人の追加申立としては、本件土地は被控訴人の所有たるは、嘉慶二十年及び道光三年の契約書の證明する所なり。而して本件土地は既に被控訴人の祖父蘇義峰（即ち蘇蔭池）が蘇公臣より一度買受け、道光年間には又一度蘇煥の祖父蘇起來（來は前には林）より買受けたりとせば、同一土地に對して前後二回に亘り買受くることは甚だ不可解なるが如きも、抑々本件墓地の敷地は當時已に讓渡したるも一族の墳墓は依然としてそこにある故、度結びたる賣買契約は遂に不完全となりたり、賣買契約なるものは時勢の變遷により他の系統より之を爭議することとあるは常に見受くる所なり。故に初めは蘇起來等と賣買契約を結びて其の占有權の半分を滌除したり。これは本件土地より舊第二分家の持分（權）を滌除したるものなり。光緒三十四年には新第二分家と又之を滌除せり。この二回の滌除によりて本件土地は完全に被控訴人の所有にして、林瑞麟に賣りたる四畝餘の契約は當然有效なり。

本事件の爭點を綜合考察すれば、問題の第一は、該墓地は舊三分家の共有なりや舊二分家の共有なりやにあり。査するに蘇家には家系譜もなく、又墓碑もなし只墳墓圖によりて解決するのみ。然るに控訴人の提出せる墳墓圖を査閲するに、これは一祖三宗にして、三宗より分ちて舊三分家となり、蘇雯、蘇慶及び蘇霖、蘇霙は均しく舊本家に屬し、蘇煥は舊第三分家に屬し、第二分家は久しく河南省の鹽務に奉職せり。現在蘇紹英は、代表して之を證明したり。更に被控訴人即ち附帶上告人の提出せる墳墓圖に據れば、これは一祖二宗にして、舊二家に分つ、蘇煥は舊第二分家に屬し、其他には第二分家なるものなし。然るに祖墳平列の下に、一個の墳の如きものありて浮墳と註明せり。其の姓名及び何人の手にて埋葬せりやを質すに、不知と答ふ。按ずるに、中國の習慣にては、官有地に埋葬するを除外せば、凡そ一家一族の所有せる墓地に於ては、その世代數の偶數(昭)奇數(穆)によりて左か右かの地位を定むるには均しく一定の順序ありて、決して亂りに埋葬せしむる筈なく、況んや該地は久しく被控訴人の耕作する所なれば、その左邊に埋葬したるものは何人なるか、又何人の手によりて埋葬せしやを知らぬ筈なし。これ明かに侵占する心ありて故意に不知を裝ふものの如し。

第二の問題は　該墓地は果して共有地なりや否やにあり。被控訴人の所持せる光緒二十七年の補契(契文の遺失せる爲更に作成せるもの)書を査するに、被控訴人の陳述に據れば　該地の地券は、光緒二十六年に遺失せり。無官印契約書(白契)は何故遺失せざるやと追問すれば、避難の際身に附けたりといふ。按ずるに紅契(地券に相當するもの)は、所有權の根本證據なるにも拘らず、何故之を措いて顧みず、却つて該地の抵當書(當契)、私約書(無官印)(白契)を生命同樣に重視するや、その陳述たるや人情よりはづれたり。更に道光三年蘇霖の亡父蓀義峰が蘇起來より買受の契約書を査するに頗る疑はしく、嘉慶年間に蘇公臣より購入し・道光三年に又蘇起來等より買入れたり。何故に同一地所を二回に亙り買入るるや、其の陳述によれば、嘉慶年間購入後紛擾なきにあらず、故に第二舊分家の占有權を滌除するために二回に亙り賣買したりと。これは被控訴人の自家撞着の說にして、斯くの如き想像の言詞は正當の主張と云ふことを得ず。且つこの契約書内には明かに墓地なりと註明せず、故にこの墓地なりや否や之を明瞭にする由なし。更に道光十七年の書面契約書の約文に祖先の遺產の莊南墳地に相續すべき土地(應分)十二畝ありと。案ずるに嘉慶二十年及び道光三年前後二回に亙り賣買契約あるを以て、已に被控訴人(伊家)の家の購入したるに似たるも、何故に前擧の契約文に「祖遺應分」と云ふか、「祖遺」は即ち祖遺と云ひ、「所分」は即ち所分と云ふべきに、是には「應分」とせり。故に文を案じて義を解けば、其の所有權は當時未だ確定せざるや甚だ明瞭なり。其の理由を推測するに、當時は蘇氏の墓地は數箇所にあり、僅かに分配して耕種するも、未だ何人の所有にも歸せざるものなり。次に光緒三十四年被控訴人と分家との契約書の約文に第二分家は其の應分の錦衣衛橋の墓地を二回に亙り賣却せるも本家は一元さへも分配に與からず、故に本家の人蘇霖、蘇霙の應分たる宜興埠の舊墓地は以後本家の自由に任かし第二分家は之に關係せずと、凡そ應分の墓地の占有者が之を處分する時は、全家族の他のものは均しく干渉し得るものとす。此を以て之を推せば、被控訴人は該墓地の應分も亦僅かに耕種權のみにして處分權を有せず、又第二分家の族長と被控訴人との書面契約により誠に控訴人の主張の如く、本件墓地が被控訴人の祖先の購入なれば完全の所有にも拘らず、何んの必要ありて此の種の書面契約を結ぶや、是被控訴人が已に早くより該墓地の共有を承認したる爲めなるや言を俟たず。

第三の問題は被控訴人と林瑞麟の賣買契約は有效なりや否やにあり、査するに各國の立法例には、凡そ訴訟の繫爭物が起訴以後未だ上訴期間內は、法律上の拘束を受くるものにして、當事者間に完全なる處分權を有せざるものなり。調査檢閱するに本事件は二年五月十二日地方廳の判決あり、然るに被控訴人は其の月の二十六日即ち本件土地を分割して賣却せんとす、而も該地は舊本家の單獨所有にあらず、故に其の賣買契約の有效なりてう主張は當然成立せず。

第四の問題は、本件墓地に尙ほ新第二分家の持分ありや否やに在り、査するに前淸光緒三十四年新第二分家の族長蘇有英（卽ち蘇雯の叔父）が新第二分家の蘇慶が私かに新墓地を賣却せるにより新本家の蘇霖等に書面契約により本件墓地を讓渡し、且つ仲介人ありて立證しあり、故に其の持分は應さに新本家の所有に歸するものとす。蘇雯、蘇霖は何故該地に尙ほ彼等の持分ありと主張し得るや、總じて之を言へば、地方廳は僅かに新第二分家の新本家に對する契約に判決の根據を置くものにして、更に舊第三分家の蘇煥等の主張を顧みざるを以て固より破棄を免かれず、本廳は以上各種の理由により特に主文の如く判決せり。

中華民國二年十月十四日

直隷高等審判廳民一庭

* * *

蔡光焯對蔡德麟祭田詐(串)賣事件（浙江高等審判廳、書判實錄上册、一二六頁）

浙江高等審判廳　控告判決

控告人　蔡光焯　四十九歲　蕭山縣農業　本縣鳳偃橋下街に住す

被控告人　蔡德麟　六十九歲　蕭山縣農業　本縣大橋村離縣城三十里に住す

何景松　六十四歲　蕭山縣農業　本縣東門外張家橋離縣城三里に住す

右控告人は中華民國二年四月二日蕭山縣審檢所の蔡光焯が訴へたる蔡德麟等の祭田詐（串）賣事件に就て爲

されたる第一審判決に對して控告を聲明し、既に本廳に於て審理したり、特に左の如く判決す。

主　文

本件控告は之を棄却す。

宙字失號の地番なる田地面積二十畝三分四厘は、各分家の族長をして三個月内に於て、蔡氏の四分家の各子孫を會同し、原價一千零十五圓及び宴會費（席費）洋銀六十二元を集めて之を買戻し、期限を過ぎて買戻さざれば本件の田地は仍て何景松と王福電に歸し、賣買契約通り之が所有權を取得するものとす（承管）。賣買契約書二通は之を返却し、家族決議書（議據）の二通は蔡德麟に返却して領收せしむ、控告訴訟費用拾九元五拾錢（五角）は、何景松と王福電は十分の七を負擔し、蔡光煒に十分の三を負擔せしむ。

事　實

緣みに、蔡德麟等の第十代前の祖先東川公といふもの、所在地二十一都四圖の蔡莊に、荒字、拱字、餘字等の地番の田地面積二十九畝九分二厘八毫を所有しあり、蔡東祭の名義下に祭田（祀產）となしたり。四分家をして輪番收益して祭典に當らしむること（輪收值祭）既に歲月を閱したり。中華民國元年八月に至り、各族長及び多數の子孫等が、從來の祭典規則は多く適用せず、且つ各分家の子孫が生計に苦しむものあり、又事業の經營に資本無きものあり。萬已むを得ず、蔡東祭の祭田をして、祭典費を支辨し得る田地を保留し、其他の荒字號の祭田面積二十畝三分四厘を公議に付して前後に分ちて之を買却し、その代價を以て均等に分配して以て各自の需用に資せんと提議するものあり。既に再三宴會して一族を會同し、協議も一致決議して後之を賣却したり。決議書には各自の署名ありて信憑すべきなり。この決議書を以て張明發に托して買主を求めたり。買主何景松は張明發より持參したる會議記錄書を信賴して本件祭田を買受けたるが、其の地價合計大洋一千零十五元又仲介者招待の宴會費六十二元なり。現金と契約書との交換には別に故障(糾葛)なきも、第三分家の一派の嗣孫たる蔡光煒なる者が祭田詐賣を理由に、縣に訴へて之を買戻さん(追贖)とせり、蕭山縣審檢所は本年四月二日正式に、何景松が契約書に依り之が所有權を取得せ(依契管業)る旨を判決せり。蔡光煒は之に服せず本廳に抗告し、本廳は本年五月三十日公開審理をなしたり。蔡德麟の陳述は、第一審に於ける陳述と同じく、且つ協議決議書二枚を證據として提出せり。初審の調査に據れば、この事は一人の獨斷にあらざるを以て、何を以て盜賣と云ふを得るや、親族會議の會議記錄書あるを以て、何を以て私造文書(私立)と謂ひ得るか、又查するに蔡光煒の訴狀に連名の蔡銳は光煒の子にして、蔡岐は卽ち蔡鳳倫にして現在上海(滬上)に居り、本件に對して毫も干涉せず、故に其の一族(派下)の子孫は　何人も自ら進んで本訴訟に助力するものなく、僅かに其の子と無賴(無從傳質)の族人が連名するのみ。斯くの如き虛僞(荒謬)は實に稀に見るものにして、況んや該賣上の分配については蔡光煒もその場にありて分前を受けたり。查するに光煒は振來直系の子孫にして、振來は民國元年十月病歿したりと雖も、其の族長(たる地位)は蔡壽圻といふものありて之を繼承したるを以て、本件祭田に關する賣上地價の分配は、卽ち蔡壽圻の手を經て光煒に與へたるものなるも、光煒は其の分前に不足ありとし、彼等に大洋拾元を追加請求したるも、彼等は之に應ぜず、光煒が又保留の祭田面積十一畝の登記書類を自ら保管し、後日之を私かに賣拂はんと謀り居り、各分家はこれは重要なる書類故、族長に於て管理するは當然にして、他の手に落ちるを不可とせり。斯くて其の所欲遂げられざるを怨み、妄りに訴訟する斯くの如き惡辣の徒輩は實に理法の容るるものにあらず、願はくば懲戒辨理せられんことをといふ。

蔡光煒を訊問する時の陳述に依れば、蔡德麟が本件祭田（祀田）を出賣するに我輩と相談せず全然知る由もなし、彼等が田地の賣上代價を持ち來れる時始めて本件田地は何景松なるものに賣りたるを知る。査するに、この田は明の時代より數百年來傳へ來たれる祀産にして、蔡德麟が親族全體に相談することなく、子孫全部百餘人中、四十人餘りも出賣に反對し、私を擧げて出賣阻止の代表とせり、況んや蔡岐の上海よりの來信に依れば代價を準備して之を買戻し、而して四分家の人々より六ケ月内におもむろに原價に相當する代金を集め蔡岐に對して原價を拂つて買戻す。もし期限過ぎて各分家より買戻す代價を集め得ざれば、此の財産は卽ち蔡岐の私有に歸すといふ。現在自分の屬する分家よりは一百元に三角足らざるものを已に集め來り而して之を以て買戻さんと欲し居るものなり。且つその裁判所に提出したる訴狀に主張する主なる理由は、五ケ條に過ぎず（詳しくは理由にあり）控告狀には蔡德麟が祀田を詐賣し、何景松は不法行爲によりて財産を取得し、之が買戻しを無視するを以て、慣習に照らしてその代價を沒收し公用に充當すべきなり。然るに今に至るも、何景松は尙ほ一の契約書ありて未だ提出せず、原判決には拙者を貪欲者扱ひにされたるも、之は被告一方の妄斷によるものにして人の名譽を損ふものなり。拙者が祀田を追求するは、之を保存せんがための行爲にして、私益を貪るにあらず、何を以て貪欲者といはれるや。原判決に又云ふ、この田地（の賣却）は既に一族の同意を得たると。何ぞ知らん、同意に非ざれども、能く詐賣されたることを、同意書公正ならば、公正の者により連名すべきに、査するに連名者の先頭は盲目にして跛者の蔡思義等の賭博常習者にして少しも人道を顧みざるものなり。若し僅かに一代の祭田を變賣するならば猶ほ謂はれなきも、今蔡德麟等は兩代の祀田を變賣するにあり。若し拙者が出でて干渉せずんば、則ち上下各代の祀田が、斯くの如き已むを得ざる協議書に依りて半年中に悉く他に讓渡せざるも保せず、況んや何景松に賣渡す蔡東の祭祀用の田地中には祖墳の禁牌あるにあらずや、査するに民律第五百六十九條には契約を結ぶに、買主が目的物(標的物)に瑕疵あることを知らば賣主は擔保の責に任ぜずと、若し正當の賣渡しならば從來は買戻す例はなきも、何景松は不正當の共謀賣買なる故、其の權利が當然存在せず、明かに瑕疵あることを知ればなり。といふは(關與者)百餘人もある共有財產に、僅か少數の連名契約にては、何景松が何ぞ完全なる所有權を取得し得んやと陳述せり。而して何景松の陳述によれば、仲介人張明發等に依り蔡氏の祀田面積二十(念)畝三分四厘を買受けたるものにして、且つ二通契約書の一通は王福電の名義なれども、其の實は拙者一人にて買受けたるものにして、其の代價は大洋一千零十五元に、又仲介人招待の宴會費大洋六十二元なりといふ。當院に契約書二通を提出せり。又其の抗辯狀に依れば、此の田は固より祀田なれども、思ふに既に德麟と思義等が宴を設けて同意の署印ある故に之を買受けたるも、料らずも分前に不滿足なる蔡光燁が虛辭を用ゐて縣に訴へ德麟等を盜賣とし、拙者を謀買とせり　蕭山縣審檢所にては光燁をして二週間內に原代金を集めて買戻すべく命じたり。拙者は原判決に遵ひたり。而して期に至つて、光燁は出所不明の四百元に紙一枚を以て縣に提出せり。縣に於ては、其の金錢の不足を理由として、この田地は拙者の所有に歸すべく判決せり。即ち其の控告理由に不當と思はるるものに三あり。（甲）、縣より十四日內に買戻すべしといふに蔡光煒は何を以て期間內に代金（原價）を集めて買戻さざるや。（乙）、蔡光煒の族長は蔡壽圻なり。蔡岐は遠く上海にあるを以て本件は族長が之が主宰者となるべきにも拘らず、蔡光煒の陳述に據れば、尙一族のものが淸江や江西に在るといふ。何を以てか蔡氏一族の會議の際に一族の各子孫が何ら之を提議せざるや、其の虛詞（遁詞）にして人を欺くことたるや知るべきなり。（丙）、世間の賣買たるや、孰れも契約書と證人を以て唯一の證據とすべきに、本件の田地は固より蔡氏の共有財產なれども、既に各族長六人が立合の上協議（立議）し、各分家の子孫が之に同意（認賣）したるにも拘らず、蔡光煒は分家の末輩にして而も分前に預りたる人なるに拘らず、强辯して妄りに訴訟をなす。拙者は全く無辜にして累を受けたり。正に法律に照らして訴訟費用を賠償さすべきものといふ。更に蔡有傳の陳述に據れば本件蔡田の賣渡しは一族の共同協議の決定によりて協議書もあり、且つ宴會席三卓も設けて共同に會議決定のものなれば、斷じて盜賣と謂ふことを得ずといふ。其後本廳の取調に依れば、親族協議書の所載たる荒字等の地番なる田面積二十畝三分六厘を賣渡すとあるも、何景松の提出せる契約書には明かに宙字失號の田地と註し、兩者一致せず原來蔡德麟は年老懞懂なるを以て、更に蔡有傳を呼出して訊問したるに、荒字は即ち宙字なりといふ。かくせば矢張り宙字失號を妥當とする故契約書には明かに宙字失號田面積幾らと記載せり。之を要するに荒字號の田地は即ち宙字號の田地にして、田の地番が二つあるも田地は一つなりといふ。蔡有傳は蔡氏一族中年長なるを以て其の陳述は信ずべきなり。況んや初審の時に蔡德麟の提出したる書類（遞狀）にも亦宙字失號と稱す。依つて宙字失號を以て論斷すべきなりといふ。

既に事實が明瞭になれば即ち判決すべきなり。

理　由

右の事實に據れば、本件の先決問題としては、法律上爭ふべき價値なし。唯、本件の田地は果して蔡德麟等が恣に賣渡したるや否やを査明するにあり。若し蔡德麟等の擅に賣渡したるものに非ざれば、即ち何景松は共謀の買受を爲したるものに非ざるや明かなり。既に何景松の共謀賣買に非ざれば、本件の賣渡契約は適法行爲なり。日絕（物を賣りたる日より、全然それと絕緣するといふ意）と稱したる以上、慣習上より云へば斷じて買戻しの效力なし。と謂ふも、査するに本件祀田（の賣却）は已に四分家の子孫が共同會議により決定せる所にして已に協議書もあり、族長等の檢印あるを以て、其の蔡德麟等の數人が勝手に賣渡したるに非ざるや言はずとも明かなり。又何景松の適法の買受たるや贅言を要せず。何を以て未だ全親族に協議せずとするや、今控告人が自分はそれを一切しらずとして訴訟して已まざれども、何ぞ知らん、族長は一族を代表する責務あることを。既に族長が之を契約し、同族の子孫が一堂に集まりて本件の田地を賣渡し以て一族の貧乏を救濟することを決議するも、試みに問ふ、何んの不可あらんや。況んや賣上げの代金は人口に割宛てて均分し決して四人の族長の私有に非ざるに於てをや。若し控告人が果して祖先の祭祀を保存する意見ならば、親族協同會議の席上に於て爭ふべし、即ち未だ賣渡さざる以前に爭ふべく、賣渡したる後に爭ふべきにあらず、これ明かに所欲の滿たされざるに依るものなり、故に蔡德麟の訴狀に云ふが如く、控告人が欲求する所を遂げざるに依ると謂はるるも怪しむに足らず、尙ほ控告人が主張する如く、現に四十人が買戻しに同意し、且つ蔡岐が上海に在りて之を買戻さんと云ふも若し果して各子孫が力ありて之を買戻し、祭田を回復し得るならば、固より本廳の許す所なり、唯控告人の當庭に於ける陳述によれば、現在之を買戻すに同意するものは僅かに十分の三(三股)にしてその金額も合計大洋百元に過ぎずと。それを原代價と比較すれば其の差たるや甚だ遠し、又蔡岐が單獨にて之を買戻し、六ヶ月後本件財産が蔡岐の私有に歸すとせば、何景松の私有に歸すると何ら差異なし、況んや蔡岐は本廳に出頭して聲明せず、果して之を買戻す力量ありや否や俄かに之を速斷するを得ず。又各分家の子孫が果して六ヶ月內に資金を集めて之を買戻し得るや否やの點も亦臆測するを許さず。故に本廳は各分家の族長德麟、恩義、錦松、壽圻等の四人が首となり、親族を集めて資金を用意して買戻すことを公議せしむ、裁判確定の日より三個月內に、何景松と王福電に對し、買戻して祀產となし、斷じて任意に之を私有財產となすを許さず、これ本廳は人民の祖先祭祀を永遠に保存する目的にして情理を參酌して其の買戻を許すものなり。控告人は自ら之を勉めよ、再び公私を混同して自ら法網にかかることと勿れ。其の引用したる民律草案第三百六十九條及び五百七十三條は實に錯誤に屬するものなり。査するに本件の爭點は祀田は買ふべきものなりやといふにあり。若し族長が賣渡すものに非ずとせば、何景松は當然目的物を返還すべき義務あり、故に今日は何景松が之を買ふべきや又は買ふべからざるを問ふ必要なく、唯各分家の族長が賣るべきや又は賣るべからざるやを問へば可なり　蓋し祀田の賣るべきや否やは其の子孫と族長との關係にして、目的物に瑕疵ありや否やは、賣主と買主との關係にあり。故に何景松の相手方は四分家の族長にして、控告人に非ず、則ち控告人と何景松とは何ら契約上關係なく、目的物を引擔保すべきや否や、瑕疵は擔保すべきや否やは、賣主と買主間に爭ふべき問題にて、決して無關係の第三者より賣買契約の瑕疵を何人が負擔すべきやを斷定すべきに非ず、今控告人が何景松を被控告人とし、且つ民律草案を引證して、買主が此の權利を受くるを得ずとなすは主體の誤認にして越權の行爲(越俎爲謀)たるを免かれず。況んや未だ公布せざる法律なるを以て斷じて明白に第何條と言得べきに非ず、是控告人の論點成立し能はざるの第一點なり。墓地の後方三尺餘り發掘されたりといふも亦族長たるものの責任にして、控告人に若し孝行の念あれば族長を責めて交涉せしむべきなり。何ぞそれを以て祀田を詐賣すてふ控告の理由と爲し得んや、是れ其の控告論點の成立し得ざる第二點なり。又領收書(收票)と賣買契約書に於て約束したる金額が一致せずと主張するも、是れも亦各族長たるものの責任なり、控告人が一千零十五元にて計算すれば、自分の分前少しと云ふならば、本家の族長に理を以て交涉すべきなり。若し分前が充分なりとせば、僅かに本件の田地は賣る可きや否やを問ふべきのみ、代金(田價)は幾らかと問ふべき筋合に非ず。況んや領收書(收票)には明かに一千零十五元と記載しあり、かくて何景松は全拂したることは已に疑ふ餘地なし、控告人が何事を爭論するや、これ控告論點の成立し得ざる第三の點なり。蔡儒珍等の七人が未だ分前を貰はずといふは結局蔡儒珍等が受くべき權利を未だ受けざるのみにして、蔡儒珍等の七人が各族長に向つて分配を請求すべきものにして、控告人とは何ら干涉することとなし。控告人かあれやこれやと取り來たつて喋喋して已まざる(西牽東拉嘵嘵不已)も本件に對しては何ら稗益する所なし。是れ控告理由の成立せざる第四の點なり。蔡岐は一族全體の最も人望高き人なれども、本件には全然干與せざりし故、之を一族の意見と謂ふを得ずと云云いふは、其の立論に無理あり、凡そ親族の事件は、其の身分を以て論ずべきものにして、人望の如何を以て斷ずべきにあらず、若し控告人の主張するが如く、一族一姓の事は、すべて人望あるものに依りて處理すべきものとせば、宗族內に於ては人望の如何を以て論ずべきものにして、尊卑長幼を論ぜずとなすべきなり。試みに問ふ、我國に斯くの如き慣習ありや否や、控告人の一族內の族長としては、前には振來といふものあり、後には壽圻といふものありて本件祭田の事は、この兩族長が親しく管理し來りし故當然に蔡岐が干渉すべきにあらざるべく、斷じて盲目や跛者の故を以て棄却するものにあらず。協議書には既に族長の署名調印あるを以て既に完全(至公)にして毫も違法(不宜)なる所なきに、控告狀には何景松が不法行爲により財產を取得すと云ふも、何景松は協議書を根據とし仲介人を信じて本件土地を買收したるものにして、何ら不法の行爲なく、何ら不正當の共謀賣買の云ふべき所なし。所謂代金を追求して沒收すべしといふことは、理由なきことなり(應置免議)。今二通の契約書の證する如く何ら紛糾する所なし。原判決に欲求ありて未だ遂げずといへるは、蔡德麟の訴狀に、控告人が理由なくして族長に大洋十元を出さしめ且つ自らひとり保存登記證書を所有せんが爲めなりと稱せるによりて、爾く言へるものなり。それも全然無根のことに非ず、控告人が何ぞ多辯を用ゐんや。若し保存行爲といふならば、固より單獨に之を行ひ得るも、至公至正の心より行ふに非ざれば他人より異議するを免かれず、控告人が本件祀田の阻賣に就ては至公至正の心なりや否やは、俄かに之を辨明分析し難けれど、既に遂げざる欲求あるを以て、原判決には之を判決の理由としたるも、控告人が此の句の適用は甚だ妥當せずと云ひ、又祖先の墓地の禁碑と稱するも、査するに碑文には埋葬を禁止するのみにして祀田の出賣を禁止するに非ず。賣田と埋葬は確かに相異なる二つの事にして之を混同すべきにあらず。百餘人の共有財產にして百餘人の共有者と協議の上賣渡すことは、共有者が共有財產を處分するものにして何ら不合理の事なし。本廳は以上の理由により控告人の提出せる控訴理由は已に成立せざる以上、之を棄却して主文の如く處理すべし。協議書と賣買契約書は判決の確定を俟ちて、蔡德麟、何景松をして請求せしめて返却すべし、特に右の如く判決せり。

本事件は高等檢察官全兆鑾、臨席の下に檢察官の職務を執行せり。

中華民國二年十一月十九日

* * *

祀產に關するもの

中華民國二年七月十四日浙江高等審判廳民事判決（浙江高等審判廳、書判實錄上冊一七六頁）

事實

緣みに紹（興？）縣の任氏に預祭公派下の田地山地（山場）等の祀產あり、從來は文・行・忠・信の四分家により輪番收益して祭典に當れり。其後行・信兩分家が咸豐末年に於て嗣子絕えたるを以て、同治年間親族の協同會議を開き、行家の分は忠家に、信家の分は文家に承繼輪番することに議決せり。唯だ信家の輪番收益して祭祀に當る第一年目、即ち咸豐七年十一月頃、同家の子孫（派下）の任章といふものより忠家子孫の任靜修なるものに對して質權の設定あり。かくて輪番收益して祭祀に當る任曜建といふものが屢々之に向つて質權の解消を交涉したるも、任靜修は頑として之に應ぜず、すなはち任曜建が元の紹興縣法院に訴へ出でたり。已に該院より本件に關しては、輪番の第一年目は從前通り任靜修の輪番收益に歸すべく判決せり。任曜建は不服にして元の第五地方審判廳に控告したるも、審級制度改正により移送し來り、本廳は六月二十七日開庭審理し、任曜建は初審同樣の事を陳述し、且つ豫祭公派下は全面積二十畝の祀田を共有し、信家は子孫斷絕したり……と聲明せり。其の控告狀中にも又稱す………。

第九節　族產制度の利害得失

R.F.Johnston は其の“Tion and Dragon in North China”中に於て「威海衞地方の祭田」に就いて次の如き、叙述を試みて居る。

「あらゆる墓地は、一族の先輩によつて『管理』せられるのであり、その人々は一般的な維持及び墓地の敷地の割當のために規則を制定するのである。時としてその家族の色々な分家（房）が順番に其の墓の敷地を整頓し且つ犧牲を供することを許されるが、さういふ奉仕に對する報酬として、斯る管理者は、定期的に草を刈り、木の枝を剪つた場合に、その收穫の一小部分を得ることが許される。又時として彼等は、耕地の一部を一時的に且つ條件附で占有せしめられ、其の占有の方法として、彼等は屢々その墓の敷地を監視するだけでなく、chia miao 即ち家廟の修繕をよくすることを期待されて居る。時として親族の間に何人が此等の「奉獻地」("sacrificial lands")の使用について、最上の權利を有するか、又は何人が斯る使用權を享有する順番であるかといふことについて激しい爭が起ることがある。又時々全族がその分家(房)の一人に對して、其の者がその順番に當つて居るときに、その土地を引渡すことを拒んで、訴訟を起すことがある。兎に角斯る爭は、「地方慣習」を規制する義務ある英國法官に對して厄介な仕事ではあるが、この制度は全體として非常に圓滑に行はれて居る」

前にも度々論じた樣に、祭產の制度の目的は、一は以て族人の共同の祖先を祭るためであり(祭祀不令湮滅)、他は族人の共同の財產を保全するため(財產永久保全)である。即ち此の制度は一方に於て支那道德の基本たる孝の思想に合する所である。殊に孔子が「生事之以」禮、死葬」之以」禮。祭」之以」禮」(論語爲政第二)と曰ひ、孟子が「不孝有」三。無」後爲」大」(孟子離婁上)と述べた教義には最もよく合する所である。何となれば、孝とは生きて居ると死せるとを問はず、祖先に對する絶對的忠誠を意味するからである。

又更にこの制度は實質的利益を伴ふ。即ち祭田、嘗田といふが如きものは、大なる財產を蓄へたり、大官になつた祖先が財産を殘す。然るに後に不肖の子孫が出て之を浪費する場合が多い。又貧窮に陷つて祖先の名を穢すことにもなる。それで族產を設定して家譜によつて、其の管理方法を定め、其の賣却を禁じ、之を確保するために同族的制裁を規定するのである。斯くして、祖先の辛苦によつて築かれた財產が、散佚しない様にする。又祖先の祭を爲して尙餘りあれば、一族の救濟、養贍、敎育の費用もこの族產收入中より支辨し得るのである。又祭なる文字をしるした財產は、族人に犯罪行爲あるときにも沒收されることはなかつたのである。

服部宇之吉氏は其の「孔子及孔子敎」中に於て、支那人の性格について、「支邦の一般道德は、決して孔子敎のみが支配してゐるのでは無く、儒名にして墨行とでも言はんか、孔子の名の裡面に佛敎や道敎の思想が著しく入つて居る。そこで人事を致し、人力を盡して天命に安んずといふ敎に含まれてゐる自己努力、人格完成等の重要なる思想は甚だ薄弱であつて他力に依賴する心が甚だ强い。又其誼を正して其利を圖らず、卽ち正道は美利を得べき所以のもので有るが、人の正道を履むは始めより自身に收むべき美利を得んことを動機と爲すべきもので無いといふ敎は全く行はれず何事も美利を目的とすることが甚しい。實に著しく功利的である。支那人は要するに利害關係を根本とし、表面巧妙なる道理で向はねば中心から動くことは無いのである。」と論じて居られる。卽ち族產の制は、名は則ち名教に合し、實は仍ち同族の財產の保全利用に存するのである。この制度が今日まで繼續し來れる所以である。

更に此の制度は大なる家族が祖先の墓の傍に田地を持ち、その田より生じたものを祭祀の費用に充てる慣習から發生したもので、その成立が自然的である。從つて此の制度が漢・唐以來引續いて現在に至れることは、故なしとしないのである。私の今次の旅行で面接した中國の學者、政治家、司法官にして此の制度を廢止すべきものと主張した人は一人もなかつたのである。

しかし斯る族產制の弊害も又彼等の自認する所である。

卽ち年代を經ると共に一族の子孫が增加し、その享有すべき利益の減少と共に、同族間に紛糾を生じ、或は管理者が會計上不正を犯し、又祭田の賣却は、嚴格に禁ぜられて居る所であるが、不肖の子孫が、下らぬ理由から之が分割を企て、祠產、祭器の盜賣を生じ、遂には、族產の管理分配を廻つて、械鬪をも生ずることがあり、械鬪は文字の示すが如く器械卽ち武器をとつて鬪爭が行はれるのであり、更に祠產を有する同族が他地方又は外國に移住する場合に多くの紛爭を生じ、遂には、裁判所に持出される訴訟が極めて多いことは前節に詳論した所である。

然らば、支那に於ける今後の族產制度の運命は如何なるものであらうか。

朱顚年氏は、支那の南方に祭田多くして、北方に少き理由を説明されて、歴史上開化の早い所は、大家族制度も早く崩壞し、從つて族產制も衰へるのであり、北方に祭田の少きは、南方より早く開化したるがためであると主張されたが、文化の發達と共に族產制度も衰滅の一途をたどるものではあるまいか、殊に工業の發達と農村の窮亡とは共に都會に人口が集中する傾向を助長し且つ收入の減少が小家族の發生を促して居る現狀の下に於ては、此の傾向は益々激しくなることと考へられるのである。

又北京の橋川時雄氏の言によれば、「中國の祖先崇拜も形式化した點があり、北京人は晴明節等に北京の郊外にある祖先の墓參りをするのであるが、時として御參りに行くと稱して市內を彷徨して歸る者も少くないのであり、祖先傳來の墓地も古くなれば荒廢して、墓の附近の農夫が次第に之を崩して田地となし、皇帝より賜つた碑——何々公に封ずといふが如き——も田の畔の橋などになつて居るといふ。」

姚作賓氏の談によれば、民國七年から內亂により軍閥を生じ、軍費の强制徵收により地方財源疲弊し、祭田も廟田・學田・義地等も非法行爲で掠奪されたものが多く、現在では此等の土地は共產軍により甚しい侵害を受けて居るといふ。

又南京政府による民法親屬編修正案にも別段族產保護のための規定も存しない様であるから、上述の如く、衰滅の一路をたどるものと考へられる。最近祭田についても「解散合夥」「公割遺產」の現象が非常に多いといふことである。かくて「支那の社會組織は一方では大家族制より、小家族制へと小さくなり、一方では部落から縣・省・國家へと大きくなりつつある」と稱せられるのであるが、驚くべきほど基礎の鞏固な且つ長命な支那社會制度の礎柱が依然としてその家にあることを思へば、支那に於ける族產制がにはかに全滅するとは考へられないのであり、その弊を除いて其の實を存せしめんとすることが支那に於ける智識人の大多數の希望である様に思はれる。

第十節　立法と族產制

家族制度と立法との間には密接な關係がある。而も其の關係は、文化の進むと共に密接になるのである。例へば家族手當制度や、婦人の夜業禁止の規定、其他母子保護法、諸種の形式の社會保險、兒童勞働立法が、家族制度の維持、鞏化の上に如何に多くの影響を及ぼして居るかを見れば明かであらう。

又一九三八年七月六日に發布された獨逸新婚姻法の企圖する民族淨化・優生學的婚姻條件の整備は、その結果は今から豫言することは出來ないが、成果は刮目してまつべきものがあると思ふ。其他婦人の家庭內の地位及び取引主體としての能力を向上せしむることに關する規定が、家族生活の改造に於て顯著なる役割を負擔するであらうし、住宅法及び都市區域整理に關する各種の規定が、家族構成員の精神的・肉體的健康性の增進に幾多の效驗を齎らすであらう。

この點について興味のあるのは、史記の商君列傳によれば、商鞅は秦で變法の令を下した時、最初は「民に二男以上ありて分異せざる者は其賦を倍す」とあつて、二人以上の息子をもつてゐて分家しないものは租税を倍徵して分家を奬勵し、更に政治が次第に成功して來て、雍から咸陽に遷都を了するや、此の度は「令して、民の父子兄弟の同室に內息する者を禁となす」と云ふ樣に、父子兄弟が「同室に內息する」ことを禁止したといふことがある。此の同室に內息するとは果して如何なる意味か明瞭でないが、其の後文に商鞅が自己の治政を誇つて「始め秦は、戎翟の敎へにして、父子に別なし。同室にして居る。いま我あらためて其の敎を制して、其の男女の別をなす」と云つて居る所をみると、父子を同室せしめないのは、單に分家を奬勵して民間の經濟活動を盛ならしめる意味だけでなく、寧ろ男女の別をあらしめるといふ道德的意味であつたかも知れぬが[1]最も峻嚴なる法律でも、「家の前に止まる」とした西歐の立法には見出し得ない徹底した家族立法であらう。しかし斯る法律がその後の支那の家族生活に殆んど何等の影響をも及ぼさなかつたことは人の知る所である。斯る法律は、國民の感情や私經濟を無視した立法だつたからである。

又身分法と土地關係法とは、各國、各民族に特有な所であつて、成文法によつて最も影響を受くる所少きものであると稱せられるのであるが、この點は中國社會に於て最もよく見得る所である。事實支那の家族生活は、歷代王朝の興亡隆替とその夥しき、歷代の新立法にも拘らず舊態依然たるものがあつた。尤も家族制度に關する限り、漢・唐以來歷代の王朝は、儒敎を以て國敎としたのみではなく、その道德、刑律の基本思想として孝を措定したのであるから、歷朝古き家族制度を維持するに汲々たるものがあつたとも云へるのである。殊に大淸律例・大淸會典は、支那三千年の家族立法を集大成したものといへるであらう。

民國一九年一二月二六日公布、同二〇年五月五日より施行された、現行民法親屬編・繼承編は王寵惠の主宰する委員會に於て、數年の歲月を費して編纂されたものであり、主として瑞西民法を模範として制定せられたものであるが、完全なる個人主義的民法とも謂ふべく、中國の家族制度を殆んど無視したものであつて殆んど實行せられることはなかつたのである。例へば夫婦財產制に關し親屬編千四條より千四十八條に至るまで、四十數條の規定が存在して居るが、民間では殆んど行はれて居らぬといふ(劉志敭氏)。古來の家族制度の最も鞏固に維持されて居る農村では、爭がなければ法律は進んで其の家族內の事件に干渉することを得ず、斯る爭訟も多くは族內裁判又は地方自治官廳の調停によつて解決し、訴訟事件として法廷に持出されるものは極めて少いからである。

　特に族產制度について規定した成文法は存在しないといふことであり、その運用については、同族間で契約を作ることがあり、族譜に書くことが多いのであるが、此等の族產について、何等の規定をも作らぬものが案外多いといふことである。[3]

　然らば、今後の方針として族產制度について特別なる立法を必要とするであらうかどうか、此の點について今次の大陸旅行中學者の意見をたたいた所、之を要すとするものと、要せずとする者とが相半ばする狀態であつた。

　先づ立法方針そのものについて、支那の國情として、統一的立法の不可を主張せらるる人々が相當に多かつた。其の代表的なものとしては、例へば董康氏は、「自分の意見としては、法律は習慣に重きを置かなければならぬ。中華民國は東西南北に擴り、各地方によつて其の慣習を異にして居るのである。從つて法律は要領のみを定め、各細部は各地方の慣習に從はしむるがよいと思ふ。自分は二十年程前にアメリカを旅行したが、中國とアメリカとはその事情が非常に似て居る。アメリカは各 State により法を異にして居るが、中國も各省は夫々特別な法律に從ふのが適當であると思ふ」といふことであつた。又上海特別市の土地局長范永增氏も「法律を澤山作るのはよろしくない。地方によつて慣習が異るからである。一地方の法律は他地方の事情に應じない。法律を澤山つくるより、法律に伸縮性を帶ばしめた方がよい。判例によつた方がよいと思ふ」といふ御意見だつた。

更に具體的に族產立法を不必要とせられる學者は例へば、新民學院の邵同怡教授は、「民國では現行民法八二七條乃至八三一條を運用すれば別に祭田について規定はいらない。現行法上は公同共有なる規定があるが、祭田はその一種だからである。」上海江蘇高等法院の喬萬選氏・吳熙氏・劉誠氏も同樣な御意見であつた。

之に反して特別立法の必要を力說せらるる人も相當に多かつた。

例へば天津特別市の敎育局長何慶元氏は、祭產法について「やはり共有にする方がよいのであるが、之に附加へて、絕對に賣ることを許さぬといふ條件を附加へた方がよい。さうでないと中には弊害が起る。例へば同族の甲の一族は人口が多く、乙の一族は人口は少いときには、若し此の時に葬式・結婚等があれば、祠堂の中から經費を出すから、人口の多い方の一族は祠堂から餘計とる。乙の方の人口の少い方の一族は、それよりは損をする様になる。

之によつてつまり、人口の少い方の一族は、人數によらず、祠堂から出る收益を分けよといふ意見を出すことがある。

法律としては人數によらず分くべきである　それは規定をした方がよい。」といふ御意見だつたし、又北京大學の劉志敭氏は、「民法中の物權編に公有に關して規定してゐるが、二つに分けて居る。即ち一般的共有と公同共有である。祭田が問題になつた時、此の公同共有の規定が適用されるのであるが、不完備で獨立法を規定すべきである。」といふことだつた。

支那の政治は、古來甚だ消極的で無爲にして化すといふのが理想であつたので、支那の各種の社會制度は、立法や司法とは關係なく發達して來たものであるが、從つて立法も慣習をそのまま採用するのでなければ、行はれ難いと思はれるのであるが、民法の公同共有に關する規定が不充分であり族産に關する訴訟事件の少なからぬこと、強いては之に關聯して械鬪をも生じつつある實狀にかんがみれば、族産に關する新立法を爲すことが必要であらうと思はれる。

1　牧野巽、「儀禮及び禮記に於ける家族と宗族」思想、昭和十七年一月號、一〇頁以下參照。
2　天津特別市教育局長何慶元氏談。

＊　＊　＊　＊

次に參考として閻氏家族自治章中より族産に關する規定を抄譯する。

第九章　族　産

第三四七條　族人共有ノ一切ノ財産ヲ總稱シテ族産トイフ
第三四八條　族産ハ本族一族ノ共有（公同共有）ニシテ如何ナル場合ニ於テモ分配スルヲ得ズ
第三四九條　族産ヲ二種類ニ分ツ
一、用　産
一、資　産
第三五〇條　族産ノ管理ハ董事タルモノノ責務ニシテ專心之ガ經營ニ當ル外毎年末ニハ用産、基産、支産ニ分チテ其ノ繰越額、收入支出（舊營、新收、開除）ノ實情ヲ明カニシテ族産現狀報告書ヲ作成スベシ

第一節　用　産

第三五一條　用産ハ用産帳ニ記入シ用産ノ動産ニハ悉ク記號ヲ附スベシ
第三五二條　用産中貸出ヲ許サザルモノノ外ハ貸借スルコトヲ得、族外ノ人ニ貸出ヲ許サザルモノハ族人ニ貸出スコトヲ得

第三五三條　用產ヲ借用スルモノハ善意細心ヲ以テ之ヲ使用シ之ヲ破損紛失スルヲ得ズ、若シ破損紛失アレバ直チニ之ヲ賠償スベシ

第三五四條　用產ヲ借用スルモノハ使用後直チニ返却スベシ使用後三日以內ニ返却セザルモノアレバ董事ハ之ガ返却ヲ督促シ以テ借用者ヲシテ之ヲ忘却シ爲メニ久シク之ヲ紛失スルコトナカラシムベシ、董事ニシテ之ガ返却ヲ督促セザレバ董事ハ之ガ爲メ責任ヲ負擔スベシ

第二節　資　　產

第三五五條　資產ヲ左記ノ二種類ニ分ツ

一、基　　產

一、支　　產

第三五六條　基產ハ基產帳ニ記入スベシ

第三五七條　現在ノ所有基產及ビ其後本規定ニヨリ增加シタルモノ又特別寄付ノ基產ハ悉ク本族自治ノ基產トナシ基產ハ之ヲ使用支出スルヲ得ズ

第三五九條　基產ハ董事ニヨリ族外ノ信實アル人ニ委托シテ經營シ族人及ビ族人ノ經營シタル商店ニ經營セシムルヲ得ズ但シ國法ノ制限或ハ妨害ヲ受クル時ハ本條ノ趣旨ヲ考量シテ之ヲ變更スルコトヲ得

第三六〇條　基產經營ノ董事ハ株主ノ地位ヲ守リ如何ナル時ト雖モ直接經營スルコトヲ得ズ

第三六一條　本族ノ子弟ハ基產ノ經營スル商店內ニ於テ店員タルコトヲ得ズ

第二款　支　產

第三六二條　支產ハ支產帳中ニ記入スベシ

第三六三條　現存ノ支產及ビ本規定ニヨリ增加シタルモノ又ハ族人ノ寄附シタル支產、又或ハ決算ニヨル剩餘金ハ悉ク之ヲ支產ニ繰込ム

第三六四條　支產ノ動產ハ確實ナル商店ニ托シテ利殖スベシ

第三六五條　支產ノ生ズル利息ハ之ヲ支產ニ繰リ込ミ基產ノ生ズル利息內ニ繰込ムコトヲ得ズ

第三六六條　其ノ基產支產ヲ問ハズ、族人ハ悉ク之ヲ借用スルヲ得ズ、董事ニシテ之ヲ融通スルハ最モ嚴禁スルトコロナリ

第三六七條　基產帳簿ノ外其他一切ノ帳簿ハ董事ニ於テ或ル商店ニ委托シテ管理セシムベシ
族人ノ經營シタル商店アレバソレニ委托シテ代管セシムベシ

保證の特殊性と繼續的保證の概念

西村信雄

目次

序

保證債務に關する民法の規定は甚だしく不完全である。その主なる缺陷は三つの部面に見出すことができる。第一には、狹義の保證のみを眼中に置いてその他の廣義の保證については全然考慮を拂つてゐないことである。第二には、狹義の保證についても單に所謂「既存債務の保證」のみを規定の對象としたに止まり、所謂「將來債務の保證」はこれを全く視野の外に置いてゐることである。第三には、現實の生活において現れる保證の特殊性について顧慮した形跡が毫もないことである。狹義の保證は、特に「附從性」の點において、爾餘の廣義の保證と異る特殊の法律的構造を有するが故に、これに關する特殊的法則の體系を有つことは素より必要であるけれども、廣義の保證全般を對象とする法則の體系を有つことは我々の法律生活にとつて一層必要なことではあるまいか。昭和八年に制定された身元保證法は被用者のための身元保證を規律の對象とし、それが狹義の保證に屬すると否とを區別してゐない。この法律は、この意味においても、民法典の保證法の體系の改組であり、廣義の保證法の體系が成文法の形において始めてこゝにその片鱗を現したものといふことができる。而して、廣義の保證法の體系を構成するについて重要なことは、廣義の保證を横斷的に分類する二種の保證を識別して、そのそれぞれに妥當する特殊の法則を探求することである。二種の保證とは何か。私はこれを「繼續的保證」及び「一時的保證」の名を以て呼ぶ。民法典の保證法は主として「一時的保證」——しかもそのうち狹義の保證に屬するもののみ——を對象とする。前記の身元保證法は、繼續的保證のうち最も代表的なる身元保證に關する法則を新に建設して、繼續的保證全般に關する法則に對し指導的な役割を果しつゝある。この法律は、右の意味においても亦、民法典の保證法の體系に重要な修補を加へたものと云へる。更に又、同法は、身元保證の帶有する特殊性に顧み、道義的な要請にもとづいて、身元保證責任の苛酷性を輕減緩和すると共に使用者に對し或種の Diligenzpflicht を課した。こゝにおいても亦、同法は、新たなる保證法の進むべき道について重要な示唆を與へ、民法典の保證法の基調的精神に重大な影響を及ぼしつゝある。

民法典の極めて不完全な保證法の體系を改組して、新たなる保證法の體系を組立てむとする場合、身元保證法は叙上の如き三つの重要な點において指導的な作用を營む。我々は、先づ、狹義の保證の狹隘な埒を踏み越えて廣義の保證の全領域を見渡さねばならぬ。これに依つて我々は廣義の保證一般に共通する特殊性を把握することができる。そして、保證の一般的特殊性を周到に省察するとき、我々は、保證法一般の指導原理が道義的性格を帶びて居り、とりわけ繼續的保證についてのそれは、より一層道義的色彩に富み、身元保證法の指示する方向に志向することを見出す。

本稿は、右の如き保證法の指導原理の研究の謂はゞ基礎工事として、保證一般の特殊性を分析し、保證全般を横斷的に二分する二種の保證の區別を樹立することを目的とする。

第一節　保證一般の特殊性

こゝに「保證」といふのは、最も廣い意義における「保證」を指し、われわれの社會的通念においてひろく「保證」と觀念されてゐるものをすべて包含する。本稿において「保證法」といふのも、かゝる廣義における保證に關する法規範の全體を指稱するのである。

民法は保證人の概念を規定して『主タル債務者カ其債務ヲ履行セサル場合ニ於テ其履行ヲ爲ス責ニ任ス』る者と爲す(四四六條)。即ち民法上の保證は、これを最も簡單且素朴な言葉で表現するならば、主債務を履行すべき責任(債務)である、と云へる。ところが、われわれの社會的通念においてひろく保證と觀念されてゐるものは、右の如き附從的な保證のほかに、保證人が被保證人の債務と相並んで獨立的に債務を負擔し、若くは、被保證人自身が債務を負擔すると否とを問はず獨立的に債務を負擔する場合をも包含する。かやうに、狹義の保證卽ち民法上の保證と、それ以外の保證とは、主としていはゆる附從性 Akzessorietät の點において法律的性質上明確な差異を有するのであるが、社會的通念が、單に狹義の保證のみならず、附從性を有せざる獨立的債務をも含めてひろく保證と觀念してゐることは、そこに何らか共通する法律的性質が存することを示唆する。廣義の保證一般について云爲する以上は、事の順序として、先づ廣義の保證一般に共通する法律的性質を抽出把捉して廣義の保證の概念を定立しなければならぬのであるが、狹義及び廣義の保證の概念、その法律的性質乃至法律的構成については別の機會に詳しく考究したいと考へてゐるので、こゝではそれに立入ることを差控へて、直ちに本稿の課題たる保證の特殊性の分析に入ることゝする(なほ、以下、狹義の保證卽ち民法上の保證を附從的保證と呼び、それ以外の保證を獨立的保證と稱する)。

第一 保證の利他性

保證人は、主として他人卽ち被保證人のために債務を負擔するを通例とする。以下において見る如く、保證人が主として自己のために債務を負擔する場合も存するけれども、それはむしろ例外の事例であり、本來の性格においては保證は利他的性格を有するのである。以下、保證人對債權者間の外部的關係と、保證人對被保證人間の内部的關係との、二つの側面から、保證の利他的性格を考察しよう。

（一）債權者に對する外部的關係のみに即して觀るときは、保證は常に利他的性格を帶有する、と云ふことができる。

先づ、附從的保證に在つては、保證人は主債務を履行すべき債務を負擔するのであり、保證債務は外形上も他人（即ち主債務者）の債務を擔保する債務といふ型態を有するのであるから、その法律的構造自體において他人の債務のための債務なることを明白に表現してゐる。(一) 即ち、附從的保證に在つては、保證債務の法律的構造自體がその利他性を性格づけてゐる、と云へる。

次に、獨立的保證の場合は、保證人は被保證人の債務とは全く別個に獨立的債務を負擔する。この場合を更に分けると、被保證人自身が債務を負擔すると否とに拘らず保證人が獨立的債務を負擔する場合と、被保證人の負擔する債務に關して保證人が獨立的債務を負擔する場合(二)とがある。例へば、かの身元保證の中には身元本人に關する一定の事故に因つて使用者が損害を蒙つたときは身元本人自身が賠償義務を負擔すると否とを問はず身元保證人において賠償を爲すべきことを約する場合がある。かゝる場合は前者の例に屬する。また例へば、無能力者が取消し得べき法律行爲に因つて負擔せる債務につき「保證」を約するに當り、後日右の法律行爲が取消されると否とを問はず保證人において該債務の內容を成す給付を爲すべきことを約する場合の如きは、(一)後者の例である。右のいづれの場合においても保證人の負擔する債務は、他人の債務を履行すべきことを以て內容とせず、附從的保證におけるとは異つて他人の債務のために存在する債務といふ法律的構造は有つてゐない。しかしながら、總じて保證契約は、一定の被保證人に關して債權者（こゝに債權者と云ふのは、勿論、保證契約の相手方、即ち、保證人に對し保證債權を有する者を指す。被保證人に對して債權を有する者といふ意味ではない。）が一定の損害を蒙らざるべきことを確保（「保證」）する契約である。前述のやうに、保證の法律的性質を論ずることは別の機會にゆづることゝするが、端的に言へば、右に述ぶるが如き性質が、廣義の保證なる概念の定立を可能ならしめる共通的屬性である、と云へよう。而して、附從的保證と、獨立的保證とが區別せられるのは、畢竟、保證人において債權者に蒙らしめざるべきことを確保する損害の種類を異にする點に存するにすぎない、と考へられる。附從的保證に在つては、保證人は被保證人（主債務者）の負擔する債務が滿足に履行せらるべきことを確保するものであり、つまり、保證人は債權者が主債務の不履行に因る損害を蒙らざるべきことを確保するものである。之に對し、獨立的保證は、主債務の存立を前提とせず、從つて、保證人は主債務が滿足に履行せらるべきことを確保するものではないといふ點で附從的保證と相異するのであるけれども、尚且、或は債權者が被保證人に一定の信用を許與することに因つて損害を蒙らざるべきことを確保し、又或は債權者の被保證人の行爲若くはその身上の事由等に因つて損害を蒙らざるべきことを確保する等の如く、要するに、一定の被保證人に關して債權者が一定の損害を蒙らざるべきことを確保するといふ點では、附從的保證と相通ずる性質を有するのである。狹義の保證と獨立的保證とは、斯くの如く法律的性質において共通するものを有するが故に、その作用においても又軌を一にするものがある。附從的保證の場合、保證があればこそ被保證人（主債務者）は債權者と一定の債權關係に立入り若くはこれを存續せしむることが可能となり又は少くとも容易となるのであるが、獨立的保證の場合にも、保證は、被保證人が債權者と一定の契約關係又はその他の關係に立入り若くはこれを維持することを可能ならしめ又は少くともこれを容易ならしめる作用を有するのである。叙上の如き法律的性質及び作用に着眼するならば、附從的保證たると獨立的保證たるとを問はず、いやしくも保證たる以上、少くとも債權者に對する外部的關係においては、保證人は常に他人（即ち被保證人）のために債務を負擔する者であり、その債務は常に「他人のための債務」と云ふ利他的性格を帶有するものと云ひ得るであらう。

（二）、次に、被保證人に對する內部的關係に卽して觀ると、この內部的關係においても保證人は他人卽ち被保證人のために債務を負擔するのが通例の事態であるけれども、例外的には、外部的關係において保證人たる地位に在る者が內部的關係においては實は逆に被保證人であり、外部的關係における被保證人が內部的關係においては却つて保證人たる實質を有することがある。(四) かかる保證に在つては保證人は實質的には他人のために債務を負擔する者にあらずして寧ろ自己のために債務を負擔する者である。されば、保證は外部的關係のみに卽して觀れば常に利他的性格を帶有するのであるが內部的關係より觀るときはこの性格を缺いてゐるものがあることを注意しなければならぬ。而して、かゝる利他的性格を有せざる保證については、保證に關する諸法理の適用に當つて特殊の考慮を拂はねばならぬこと勿論である。

註一　我が現行民法上の保證はローマ法並に近代諸國法における保證と同じく、「他人の債務の爲めの保證」Bürgschaft für eine fremde Schuld の場合に限られ、「自己の債務の爲めの保證（自己保證）」(Burgschaft für eine eigene Schuld (Selbstbürgschaft) の觀念は存在しない。ゲルマン法バビロン法アッシリア法等においては自己保證の觀念が存した、と謂はれる (vgl. Gierke, DPR. III S. 18, 770 ff.; Koschaker, Babylonisch-Assyrisches Burgschaftsrecht S. 104 ff. 240 ff.)。

註二　併存的債務引受と狹義の保證との異同については學說上意見が分れてゐるが、兩者は別個の概念と見るのが正當であらう(末川・民法に於ける特殊問題の研究・第二巻五八頁以下參照)。しかし、併存的債務引受は實質的には他人の債務の爲めの人的擔保たる機能を果すために約されるのであるから、他人の債務に關して爲される廣義の保證に屬するものと云へよう。

註三　この場合保證人の負擔せる債務は、主債務を履行すべき債務といふ構造を有つてゐない。保證人は、債權者が當該の債權關係に立入つたことに因つて損害を蒙ることとなからしめんがために、被保證人の債務と同一內容の給付を物體とする獨立的債務を負擔するのである。故にかゝる保證はもはや狹義の保證に屬せず、寧ろ擔保契約 Garantievertrag たる性質を有するものと云へる(vgl. Guhl, Das schweizerische Obligationenrecht S. 235; Fick, Das schweizerische Obligationenrecht Art. 494 Anm. 41)。

尤も、無能力(又はその他の原因)に因つて取消し得べき法律行爲に基く債務につき保證人が取消の原因の存することを知りつゝ保證を約したとしても、その約旨は必ずしも本文所述の如きものとは限らない。(イ)主債務が取消されたときはこれと共に保證債務も亦消滅すべき純然たる狹義の保證契約なることもあり、(ロ)主債務が取消されるまでは狹義の保證債務を負擔し主債務が取消されるに至つたときは主債務と同一內容の獨立的債務を負擔すべきことを約する趣旨なることもあり、(ハ)主債務が取消されると否とに拘らず當初より主債務と同一內容の獨立的債務を負擔する趣旨なることもある。本文に掲げたのは右の(ハ)の場合である。民法は、無能力に因つて取消し得べき債務を保證した場合について特別の規定を設け、保證人が『保證契約ノ當時其取消ノ原因ヲ知リタルトキハ……其債務ノ取消ノ場合ニ付同一ノ目的ヲ有スル獨立ノ債務ヲ負擔シタルモノト推定ス』と定めてゐる(四四九條)。この規定の意味はやゝ不明確であるが、恐らく、當該の保證契約において別段の定めがないときは右の(ロ)の趣旨と推定すべきものと爲すに在ると思はれる(勝本・債權總論中卷(1)二九四頁參照。なほ、フランス民法二〇一二條二項、スイス債務法四九四條三項參照)。

註四　外部的關係のみに即して考へると、主債務者と保證人との間には『負擔部分ナルモノアルヘカラサル』ナわけであり（大判昭和一三・二・四・民集一七卷八七頁、この判決に對する拙稿批評・民商八卷七三頁參照）、若しありとすれば、常に、主債務者が全額、保證人が零といふ負擔部分であるべき筈であるが、內部的關係に卽して觀ると、保證人が實は主債務者であるといふ場合には負擔部分の關係は右とはまさに逆になる。また、時には、主債務者と保證人とがそれぞれ若干の負擔部分を有する場合もあり得る（大判昭和四・七・一〇・評論一八卷民法一一〇〇頁參照）。この故に、主債務者と保證人間の求償權の關係は外部的關係に拘泥せず專ら內部的關係の實質に着眼して論定しなければならぬ。判例においても、例へば、大判・昭和五・二・六・新聞三一〇二號九頁は、甲が乙の連帶保證の下に銀行から金員を借受けたがこの借入は實は保證人たる乙が丙に對する自己の債務を辨濟するために爲したので內實の借用主は乙であつたと云ふ事實につき、銀行ニ對スル關係ニ於テハ（甲）主タル債務者ニシテ（乙）ハ保證人ニ過キサルコト原審判定ノ如シト雖（甲）ト（乙）トノ間ノ內部關係ニ於テハ（乙）ハ該借入金ノ借用主ニ外ナラサルカ故ニ縱令（乙）ニ於テ之ヲ辨濟シタリトスルモ（乙）對（甲）ノ關係ニ於テ求償權ノ問題ヲ生スヘキモノニ非サルコトハ當然ノ事理ニ屬ス』と判示して居り、久留米區　大正六・七・二四　新聞一二九五號三二頁も『債權者ニ對スル債權證書面上ノ保證人必スシモ求償權者ニアラス、却テ信用貸借ノ必要上保證人カ主務務者ニ對シテ求償義務ヲ負擔スルコトアルハ實際社會ニ往々視ル處ナリトス、然ラハ求償權ノ所在ハ債權證書面上ノ主債務者タリ保證人タル形式ニヨリ斷定スヘキモノニアラスシテ實質上何人カ債務者ニシテ何人カ保證人ナリヤニヨリテ定ムヘキモノトス』となす。

第二　保證の人的責任性

こゝに「責任」と云ふのは、「債務」(Schuld) と區別せられる意義における「責任」(Haftung)、即ち、或る對象 (Gegenstand) が債權者の侵取權 (Zugriffsrecht, Zugriffsmacht) に服してゐることを指す。保證人の責任はその全財產を以て對象とする。この點において保證人に對比さるべきものは物上保證人である。物上保證人は『自己ノ財產ヲ以テ他人ノ債務ノ擔保ニ供シタル者』(民法五〇一條四號五號)、詳言すれば、他人の債務を擔保するために自己の財產上に質權・抵當權(民法三五一條・三七二條)又は讓渡擔保を設定せる者であつて、彼自身は何ら「債務」を負擔せず唯「責任」のみ (Haftung ohne eigene Schuld) を負擔する。そして、その「責任」の實現、換言すれば、物上保證人に對する債權者の侵取權の實現は、質權・抵當權又は讓渡擔保等の擔保權の實行として現れる。ところが、現行法上の保證人は單に「責任」の實現、換言すれば、保證人に對する債權者の侵取權の實現は、その財產に對する强制執行として現れる。かやうに、兩者の「責任」の法律的型態乃至法律的構造は相異るけれども、他人の債務を擔保するために自己の財產を債權者の侵取權の對象に供するといふ點において、保證人と物上保證人とは共通の性質を具有する。兩者の法律的地位が實質的に異る重點は、物上保證人の「責任」がいはゆる物的有限責任 (gegenständlich beschränkte Haftung) であり、その「責任」の對象は當該擔保權の客體に限られてゐるに反し、保證人の「責任」の對象はその全財産であるといふ點である。別言すれば、物上保證人の「責任」は物的責任（Sachhaftung）であるのに對し、保證人の「責任」は人的責任（persönliche Haftung）なのである。(二)

右に述べたところは物上保證と附從的保證とを對比して保證の人的責任性を指摘したのであるが、獨立的保證において保證人が右の如き人的責任を負擔することは言ふまでもない所である。なほ、廣義の保證一般において保證人が特約若くは相續の限定承認等の事由に因り物的有限責任を負擔するに止まる場合があることは、責任論の一般的問題であつて、保證について特に言を加へる必要はあるまい。

註一　ドイツの古法における保證は債務契約 Schuldvertrag に非ずして純然たる責任行爲 Haftungsgeschäft であつたと謂はれてゐる（vgl. Gierke, DPR III S. 770; v. Amira, Nordgermanisches Obligationenrecht I S. 39, 256, 694, II S. 840.）が、現行法上の保證については、ドイツにおいても、少數の反對說（Isay, Schuldverhältnis und Haftungsverhältnis im heutigen Recht, Iherings Jahrb. Bd. 48 S. 193 ff.; Dümchen Schuld und Haftung, insbesondere bei den Grundpfandrechten. Die Reallasten, Iherings Jahrb. Bd. 51. S. 407 ff.; Puntschart, Schuld und Haftung im geltenden deutschen Recht, Z. f. das gesamte Handelsrecht Bd. 71 S. 321）を除いては、保證人は彼自身「債務」を負擔するものと解されてゐる（Gierke, DPR. III S. 774; Dernburg, Das burgerl. Recht II 2 § 285 Anm. 2; Oertmann, Komm. II Vorbem. 3 c vor § 241; Planck—Siber, Komm. II 2 Vorbem. II 1 c vor § 765; Fischer—Henle, BGB. Erl.

2 zu § 765; Westerkamp. Bürgschaft und Schuldbeitritt S. 139 ff., 150 ff.; Siber, Der Rechtszwang im Schuldverhältnisse S. 237 ff.)。

註二　保證人がその全財産を以て一責任」を負ふことを指して保證の「無限責任性」と稱することもできるが、この語は、別論すべき繼續的保證における保證責任の無限性廣汎性と混同する虞れがあるのでこれをさけて一人的責任性」の語を用ひることゝした。人的責任 persönliche Haftung なる語は、本來、人身を目的物とする責任 Haftung mit der Person といふ意味を有したのであるが、現代法においては一責任」はすべて財產責任 Haftung mit dem Vermögen であり人身責任はもはや存在しないので、人的責任の語も「全財產を目的物とする責任」Haftung mit dem Gesamtvermögen の意味において用ひられる。物上保證人の一責任」におけるが如く責任の目的物が特定の物（又は權利）なる場合は、あだかもその特定の目的物自體が責任を負擔してゐるとも見られるので、その意味においてこれを物的責任 Sachhaftung と稱するに對し、全財產責任は、或る特定の人（責任主體）に現に歸屬してゐる財產全體を目的物とし、個々の財產物件を拘束するに非ずして寧ろ財產の歸屬主體たる或る特定の人を拘束してゐると見るべきであるから、その意味において、これを人的責任 persönliche Haftung と稱するわけである（vgl. Gierke, DPR. III S. 34 ff.）。

第三　保證の無償性

保證人は、保證の引受に對する對價・報酬を取得しないのが通例である。

（一）　先づ、契約の分類上から觀れば、保證契約は、原則として、片務契約・無償契約の範疇に屬する。(一) けだし、保證契約に因つて保證人が保證債務を負擔するのに對して相手方たる債權者はこれと對價的な意味を有する何らの債務も負擔せず、且又、保證人が保證債務の負擔及びその履行といふ出捐を爲すのに對して、債權者は、契約の成立についても、また、契約の效果としても、これと對價的な意味をもつ出捐をしないのが通例だからである。

しかし、時には、保證人が保證債務を負擔するのに對應して債權者も亦保證人に對し對價的な意味を有する債務を負擔することがある。例へば、債權者が保證人に對して保證の引受に對する報酬（保證料）を支拂ふことを約する場合の如きは、その適例である。右の如き保證料付の保證契約は言ふまでもなく雙務契約であり且有償契約であるが、實際上は、保證の引受に對し債權者が保證料を支拂ふことを約する場合は稀であらうと思はれる。銀行又は信託會社（信託業法五條二號參照）等がその業務として爲す保證は原則として保證料付の保證であるが[二]、通例は、保證契約の相手方たる債權者から保證料を徴するのではなくて保證依賴人からこれを徴するのであるから[三]、その保證契約は、契約の分類上は、やはり片務契約無償契約の範疇に屬するを通例とする。

右の如き保證料付の保證のほかにもなほ雙務契約有償契約の性質を有する保證契約があることを考へ得る。例へば、債權者が第三者（被保證人）に對し信用許與を開始し又はこれを繼續すべきこと（Einräumung oder Fortgewährung von Kredit）をば保證人に對して約し[四]、保證人は、右の信用許與に因り被保證人が負擔すべき債務につき若くは右の信用許與に因り債權者が被ることあるべき損害につき、狹義若くは廣義の保證を約する契約の如きは、その約旨の如何に依つては、雙務且有償の契約たる性質を有する場合がある。卽ち、若し、右の如き契約において債權者の信用許與の債務と保證人の保證債務とがその成立上相互に依存關係に立ち、兩者の債務負擔が一個の契約の不可分的內容を成すときは、その契約は雙務契約であり、從つて又、有償契約である。

敍上の如き雙務・有償の契約に關しては、これを保證契約（特に狹義の保證契約）と謂ひ得るや否やにつき多少議論があり、（五）否定的に解する說もあるけれども、（六）通說はこれを肯定してゐる。（七）私見も亦、廣義たると狹義たるとを問はず、保證契約は常に必ず片務・無償の契約たることを要すると解さねばならぬ理由はないと考へる。立法例には、保證人が保證の引受に對する報酬を受くべき特約ある場合に關する規定を特に設けてゐるものさへある。例へば、プロイセン普通國法の如きがそれである。（八）

註一　本段註五・六參照。

註二　『商人カ其營業ノ範圍內ニ於テ他人ノ爲メニ或行爲ヲ爲シタルトキハ相當ノ報酬ヲ請求スルコトヲ得』るが故に（商法五

一二條)、商人たる銀行又は信託會社(商法四條一項・五〇二條八號・信託法六條參照)がその業務として保證を爲したときは、別段の意思表示又は慣習がない限り、當然に、保證の引受に對する報酬を請求する權利を有するわけである。

註三　銀行判例一二卷六號・一三卷一號・同二號所載「銀行及信託會社の保證取引」、田中(誠)・銀行法(新法學全集所收)七六頁、參照。

註四　債權者が第三者に信用を許與すべきことをば保證人に對して約する契約には二種の場合がある。一は、この契約に因り第三者が直接に債權者に對し信用許與を請求する權利を取得する場合(卽ち「第三者の爲めにする契約」たる場合)であり、他は、保證人のみが債權者に對して第三者への信用許與を請求し得るにとゞまり第三者はかゝる權利を取得しない場合である。本文に述べる所は右の二種の場合を共に包含する。Eccius, Verbürgung für eine künftige Schuld und Kreditmandat. Gruchots Beiträge 46. Jg. S. 64 は、右の二種の中の前者の場合には、債權者の信用許與義務の負擔は保證人の保證引受に對する反對給付と認め得る、と爲す。

註五　ドイツ民法(七六六條)やスイス債務法(四九三條)の如く保證契約(狹義)を要式行爲とし保證の意思は書面に依つてこれを表示するに非ざればその效力を生じないとする法制に在つては、或る契約が保證契約(狹義)に屬するか否かを區別することは、右の如き方式規定の適用の有無を左右する結果となるので重視せられるわけである。

註六　Enneccerus, Lehrb. I-2, I 27, § 411 I 4 は、他人の債務の「保證」(Einstehen für fremde Schuld)を爲すにつき對價を受くべきことを約したときは、その契約の性質は本質的に變異し(例へば信用保險 Kreditversicherung たる性質を有することもある)、從つて、七六六條の方式規定は適用されない、と言ふ。そして、狹義の保證契約を締結すべき義務をば有償的に負擔する契約は素より可能であるが、かゝる契約は保證契約の豫約であつて保證契約自體ではない、と說いてゐる(dieselbe, a. a. O. Anm. 5)。

註七 vgl. Cosack, Lehrb. I § 221 IV; Dernburg, Das Bürgerl. Recht II 2 § 285 Anm. 20; Gierke, DPR. III S. 777; Planck—Siber, komm. II 2 Vorbem. II 1 d vor § 765; RGR. Komm. Vorbem. 4 vor § 765; Staudingers Komm. II 3 Vorbem. 2 c, d vor § 765; v. Tuhr, Allg, Teil des DBR. II 2 S. 182; RGE. Bd. 66 S. 425 ff. Urteil v. 28. Okt. 1907.

なほ、石坂・債權總論中卷一〇一〇頁、勝本・債權總論中卷（一）三二八頁、參照。

註八 ALR. für die preuss. Staaten 1. Teil 14. Titel §§ 363—372.

右の第三六三條には『**保證人はその引受けたる保證に對する報酬を約することを得**』„Der Bürge kann sich für die übernommene Bürgschaft eine Belohnung vorbedingen.“ と規定されてゐる。この規定は、主債務者が保證料を支拂ふことを約する場合と、債權者がこれを約する場合とを包含するものと解される（vgl. Förster—Eccius, Preussisches Privatrecht Bd. II 7. Aufl. S. 291）。主債務者が保證料を支拂ふ場合はしばらく措き、債權者が保證人の保證債務負擔に對する反對給付の意味において保證料を支拂ふことを約する場合は卽ち保證契約が雙務・有償の契約たる性質を帶有するわけであり、從つて、右のプロイセン普通國法の規定は雙務・有償の保證契約の可能を認めたものと云へる。尤も、右の規定は、保證契約自體が雙務・有償の契約として締結されることを認めた規定ではなくて、保證を引受くべき義務（卽ち保證契約を締結すべき義務）に對する反對債務として保證料支拂の義務が約される場合に關する規定であるとも解し得られる。Förster, a. a. O. は、保證料支拂の義務を主債務者が負擔する場合たると債權者が負擔する場合たるとを問はず、この保證料に對する反對給付たる意味を有つものは保證債務の履行にあらずして保證の引受（Übernahme der Bürgschaft）であり、從つて、保證人は保證を引受けることに依つて既に右の有償契約上の義務を履行せるものと云ふべく、保證債務の辨濟は右の義務の履行として締結された別個の契約の履行にほかならぬ、と說いてゐる。

敍上において、保證契約が原則として片務契約・無償契約に屬すること、及び、例外的には雙務契約・有償契約に屬する場合あることを指摘したのであるが、こゝに保證の特殊性の一つとして掲げた「無償性」なる觀念は、實は、保證契約が片務・無償の契約であるか否かといふことは別個の觀點に立てる觀念である。こゝに謂ふ「保證の無償性」は、保證人が保證を引受けるについてその對價報酬たる意味を有する財産的（經濟的）利益をば全然何人からも取得しないことを意味する。若し保證人が保證契約の相手方[一]若くは第三者から右の如き對價的利益を取得するときは、その保證はこゝに謂ふ意味においての有償的保證である。[二]而して、右の對價的利益の最も普通なものは金錢で支拂はるゝ（保證料）であるが、金錢以外の財産的利益であつても素より有償的保證たるを妨げない。但し、こゝに對價とか報酬とか謂ふのは、保證を引受けること自體に對する對價報酬を意味する。保證人は保證の引受（卽ち保證契約の締結）に因つて、或ひは直ちに具體的な保證債務を負擔し（一時的保證の場合）、或ひは又、抽象的な基本的保證債務を負擔する（繼續的保證の場合）。凡そ債務を負擔するといふことは、それ自體が一の出捐であり、保證人も保證債務を負擔しただけで既に「出捐」をしてゐるわけである　右にいはゆる對價報酬は、この出捐に對する對價報酬なのである。多少見方をかへて言ふと、保證債務なるものは、狹義にもせよ廣義にもせよ、畢竟、被保證人に關して生ずることあるべき一定の事故（債務不履行又はその他の）に因る損害發生の危險に備へる擔保であり、保證人は保證を約することに因つて右の如き危險 Risiko を引受けるわけである。この觀點よりすれば、前述の對價報酬はかゝる危險の引受けに對する對價報酬たる意味を有するとも云へる。（三）いづれにしても、保證の引受自體に對する對價報酬の意味を有つ財產的利益を保證人自身が取得するのでなければこゝにいはゆる有償的保證とは云ひ得ない。（四）保證人が現實に保證債務（具體的）を辨濟し、又はその他自己の出捐に因つて債權者に滿足を與へたときは、原則として保證人は求償權によつて右の出捐に對する補償を受け得るのであるけれども、そのことはこゝにいはゆる保證の無償性有償性の問題とは沒交渉の事柄である。（五）

なほ、今一つ、注意すべきは、保證人が保證を引受けたことに因り謂はゞ反射的に利益を收めたにすぎないときは、たとひその利益が客觀的價値において保證債務負擔といふ出捐を償ふに足るとしても、こゝにいはゆる有償的保證とは爲し得ない、といふことと是である。保證が有償性を有するためには、何人かゞ保證人に對して保證の引受に對する對價報酬の意味において或る利益を與へ、保證人もかゝる意味においてその利益を取得することを要する。故に、例へば、『匿名組合員カ相手方ノ營業上ノ債務ニ付保證ヲ爲シ、買入ノ委託者カ賣主ニ對スル問屋ノ代金債務ニ付保證ヲ爲スカ如キ』[六]、そのほか例へば、商人がその得意先のため又は商品の仕入先のために保證を爲すが如きは、[七] これを以て直ちに有償的保證と爲すことはできない。けだし、右の如き場合、保證人は保證を爲したことに因り結局において或種の經濟的利益を取得し得べき可能性があり、且、保證人も亦かゝる利益を期待して保證を引受けるのが通例であるけれども、かゝる利益は保證の引受より生ずる單なる反射的效果にすぎないからである。たゞ、右の例示の場合の如きは、保證の引受が經濟的利害の打算にもとづくのだから、保證が通例その引受の動機において「情義性」を有する(次段參照)のに對して例外を成すものと云ひ得る。

無償的保證・有償的保證の意義を以上のやうに解するときは、契約の分類上片務・無償の契約に屬する保證契約(即ち通例の保證契約)の中にも有償的保證があり得る。と同時に、雙務・有償の契約に屬する保證契約の中にも、無償的保證なる場合があり得るのである。保證債務に對應する反對債務として債權者が第三者(被保證人)に信用を許與すべき義務をば保證人に對して約する契約の如きは、[八] 上述の如く、雙務・有償の契約たる性質を有するけれども、保證人自身が債權者又は第三者から保證の引受に對する對價報酬を取得しない以上は、その保證はこゝにいはゆる無償的保證にほかならぬのである。

さて、上述の意味における無償的保證と有償的保證とは實際上いづれが常態でありいづれが例外であらうか。この點は言ふまでもなく、いはゆる商事保證（商人がその營業の範圍内において爲す保證）と民事保證（商事保證に非ざる保證）とにおいてかなり事情を異にするものがあると考へられる。民事保證に在つては、無償的保證が常態なることと我々の容易に想像し得る所である。かのドイツ民法草案の第二委員會において保證契約を要式行爲とすべきや否やを討議した際、贊成論者が『保證は慈惠的行爲（ein Akt der Liberalität）であり、少くとも民事的取引（bürgerlicher Verkehr）においては有償的保證（entgeltliche Bürgschat）は例外である。[九]』と述べてゐるのは注目に値することゝ云へよう。商事保證に在つては、有償的保證なる場合が實際上少くないと考へられるが、しかし、我が國の實情においては、商事保證も無償的保證なる場合がむしろ通例なのではあるまいか、と推測される。[一〇] この推測にもとづいて、我々は「無償性」を以て保證一般の特殊性の一つに數へようと思ふのである。

註一　保證人が保證契約の相手方たる債權者から保證の引受に對する對價報酬を取得する場合の一例として注目すべきは、商法上の問屋及び代理商の Delkrederevertrag である。

（一）　問屋の Delkredevertrag

我が商法では、『問屋ハ委託者ノ爲メニ爲シタル販賣又ハ買入ニ付キ相手方カ其債務ヲ履行セサル場合ニ於テ自ラ其履行ヲ爲ス責ニ任ス但別段ノ意思表示又ハ慣習アルトキハ此限ニ在ラス』と規定され（五五三條）、反對の特約又は慣習がない限り問屋は法律上當然に右の如き擔保責任を負擔することになつてゐるのであるが、ドイツ商法（三九四條）スイス債務法（四三〇條）等においては、我が商法とは逆に、特約又は慣習がある場合に限り、問屋は右の擔保責任 Delkrederehaftung を負ふべきものとされてゐる。この責任を負ふべき旨の特約を Delkrederevertrag と謂ふ。そして、問屋が右の擔保責任を負擔する場合には、反對の特約がない限り、それについての特別の報酬たる保證料 Delkredereprovision, del—credere—Provision を請求することができる（獨商三九四條二項後段、ス債四三〇條二項）。問屋のこの責任は素より狹義の保證債務ではない。けだし、問屋は自己の名において賣買契約を爲す者であり、問屋が履行の責に任ずべき相手方の債務なるものは問屋に對する債務であつて委託者に對する債務ではないからである（vgl. Düringer—Hachenburg, HGB. V 2 Erl. II zu § 394; Staub—Gadow, HGB. IV Anm. 1 zu § 391; Dernburg, Das bürgerl. Recht II 2 § 285 Anm. 11; Gierke, DPR. III § 206 Anm. 44）しかしながら、問屋が自己の名において爲す賣買契約は委託者の計算において（für Rechnung des Kommittenten）これを爲すのであり（獨商三八三條、ス債四二五條）、その賣買契約から生ずる損益は悉く委託者に歸屬する。相手方が債務を履行すればその履行に因る利益は即ち委託者に歸し、相手方が債務を履行せざるときはその不履行に因る損害も亦委託者に歸するのである。この點より觀るときは問屋の右の如き擔保責任は實質的經濟的には狹義の保證債務に近似するものと云ひ得る。しかのみならず、委託者と問屋の間の內部關係においては、問屋の締結せる賣買契約上の債權（實際上は主として代金債權——小町谷・商行爲法〔新法學全集〕一六〇頁參照）は、問屋から委託者への讓渡行爲を俟たずして當然に委託者に歸屬せるものと看做される（日商五五二條二項、獨商三九二條二項。なほ、ドイツ商法では、委託者と問屋の關係においてのみならず委託者と問屋の債權者との關係においても同樣に取扱はれてゐる)。右の如き委託者と問屋(卽ち Delkrederevertrag の當事者)の關係のみに卽して觀れば、問屋は第三者(賣買契約の相手方) が債權者 (委託者) に對して負擔する債務につき履行の責に任ずることになるわけだから、問屋の Delkrederehaftung 乃至 Delkrederevertrag は、むしろ、狹義の保證債務乃至保證契約にほかならぬとさへ云へる (vgl. Schmidt—Rimpler, Das Kommissionsgeschäft, in Ehrenbergs Handbuch V. Bd. I. Abt. 1. Hälfte S 780 ff. und ebenda Anm. 25)。素より狹義の保證に屬するや否やを論定するについて右の如く主債務者に對する關係を全く考慮の外に措くことは當を得ない所であるが、右の觀點よりすれば、少くとも狹義の保證に極めて類似せる廣義の保證であると云ひ得る。そして、上述の如く、ドイツ商法やスイス債務法等における問屋の Delkrederevertrag においては問屋が委託者に對して保證料を請求することができるのだから、これは正に保證人が債權者から保證の引受に對する報酬を取得する場合の一適例であると云へよう。

(二) 代理商の Delkredere

これについてはドイツ商法にも別段の規定がなく、從つて、代理商は法律上當然にこの責任を負ふものではないが、代理商が本人に對してこの責任を負ふべきことを特約する場合が屢々ある (vgl. Schmidt—Rimpler, in Ehrenbergs Handb. V. I. 1. § 34, S. 96 Anm. 3)。代理商の Delkrederehaftung は、代理商が締結又は媒介せる契約の相手方の債務につき履行の責に任ずることを内容とし、而して、右の相手方の債務は直接に本人に對して負擔する債務なのであるから、これは純然たる狹義の保證にほかならぬ (Schmidt—Rimpler, a. a. O. S. 96; Staub—Pinner, HGB. I § 84 Anm. 17; Gierke, DPR. III S. 777)。この保證責任を引受けることは代理商の通常の義務には屬さないのだから、代理商は、反對の特約又は慣習がない限り、本人に對しこれについての特別の報酬卽ち保證料 Delkredereprovision を請求することができる(vgl. Schmidt—Rimpler, a. a. O. § 19 I 2)。故に、代理商の Delkredere は、狭義の保證にしてしかも保證人が債權者から保證の引受に對する報酬を取得する場合の適例であると云へる。

註二　銀行・信託會社若くはその他の商人がその營業の範圍内において爲す保證は、上述の如く、別段の意思表示又は慣習がない限り、保證の引受に對する報酬を取得することができるのだから(前段註二參照)、原則として、こゝにいはゆる有償的保證に屬するわけである。尤も、實際上は、銀行・信託會社その他の商人がその顧客のために保證を爲すに當つては保證料請求權を抛棄して謂はゞ奉仕的にこれを爲すことが少くあるまいと思はれる(例へば、名古屋地・昭和一〇・九・二三・評論二四巻諸法六八一頁の事案參照)。

註三　この點において有償的保證と保險契約とは頗る接近するが、しかし、この點のみより觀て兩者を同視すべきではない(vgl. Gierke, DPR. III S. 777)。

註四　保證人が主債務者若くは被保證人から報酬を受けた場合においても、若しその報酬が保證の引受に對する報酬たる意味を有しないときは、その保證は有償的保證と言ひ得ないこと勿論である。他人のために一定の契約の成立につき周旋した者が同時にその者のために保證人となり、被保證人から周旋料を取得することは往々見る事例であるが、周旋料は保證の引受に對する報酬ではないから、その保證はやはり無償的保證である。但し、名義は周旋料であつても、實質上は、果してそれが純然たる周旋料であるか、それとも保證料たる意味をも有するのかまぎらはしい場合が少くないと思はれる。一例をあげると、大判・昭和一三・一一・二九・新聞四三五五號一五頁の事案は、Aから營林道開鑿工事を請負うたBが下請負人の推薦方をCに委囑したので、CはDを推薦し且Dを工事施行地に案内して下検分を爲さしめる等斡旋盡力してDを下請負人たらしめると共に、その下請負契約上の債務につきDのために保證人となり、Dをして工事保證金の免除を受くることを得せしめた、そこで、DはCに對し周旋の報酬として下請負代金の百分の五を支拂ふことを約した、と云ふのであるが、かゝる周旋の報酬は保證の引受に對する謝禮の意味をも含むでゐるのではないかと思はれる。

註五 保證契約が破産法七二條五號の意義における「無償行爲」に該當するか否かについては議論がある（大判・昭和一一・八・一〇・民集一五卷一六八〇頁、及び、右の大判に對する批評、加藤・法協五五卷七三四頁、菊井・法協五五卷六〇〇頁、喜頭・民商五卷八二八頁、板木「否認權」民商一一卷五九六頁、等參照）。が、本文の意味における無償・有償の觀念は破産法の右の規定の意味における無償・有償の觀念とも標準を異にする。破産法上の意義においては、保證人が求償權を取得することを理由として保證の無償行爲性を否定し得るとしても（vgl.. Jaeger, Komm. zur, KO. 3. u. 4. Aufl. § 32 Anm.8. なほ、加藤前揭七三七頁、菊井前揭六〇四頁、喜頭前揭八三二頁、參照）、求照權は保證の引受自體に對する對價報酬たる意味を有つものではないから、求償權の有無乃至その實現の可能性の有無は、こゝにいはゆる保證の無償性有償性とは相關せざる事柄なのである。

註六 前揭大判昭和一一・八・一〇・民集一五卷一六八〇頁は、かゝる保證は破産法七二條五號の意味における無償行爲ではないと言ふ。

註七 次段（第四　保證の情義性）註一・二・三、參照。

註八 これに反し、保證債務に對する反對債務として債權者が保證人自身に對し一定の信用を許與すべき場合（例へば、債權者が保證人自身の營業のために掛賣で商品を供給することを約する場合の如し。vgl. RGE. Bd. 66 S. 425, Urteil v. 28. Okt. 1907）は、その契約は雙務・有償の契約たると同時にこゝにいはゆる有償的保證に屬する。

註九 Protokolle Bd. II S. 462.

註十 本段註二參照。

補註 身元保證は無償的保證なる點においても典型的なものであるが、こゝにも例外はある。元來、今日の身元保證の前身を成す江戸時代の「人請」(奉公人の爲めの身元保證)においては有償的保證が稀ではなかつた。のみならず、少くとも江戸市中で行はれた人請は有償的保證乃至營業的保證がむしろ常態であつた。江戸には、奉公人の周旋と奉公人の請人になることとを營業とせる「人宿」なるものがあつた。この人宿が請人に立つ場合には、奉公人及び雇主の双方から周旋料を取るほかに、奉公人から身元保證料として「判錢」「判賃」などを徴するのが通例であつたといはれてゐる(金田「徳川時代に於ける雇傭法の研究」國家學會雜誌四一卷一四五六頁參照)。そして、幕府が寶永七年に江戸に人宿組合を創設してから後は、人請に立つことは人宿組合員の獨占的特權のやうになり、組合外のいはゆる「素人宿」が人請に立つことは制限的にしか認められなかつた(金田・前揭一四五三頁參照)。つまり、右の人宿組合創設以後、江戸では人請は人宿組合の爲す營業的・有償的身元保證が常態となるに至つたのである。

明治維新以後「人宿」は「雇人請宿」と呼ばれるやうになつた。この雇人請宿については各府縣に於て別々に取締規則を設けたがその初期の規則では請宿は雇人の身元保證人たる責任を當然に負擔すべきものと定めて居り(例へば明治八年東京府達第四九號第十三條)や丶後の規則においては請宿に對し身元保證を引受くべきことを命じてゐる(例へば明治十一年東京府甲第二號達)。か丶る規定は前代の人宿制度の遺風を繼承したものと見られるが、注目すべきは周旋に對する一定の報酬(「世話料」又は「手數料」)以外には如何なる名義による報酬も取るべからずとしてゐることである。身元保證料を收受するが如きは勿論禁止されたのであり(明治廿一年大阪府雇人口入營業取締規則第十五條は特に「……身元保證ニ關シテハ雇主又ハ雇人ヨリ金錢ヲ請求若クハ受領スベカラズ」と明定してゐる)、かくて、請宿のなす身元保證は前代の人宿の爲したる人請とは異り無償的な契約になつた。法令上は斯くの如く營業的身元保證は一應その影をひそめたのであるが、永年に亙る實際的慣行は容易にすたれなかつたので、明治廿四年の東京府雇人口入營業取締規則は、原則として雇人口入營業者が手數料以外の報酬を受くることを禁止しつ丶(十一條)他面に於て「金錢又は物品を受け雇人の身元保證を業とする者」に關する特則を設けるに至つた。江戸時代以來の傳統をもつ營業的身元保證が法令上復活したわけである。以上述べた江戸時代以來の人宿の傳統は今日に於ても尙一部の紹介營業に維持されてゐる。その最も代表的なものは所謂「寄子」(米搗、湯屋男、麵類職、杜氏、粉挽、妓夫、料理人、張物職、紺屋職の類)の紹介營業であらう。寄子紹介業者は原則として寄子の身元保證人となり、その不正行爲等による損害を賠償し、病氣の場合には寄子を引取るなどの責任を負擔することと「人宿」と同樣であるが、特に興味深く思はれるのは紹介業者が雇傭成立に際し受領する手數料以外に俗に「月並」又は「役錢」と稱する料金を毎月徵收する風習があることである。この料金は種々の意味を含むものであらうが、紹介業者が身元保證責任を負擔することに對する對價といふ意味は勿論含まれてゐるに相違ない(中央職業紹介事務局編「寄子」紹介業に關する調査」參照)。然りとすれば、これは正しく前代の人宿が營んだ營業的有償的身元保證がそのまゝ遺存したものと見るべきであらう。

第四　保證の情義性

保證人が保證を引受けるに至る動機はもとより多種多樣であるが、大別して、經濟的利害の打算にもとづく場合と然らざる場合とに分けることができる。前者は更にこれを分ければ、保證の引受に因り直接的にその對價報酬を取得することを目的とする場合(前段に述べた有償的保證の場合がそれである)と、間接的に何らかの經濟的利益を收めることを目的とする場合とに分たれる。

保證の引受に因り保證人が間接的に經濟的利益を收めることを目的とする場合における經濟的利益の內容及びその取得の過程はこれまた多種多樣であつて、こゝに網羅的に列擧することはもとよりできない。こゝにはたゞ判例に現れた事案の若干を例示するに止めよう。

（1）　商人がその取引先のためには保證を爲す場合（例へば、酒類販賣業を營むA會社が、同じく酒類販賣業を營むBに酒類を卸して小賣を爲さしめてゐる關係上、Bの資金融通を圓滑ならしめるため、Bの爲す手形取引の保證を引受けるが如き、（一）銀行が從來當座預金取引を繼續せる顧客のために信用狀發行依賴の保證を爲すが如き、（二）或は又、織物の賣買を業とするA會社がその仕入先なる織物製造業者Bのために加工用の生地仕入取引に關し保證を爲すが如き、（三）その例である）。この場合は、若しその保證に因つて被保證人たる取引先の營業狀態財產狀態の惡化を防ぎ又はこれを一層良好ならしめることができれば、保證人はその取引先に對する債權をより確實ならしめ若くは取引先との取引關係をより一層圓滑ならしめることができるわけだから、（四）結局において保證人自身も經濟的利益を得ることゝなる。商人が取引先のために保證を爲すのはこの點の打算にもとづく場合が大多數であらう。

（2）　營業の讓渡人が讓受人のために保證を爲す場合（例へば、BがAから運送取扱營業を讓たけ受關係上Aの承諾を得てひきつづきAの商號を以て自ら營業を爲し、AはBのC運送株式會社に對する取引を圓滑ならしめるためBC間の取引につきBのために保證を爲した、といふ場合の如き)。かゝる場合には、營業譲渡人が右の如き保證を引受くべきことを豫め約束することに依つて營業譲渡の取引自體を圓滑に成立せしめ得るといふ利益もあり、また、營業譲渡の代金が未拂の場合には保證を引受けることに因つて譲受人の營業狀態を良好に導き以て代金の回收を確實ならしめ得るといふ利益がある。單に好意的に保證を爲すことも勿論あるであらうが、右の如き經濟的利益を目指して保證を引受ける場合が多からうと思はれる。

（3） 營利法人の機關たる個人がその法人のために保證を爲す場合(例へば、A株式會社がB銀行との金融取引に因つて負擔すべき債務につきA會社の取締役・監査役等が保證を爲すが如き場(六)合)。かゝる保證は、會社の取締役等が會社に對する職責を忠實に果すためにと云ふ倫理的動機に出づる場合もあらうが、また、その保證に因つて會社の業績を良好ならしめ、ひいて自己のために經濟的利益を計る、といふ動機にもとづく場合も少くあるまい。(七) これに反し、非營利法人の機關たる個人がその法人のために保證を爲す場合（例へば、産業組合の理事がその産業組合の債務につき保證を爲すが如き(八)）には、經濟的利害の打算にもとづくよりも、むしろ、前述の如き倫理的動機に出づる場合が多かるべき筈である。

（４）　上述とは逆に、法人が、その機關たる個人のために保證を存す場合。この場合には、當該の代表機關が當該の法人を代表して自己個人のために保證を約することが少くない（例へば、合資會社の無限責任社員（九）や株式會社の取締役（一〇）が自己個人の債務のために會社を代表して保證を爲すが如き事例は屢々見る所である）。代表機關が法人を代表して自己個人のために保證を約するのは專ら自己の個人的利益を圖らんとする動機に出づることが多からうと思はれるのであるが、かゝる保證契約はそもそも當該の法人の目的の範圍内に屬するか否かゞ問題となる。代表機關が當該法人の目的の範圍内において適法に自己個人の債務につき保證を約するといふ場合は、その保證を爲すことが結局において法人の利益（特に經濟的利益）に資する場合でなければならぬ。即ち、この場合は、保證引受の動機は、保證人たる當該法人の經濟的利益に存するわけである。

（５）　商人がその企業上の被用者のために保證を爲す場合。この場合の中には、保證人對被保證人間の主從的關係にもとづく純然たる情義が保證引受の動機を成してゐる場合も少からず存すると思はれるが（次段（３）參照）しかし、その保證を爲すことが結局において當該企業の經濟的利益に歸すべきことを期待してこれを爲す場合も亦少くない。殊に營利法人がその被用者のために保證を為す場合は、前述（4）の場合と同じく、むしろ常に經濟的利益が動機となつてゐるべき理であり、若し、然らずしてその動機が純然たる情義の如きに存するときは、その保證が果して當該の營利法人の目的の範圍内に屬するや否やが問題となる。（一一）

註一　熊本地・大正一三・九・九・評論一四卷民法六六頁。

註二　東京控・昭和一二・一二・一〇・評論二七卷諸法四三一頁。

註三　大判・大正一五・三・二七・新聞二六〇三號一一頁。

註四　從來より既に一定の取引關係のある取引先のために保證を爲す場合のほかに、なほ、判例には、新に一定の取引關係を取結ばんがためにその將來の取引先のために保證を引受けた事例も見えてゐる。大判・昭和一二・一二・二〇・大審院判決全集五輯三號一四頁の事案の如きその一例である。本件の保證は、BがA會社と石炭に關する取引するに當り保證人を立てる必要があつたので、C・D及びEの三名が、Bのために保證を爲したのであるが、上告人の主張する所に依れば、Eは、その子Fをして右のBの取扱ふ石炭の陸揚及び運送を一手に引受ける契約をばBと取結ぶことを得せしめんがために右の保證を引受けたのである、と言ふ（本件については、なほ、次段註一〇參照）。

註五　大判・大正一四・五・三〇・評論一五卷民法八頁。

註六　大判・大正一四・一〇・二八・民集四卷六五六頁・同大正一五・四・一四・大審院判例拾遺（一）五七頁、同昭和六・一一・二四・新聞三三七六號一二頁、同昭和九・五・二五・民集一三卷八四二頁、同昭和一二・一一・二・大審院判決全集四輯二一號二五頁、等。なほ、大判・昭和一五・五・一八・法學一〇卷一一號八二頁では、會社の原料物品代金債務及び手形金債務につき會社の重役が保證を爲す。

註七　合資會社丸十貯三會といふ會社の經營する「積立會一（『其會員ニ一口一回金五圓宛ノ預金ヲ爲サシメ二十日目毎ニ抽籤又ハ入札ノ方法ニ依リ會員ニ金圓ヲ貸與シ六十六回ヲ以テ滿會ト爲ルヘキ會員組織ノ積立會』）において、その積立會の幹事が會員に對し『積立會ニ付キ生スヘキ損害ヲ補償スヘキ擔保契約ヲ締結』したといふ事案を取扱つた判例がある（東京控・大正四・一・二三・評論四卷民法一三三頁）。本件積立會は恐らく營業無盡であり、右の合資會社は無盡業を營む會社であつたと推測されるが、右の積立會幹事の爲した「擔保契約」は、これに依り無盡契約者の募集を容易にし從つて會社の無盡營業の成績を一層良好ならしめ、ひいて自己のための經濟的利益を計らむとする動機に出づるものと考へられる。なほ、本件は無盡業法施行前の事件である（無盡業法は大正四年法律第二四號を以て始めて制定された）。現行無盡業法第十一條には『無盡會社ガ會社財産ヲ以テ其ノ債務ヲ完濟スルコト能ハザルニ至リタルトキハ無盡契約ニ基ク會社ノ債務ニ付各取締役ハ連帶シテ其ノ辨償ノ責ニ任ズ』と定められ、無盡會社の取締役は、法律上當然に、無盡契約上の會社の債務につき保證債務類似の責任を負ふべきものとされてゐるから、無盡會社の取締役が本件の如き擔保契約乃至保證契約を締結する必要は全然存しない。

註八　大判・昭和一六・五・二三・民集二〇卷六三七頁、東京控・昭和一二・九・三〇・新聞四二一〇號五頁。なほ、大判・昭和一六・五・一七・法學一〇卷一一號九〇頁は、耕地整理組合が事業資金に窮したので組合役員即ち組合長組合副長其の他評議員全部同意の上、役員中豫て某銀行と取引關係を有しその信用を得てゐたA個人をして銀行から組合所要の金員を借出さしめ、更にAから右の金員を組合が借用し、B外七名の組合役員が各個人の資格において組合の右債務につき連帶保證を爲した、といふ事案であるが、右の組合役員の爲した保證の如きは、自己の經濟的利益の打算にもとづくよりはむしろ組合役員としての職責に忠實ならむとする倫理的動機にもとづくものと推測し得る。

註九　大判・昭和一二・六・三〇・民集一六卷一〇三七頁。この判決は『合資會社ノ無限責任社員ハ總社員ノ同意アルトキハ自己ノ債務ニ付會社ヲ代表シテ適法ニ保證契約ヲ締結シ得ルモノト解スルヲ相當トス』と説いてゐる。

註一〇　大判（刑）昭和九・一二・一〇・新報全集一輯一五號五一頁。

註一一　大判・昭和三・四・四・新聞二八六〇號一五頁は、A炭鑛合名會社の使用人たるB・C兩名が自己の計算において造船所に船舶建造を註文して所謂船舶の思惑をしたところ、その資金に窮したのでA合名會社名義の保證に依り十萬圓を借入れた、と云ふ事案であるが、上告人は、本件保證は保證人たるA合名會社が自己の經濟的利益を擁護せんがために爲したものであるとして、本件保證がA合名會社の能力の範圍内に在ると主張した。卽ち、曰く、『A炭鑛合名會社ノ如キ同族會社ニ於テ有力ナル使用人カ個人的思惑ノ資金ニ窮シ倒産ノ悲運ニ陷リタル場合ニハ合名會社自身ニ何等影響ナキコトヲ得ルヤ兩社員カ十萬圓ノ行キ詰リニ依リ倒産スレハ此ノ兩名カ社内ニ於テ活動スルコト能ハサルニ至ルハ勿論合名會社自身モ亦信用上相當ノ打撃ヲ蒙ムルコト當然ナリ斯ル場合ニ於テ區々ノ辯解ハ世間ニ通用セス世間或ハ合名會社ハ自己ノ損失ヲ回避センカ爲利ノアルトキハ會社ノ取引ナリト稱シ損失ノ生スルトキハ社員ノ行爲ナリトシテ逃避スルモノナリトノ風評ヲモ生スヘシ（中略）故ニ合名會社社長（D）カ之ヲ未然ニ禦ク爲窮迫ノ社員ニ財政援助ヲ與ヘタリトスレハ是必スシモ會社ノ業務遂行ノ爲無用ノ行爲ニアラサリシナリ』と。凡そ會社がその使用人のために爲す保證の中には、右の上告理由の主張するが如き意味において當該會社の事業の遂行に必要なる行爲と認め得るものも實際上稀ではないと思はれるが、本件においては、大審院は右の上告理由を排斥して、『會社使用人カ經濟上ノ打撃ニ因リ倒産ノ悲運ニ陷リタレハトテ常ニ延テ會社自身ノ信用ヲ害スルニ至ルモノトハ斷シ難シ原審カ本件保證行爲ハ社員ノ窮狀ヲ救フカ爲爲サレタルコトヲ認定シナカラ更ニ證據ニ依リ會社ノ目的タル行爲又ハ目的タル事業ノ遂行ニ必要ナル行爲ニモ屬セサル旨判示シタルハ敢テ實驗則ニ背戾スルモノトハ爲ス可カラス』と説いてゐる。

つぎに、保證の引受が經濟的利害の打算にもとづかない場合といふのは、保證人と被保證人との間の人倫的道義的關係（親子・夫婦・兄弟・伯甥その他の親族關係、主從關係、直接又は間接の友人知己關係等）にもとづく情義的動機を主要なる緣由とする場合である。判例に現れた事案にもこの種の動機に因つて保證契約が締結された事例が甚だ多い。左にその若干を擧示して保證締約の緣由に關する實情を窺ふことにしよう。

（1）親族關係にもとづく情義を緣由とする場合は就中多きを數へるが、例へば、Ａがその實弟Ｂの依賴に依りＢが某運送會社の指定運送取扱人として該會社に對して負擔すべき債務につき保證人たることを承諾した場合（一）、Ａがその女婿Ｂのために、ＢがＣとの清酒取引に因つて負擔すべき代金債務につき保證を爲した場合（二）、壻養子Ｂが家屋を賃借するにつき養親ＡがＢのために保證人と爲つた場合、Ｃが銀行から金錢を借用するに當りＣの養親Ｂが連帶債務者となると共にＣの從兄弟でＣがＢの養子となつた際Ｃの親元となつたＡが右のＢＣの連帶債務につき保證を爲した場合（四）、保險代理店主Ｂが代理店契約にもとづきＣ保險會社に對し負擔すべき債務につきＢの叔父Ａが保證を爲した場合（五）、等の如きその例證である（六）。

（2）友人知己關係にもとづく情義が緣由となつてゐる場合としては、例へば、ＡがＢと謠曲友達たる關係上Ｂから依賴されてＢのＣ保險會社に對する代理店契約上の債務につき保證を爲したといふ場合、（七）Aがその取引先なる關係上豫て知合であつたBから依頼を受けて借地契約の保證を爲したといふ場合、（八）B銀行の取締役たるAがD土地建物會社の取締役Cと『知合ナリシ關係上』Cの懇請を容れ、B銀行取締役の資格において銀行を代表しD會社の債務を保證したといふ場合、（九）等の如き事例を擧げることができる。

（3）　主從的關係にもとづく情義が縁由となつてゐる場合も往々見受けられる。例へば、BがAに對し石炭の販賣仲立並に賣買取引にもとづき負擔すべき債務につき、Bの使用人たるC及びその父Dが保證人となつたといふ場合、（一〇）C銀行がその營業所用の家屋を賃借するに當りBがその當時同銀行に勤務してゐた關係上その父Aをして銀行のために保證を引受けさせたと云ふ場合、（一一）工場主Aがその雇人Bのために家屋賃貸借の保證を爲したといふ場合、（一二）嘗て十八年間Bの先々代の店に奉公し獨立開業後もB家から『營業資金ノ融通ヲ受クル等少カラザル援助ヲ受ケ』たことのあるAが、その舊主家に當るB並にBの壻養子Cのために、B及びCがD銀行との間の當座貸越契約にもとづき負擔する債務につき保證を引受けたといふ場合、（一三）等の如きその例證である。

註一　大判・昭和九・二・七・大審院裁判例（八）一一頁。

註二　大判・昭和四・四・二七・新報一八五號一〇頁。

註三　大阪區・昭和三・四・一六・新聞二八三〇號七頁。この事件では、保證契約締結後保證人たる養親Aと主債務者たる壻養子Bとの間に不和を生じ離緣離婚するに至つたので、Aから賃貸人に對し賃貸借の解約申入をせられたき旨要求すると同時に、若しこの要求に應ぜざるときは法定の告知期間たる六ケ月滿了後は保證の責を負はざる旨通告してゐるが、Aが壻養子關係の解消と共にかゝる通告をしたといふことは、壻養子關係にもとづく情義が本件保證契約の重要な動機であつたことを示すものと云へる。

註四　東京民地・昭和一二・二・一八・新報四六七號一四頁。

註五　千葉地・昭和一五・一〇・一六・評論三〇卷民法二四九頁。但し、本件ではAがBのために保證契約を締結したといふ事實自體が爭はれてゐる。判決の認定せる所に依れば、Bは代理店契約を締結するに際し連帶保證人を立つべきことを要求されたので、叔父Aをして連帶保證人たらしめむと欲し弟CをAの許に遣はしたところ、その際Aは不在であつた。そこでCはAの妻Dに對し代理店契約書にAの印章の押捺を求めたのであるが、Dはこれを承諾しAの印章をCに交付して押捺方を依頼したので、Cは該契約書の連帶保證人の欄にAの氏名を記入して右の印章を押捺した上、これを持ち歸つてBに渡し、Bからこれを會社に提出した、會社の側では該契約書に押捺してあるAの印影がAの印鑑證明書と符合してゐるので右の印影はA自身に依つて押捺されたものと信じ該書面に表示されてあるAの連帶保證の意思表示を受諾し、かくて本件の連帶保證契約が成立したものとしてBをして代理店業務を爲さしめた、と云ふのが本件保證契約締結の經緯である。Aの側では、Dには甲を代理して本件の如き保證契約を爲すべき權限なく從つて本件保證契約は無效であると主張したが、判決は、Dが『日常甲ノ依頼ニ依リ其ノ印章ヲ保管シ其ノ營業ニ關シテハAノ代理人トシテ之ヲ使用シ諸般ノ行爲ヲ爲シ居リタル』事實を認定した上、『本人ヨリ其ノ印章ノ交付ヲ受ケ之ヲ使用シテ本人ノ爲ニ或ル法律行爲ヲ爲スコトヲ委託セラレタル者カ代理人タルコトヲ表示セスシテ本人自身ノ名ヲ以テ權限外ノ行爲ヲ爲シ其ノ相手方ニ於テモ本人自身事ニ當リタルモノト信シタル場合ニ於テ其相手方カ本人自身ノ行爲ナリト　ヘキ正當ノ理由アルトキハ本人ハ相手方ニ對シ其ノ責ニ任セサルヘカラサルモノニトス』と說き、本件の場合會社はBから連帶保證人としてBの叔父Aの氏名の記載及び捺印のある代理店契約書並に右の印影と符合する印鑑證明書の交付を受けたのだから『同會社ノ前記Dノ爲ノタル權限外ノ行爲ヲA自身ノ行爲ナリト信スヘキ正當ノ理由アリト認ムルヲ相當トス』と判示した。叔父が甥のために情義上保證を引受けるといふことは世上極めて普通の事例であるから、本件の如き事案においては、單に契約書の印影と印鑑證明書とが符合してゐるといふこと以外になほ保證人が被保證人の叔父であるといふことが、右に所謂『正當ノ理由』の存在を肯定するについての有力な根據を成すと言へよう。

註六　なほ、大判　昭和一六　九・一六　法學一一卷三號一一〇頁の事案は、永年米國に出稼中なりしAが一旦歸國した際、實兄Bに依頼し家屋を買受け、右家屋の家賃取立方をBに、又、右家屋の保管及納稅等一切の管理をCに委任した上再び渡米したところ、Bはその後Dから金圓を借用するに當り、擅にAの氏名を冒用し且豫てAには無斷で甲の實印として印鑑屆をして置いた自己所有の印章を使用して、Aを保證人とせる借用證書を作成しこれをDに差入れたと言ふのである。原判決は　右のBの爲したA名義の保證契約が家賃取立のみに限られたBの代理權を踰越することは勿論であるが　BがAの所謂實印を所持使用した以上、假令それが乙に於て擅に印鑑屆をしたものにもせよ、印鑑屆出の實情を知らないDとしてはBに右の保證を爲す代理權ありと信ずべき正當の理由を有するものと說示した。大審院はこれを破毀して、本件の如く表見代理人が現に爲した表見代理行爲と表見代理人の實際有する代理權との間の關連を缺くこと甚しき場合には所謂正當の理由の存在を肯定することは相當困難であり何らか他に特別の事情（本件の場合としては、例へば、Dが正當なる理由に依り本件の金圓借入はAの家屋の管理に關聯するものと誤り信じた、といふが如き事情）が存在することを要するのであつて、單にBがAの實印（但し實際は僞印）を所持してゐたといふ一事に依つて所謂正當の理由の存在を認めたのは不當である。といふ趣旨の判示をしてゐる。この判示は素より妥當であるが、弟が兄のために借金の保證をするといふことは極めて有り勝ちのことであり、また、その保證契約を締結するにつき必要な印章を豫め預けて置くといふことも兄弟の如き近親關係においては決しては稀ではないのだから、本件の場合民法一一〇條に所謂正當の理由が存するか否かを論定するについては、被保證人と保證人とが實兄實弟の關係に在るといふ事情も亦考慮に入れられるべきであらう。

註七　東京地・昭和九・一〇・二〇・評論二三卷商法六四九頁。

註八　東京地・昭和八・七・一〇・評論二二卷民法八九五頁——本件の事實は、被告（A）の主張する所に依れば『豫テ知合ナリシ訴外B、（訴外Cノ養父）ナル者被告（A）方ニ來タリ今般土地ヲ借リ入レタキニ付キ保證人トナリ呉レラレタキ旨申込マレ被告ハ同人ハ取引先ノ關係上誠實ナル人物ナルヲ知リ居ルヨリ同人ノ請ヲ容レ同人ノ爲メ借地ノ保證人トナル意思ノ下ニ同人ノ差出シタル借地證ニ被告ノ記名調印ヲ爲シ之ヲ同人ニ交付シタ』、ところが、その後Bは擅に右の借地證に其養子Cを借地人として記載してこれを賃貸人に差入れたのである、と云ふ。

註九　福岡地・大正一三・五・一三・評論一三卷商法三三九頁。本件の保證はB銀行がD會社のために保證人となつたのであるが、保證締約の主要な動機が上述の如く銀行取締役Aと會社取締役Cとの個人的な知己關係上の情義に存し、B銀行の經濟的利益を緣由とするものではなかつたので、右の保證が果してB銀行の權利能力の範圍内に屬するや否やが問題とされた。判決はこれを否定して曰く、『本件保證ハAカ前揭訴外會社取締役Cト知合ナリシ關係上同人ノ懇請ニ依リ單ニ保證ヲ爲シタルニ止リ其保證ノ當時及其前後ヲ通シテ同訴外會社ト原告銀行トノ間ニ何等ノ取引關係ナク且保證ヲ爲スコトニヨリ原告銀行ニ於テ何等ノ利益ヲモ享受シタルモノニアラサルコト明ナルカ故ニ他ニ格段ナル事情ナキ限リ本件保證ハ到底原告ノ目的タル事業ノ遂行ニ必要ナル行爲ナリト爲スニ足ラス』と。

註一〇　大判・昭和一二・一二・二〇・大審院判決全集五輯三號一四頁。本件の保證は、昭和四年十月二十一日に株式會社A

商店（上告人）と訴外Bとの間に（一）石炭をAより需要家へ直接賣買する取引につきBが仲介を爲しBはその手數料を受くる換りに石炭引渡後三ケ月を經過するも代金支拂なき分はBに於て辨濟するといふ契約と、（二）小口需要者に借給する石炭はBの計算及び危險において小口需要者に轉賣するためAより買受けBはその代金に相當する爲替手形を引受けて期日毎に相違なく支拂ふ契約とが締結され、被上告人C・D並に訴外Bの三名が、右二個の契約上の債務につきBのために連帶保證を爲したのである。保證人Cは、Bが昭和四年秋頃A會社との石炭取引を擴張するに際り『當時小學教師ノ職ヲ退キ家業タル農業ヲ手傳ヒ居リタル同控訴人（C）ヲ勸誘シ月給ヲ定メテ雇入レタ』者であり、保證人DはCの父であるといふ以外には直接にはBとは何らの關係もなかつた、と原判決は認定してゐるのであるが、上告人は、『被上告人（C）ハ原判決ノ云フ如ク昭和四年秋頃ニ初メテ訴外Bト相識リテ使用人ニ雇入レラレタル如キ左樣ニ淺薄ナル關係ニ非ズ同村同窓ノ親シキ竹馬ノ朋友ニシテ』Cが、師範學校卒業後大正十二、三年頃から網干町及び隣村の小學校に奉職し前後八年で退職し家に居つたので『大正十二、三年以來BハCト舊交ヲ溫メテ友誼的交涉ヲナシ居タル次第ニテ其父ナル被上告人Dトモ自然知遇アリタリ』と主張してゐる。なほ、本件保證引受の動機については、上告人は、保證人Eはその子FをしてBの取扱ふ石炭陸揚運送を一手に引受けしめて利得せんとする意圖に發し、また、Cは、前記の如き深き交誼關係あるBが、本件保證契約の如き內容の特別の保證「本件の保證は單純なる保證ではなくて所謂「請合契約」の意味を有する特別保證である、と上告人は主張してゐるのである」を立てなければとAの商取引を爲し得ないといふ事情を訴へて該保證に立つべきことを求めたところ、當時失業中なりCしはBが右取引を爲し得るに至ればBの店舗に職を得て俸給を收入することができると考へ、既に前記EがBのために本件保證を引受ける代りにその子FがBの取扱ふ石炭の陸揚及運搬を一手に引受ける契約を取結び得た例に倣つて、父Dと共に本件の保證を爲したのである、と主張してゐる。假に右の上告人の主張する所が事實であるとすれば、本件のC及びその父Dの爲した保證は、一面において、主債務者Bとの友人知己關係及び主從關係に胚胎する情義を動機とし、他面において、本件保證に因りC自身の就職の機會を得んとする經濟的利益の打算も亦動機の一半を成してゐる、と見るべきであらう。

註一一 東京控・大正一一・五・二〇・評論一一卷民法三二九頁。

註一二 大判・昭和一五・一・一三・大審院判決全集七輯五號二〇頁。

註一三 東京控・昭和一二・二七・新聞四二四五號一四頁。本件の保證は、保證人Aと主債務者B Cとの間に主從的關係があつたばかりでなく、債權者D銀行の取締役や支配人とも『互ニ緣故深ク懇親ノ間柄』であり、情義的動機にもとづく保證の典型的な事例である、と思はれるので、左に判決の認定せる本件保證締結の經緯を摘錄しておかう。

『控訴人〔保證人〕ハ十三歲ノ頃ヨリ約十八年間本件主債務者高橋久太郎ノ先々代高橋久太郎ノ店ニ奉公シ其ノ後東京ニ出テ獨立シテ金物商ヲ營ミ右開業以來久太郎家ヨリ營業資金ノ融通ヲ受クル等少ナカラザル援助ヲ受ケ本件主債務者タル當主久太郎方ハ控訴人ヨリ見レバ即チ舊主家ニ當リ又高橋準策〔主債務者の一人〕ハ當主久太郎ノ婿養子ナルトコロ控訴人モ亦從來久太郎一家ノ爲メ事業上相當援助シタルコトアリ大正十二年中當主久太郎ガ他ノ銀行ヨリ其ノ所有財產ノ差押ヘヲ受ケタル際控訴人ハ公債證書額面金二萬三千圓ノモノヲ久太郎ニ提供シテ右差押ヘヲ解放セシメ同人ノ急場ヲ救濟シタルコトアリテ其ノ後モ經濟上ノ援助ヲ爲シタルモ其ノ頃ヨリ久太郎ノ營業ハ振ハズ信用ハ薄弱トナリタリ又一方株式會社北越商業銀行ハ明治三十年頃控訴人ノ叔父渡邊幸平等ガ創立シ幸平ハ昭和二年迄取締役頭取ノ職ニ在任シ控訴人及右久太郎ハ同銀行ト取引關係アリタルヲ以テ叙上ノ如キ事情ヨリ控訴人久太郎準策及右銀行ノ取締役並支配人勝田幸作等ハ互ニ懇親ノ間柄ニテ緣故深キ關係ニ在リタリ然ルニ本件當座貸越契約ニ基キ既ニ貸付ヲ開始シタル後大正十五年二月頃控訴人ハ株式會社北越銀行ニ赴キタル際同銀行ノ支配人勝田幸作ヨリ本件當座貸越契約ニ因ル貸付金債權ニ付連帶保證人タルベキコトヲ求メラレタルトコロ控訴人ハ之ヲ承諾シタル上該契約書タル前記甲第一號證ニ署名捺印シ幸作ハ控訴人ノ委託ニ因リ其ノ後間モナク

控訴人ノ右署名ノ上部ニ連帶保證人ナル文字ヲ記入シタルモノナルコトヲ認定シ得ベシ』

現代の社會生活においては、身分法上の契約はしばらく措き、財産法上の契約はそのあらゆる種類を通じて經濟的利害の打算にもとづくものが大多數を占めること言を俟たない。保證契約に在つてもかゝる動機にもとづくものが實際上少からず存することはたやすく推測し得る所であり、殊に、商人の爲す保證はこの種の場合がむしろ通例であると云へるかも知れぬ。しかし、それにも拘らず我々は保證契約がこの動機緣由の點に關しても他のあらゆる財産法上の契約に比して特異の性格を帶びてゐることを看過し得ない。かの身元保證の如きはその動機における情義性の點においても典型的なるものであるが、その他の保證に在つても、我が國古來の傳統的實情に徵すれば、身元保證に比して程度の差こそあれ動機における情義的彩色を感得することができる。商人がその取引先のために保證を引受ける場合においてすら、經濟的利害の打算にもとづくよりはむしろ取引先として豫て知合であつたといふ關係上單なる情義にもとづいてこれを爲す場合が屢々あるのである。單なる情義にもとづいて他人のために保證を引受けるといふことは、これ或は我が國民の傳統的氣質の一つの現れであると云へるかも知れぬ。ともあれ、契約締結の動機において保證契約があらゆる財産法上の諸契約の中とりわけ情義的色彩に富むといふことは疑ふべくもないことと云へよう。かくて、我々はこの情義性も亦保證一般の特殊性に屬するものと爲すのである。

第五　保證債務の未必性

保證の中、繼續的保證に在つては後に述べるやうに抽象的な基本的保證債務より具體的保證債務が流出派生するのであるが多くの場合、果して實際に具體的保證債務が發生するか否か、また、その具體的保證債務が幾何の額に達するか不確定であり、その意味において繼續的保證債務は未必的不確定的な債務（Eventualschuld）である。これに反し、一時的保證に在つては、當初より具體的保證債務の發生及びその範圍が確定してゐるのが通例であるから、原則として上述の意味における未必的債務ではない。しかしながら、具體的保證債務と雖も保證人が現實に履行を餘儀なくせられるやうな事態に立ち到るか否かは必ずしも確定的でない。特に狹義の具體的保證債務（即ち、具體的主債務に附從する保證債務）に在つては、主債務者自身の履行に因つて債務が消滅するのが本則であるから、保證人が現實に履行を餘儀なくせられることは寧ろ例外の事例であるべき筈であり、この意味においては具體的保證債務も亦一種の未必的債務であると云へる。(一)

この保證債務の末必性を根據とせる立法例として注目すべきはスイス民法第五九一條の規定である。元來、スイス民法においては、一般に相續を拒絕（ausschlagen）し得る權利を有する相續人は、相續開始後一ヶ月以內に管轄官廳に對し公正財產目錄（öffentliches Inventar）の作成を請求し得るのであるが（五八〇條以下）、第五九一條に依ると、保證人の相續人がこの公正財產目錄の作成を請求し、且、その保證債務が公正財產目錄中に特別に記載されたときは、(二)たとひ相續人が相續を承認したとしても、(三)被相續人の負擔せる保證債務については相續人に對し必ずしもその全額を請求することを得ず、總債務が破產手續に依り相續財產から辨濟せられる場合を想定してその場合に當該の保證債務に配當せらるべき金額の限度においてのみ請求し得るにすぎないことゝなつてゐる。例へば、相續財產の中積極財產が一萬フラン、普通の債務が四千フラン、保證債務が一萬六千フランとすれば、債務合計二萬フランに對し積極財產はその五〇%しかないのだから、保證債務についてはその五〇%卽ち八千フランの限度において辨濟の責を負ふにすぎないのである。(四)かやうにスイス民法が特に保證債務について相續人の責任を輕減してゐるのは、一つには、スイス古法において十七世紀の末葉頃まで保證債務一代限の法則が行はれ今日においても國民の意識にはなほその觀念が殘つてゐることを顧慮したに因るものではあるが、(五)一つには又、保證債務が未必的債務なることを考慮したにも因る。保證債務も一の債務に相違ないけれども果して現實にこれを履行しなければならぬ事態に立到るか否かは未必的であり、從つて、相續財產が、上揭の例のやうに、保證債務をも包含せる債務合計額は積極財產を超えるけれども保證債務を除いた普通の債務だけならば積極財產以下であると云ふが如き場合には、相續人としては相續を承認すべきかこれを拒絕すべきか判斷に迷ふことになる。スイス民法は相續人をして成るべく相續を承認する決意を爲さしめようとする意圖の下に、保證債務については相續人の責任を特に輕減したのである。(六)(七)

註一 Tuor, Das schweizerische Zivilgesetzbuch S. 360 は、保證債務のこの特殊性を指摘して、Sie,, sind nicht sicher, unbedingt zu zahlende Schulden, sie sind nur Eventualschulden.'' と言つてゐる。

註二 財產目錄中に保證債務が特別に記載される (im Invenlar besonders aufgezeichnet) と云ふのは、保證債務のみを特別の欄に記載するが如き方法に依つてその他の一般債務と區別して記載されることを意味する (vgl. Escher, Komm. zum Schweiz. ZGB. III Das Erbrecht Bem. II 2 zu Art. 591.)。

註三 公正財產目錄が作成されたときは、相續人は、原則として一ケ月以內に、相續を拒絕するか、淸算手續 (amtliche Liquidation) を請求するか、財產目錄において相續を承認するか、それとも無留保に相續を承認するか、この四種のうち孰れかの意思表示を爲すことができる(若し何らの意思表示もしなかつたときは財產目錄において相續を承認したものと看做される)(五八七條・五八八條)。普通の債務については、財產目錄における相續の承認 (Annahme unter öffentlichem

Inventar）の場合は相續人は財産目錄に記載された債務に對しては相續財産並に自己の固有財産を以て無限責任を負はねばならぬが財産目錄に記載されざる債務に對してはその責任が制限されてゐる（債權者がその故意過失に因り届出を怠つた債權に對しては全然責任なく、債權者の故意過失に因らずして財産目錄に記載されなかつた債權に對しては相續人が相續財産から利益を受けた限度においてのみ責任を負ふ）（五八九條・五九〇條）に反し、無留保の承認（Vorbehaltlose Annahme）の場合は公正財産目錄が作成せられたると否とを問はず相續人はその承繼せる被相續人の債務につき無限責任を負はねばならぬ。ところが右の第五九一條は、財産目錄において相續を承認した場合たると無留保に相續を承認した場合たるとを區別してゐないから、苟も公正財産目錄が作成され且その中に保證債務が別記されてゐる以上は、相續人が無留保に相續を承認した場合においても保證債務については同條に依つて相續人の責任が制限されるのである（vgl. Escher, a. a. O. Bem. III zu Art. 591）。

註四 vgl. Tuor, Das schweiz. ZGB. S. 361.

註五 vgl. Escher, a. a. O. Bem. I zu Art. 591.

註六 vgl. Tuor, a. a. O. S. 360.

註七 なほ、右の第五九一條の規定が身元保證の如きいはゆる「將來債務の保證」（繼續的保證）において相續開始當時未だ具體的保證債務が發生してゐない場合にも適用せらるゝや否や疑問とされてゐるが、Escher は、公務員の保證 Amtsbürgschaft について同條の類推適用を認めるのが正義公平上至當である、と說いてゐる（a. a. O. Bem. II 1 zu Art. 591）。斯く解するにつき、彼が、この場合相續開始當時には固有の意義における保證債務は存しないけれども、將來において保證債務が發生する基因たる一の義務 Verpflichtung が存しこの義務が相續人に承繼せられる、といふことを理由としてゐるのは、注目すべきである。

保證債務の未必性と牽連するものとしてこゝに附言すべきは、保證の引受における輕卒性である。保證人は現實には自己が何等の負擔も負はないで濟むものと輕信し、輕卒に保證を引受けることが少くない。上述の如く、一時的保證の場合は、具體的保證債務の發生及びその範圍が確定してゐるのが通例であるけれども、保證人が現實に履行を餘儀なくせらるゝや否やは未必的であり、それだけ保證人はやゝもすれば自己の責任の重大さを十分に意識せずして輕率に保證を引受ける。繼續的保證に在つては具體的保證債務の發生自體が不確定なる場合があり、殊に身元保證の如きに在つては具體的保證債務は發生しないのが寧ろ通例であるから、責任の廣汎性は一時的保證に比してはるかに大であるに拘らず、保證人は往々たやすく樂觀して輕卒に保證を引受けるのである。ドイツ民法第七六六條(一)は、保證契約を以て一種の要式行爲と爲し、保證の意思は書面に依つてこれを表示するに非ざれば保證契約はその效力を生じないこととしてゐるのであるが(二)(三)、この方式規定は、主として、保證を引受けむとする者をしてその行爲の有つ意義を愼重に考慮せしめ以て早計輕卒なる保證の引受を防止せむとする目的に出づるものであると謂はれる(四)。保證引受の意思表示につき書面の方式を必要とする要式主義は既にプロイセン普通國法(五)の採用してゐたところであり、スイス債務法(六)やオーストリヤ普通民法(七)も亦この主義を採り入れてゐる。保證契約について書面方式を強制することが、輕率なる保證の引受を抑制するといふ目的のために實際上果してどれだけ役立つか素より疑問であるが、かゝる目的にもとづいて要式主義を採用せる立法例が存在することは、保證の引受が實際上やゝもすれば輕率に爲されるといふ事實を裏書するものと云へよう。

註一　この方式規定はドイツ民法第一草案にはなかつた。民法草案の第二委員會においてこれを設くべきことが提案されたが、否決せられ(次註參照)、その後帝國議會の委員會において始めてこれを採用することに決したのである。なほ、方式の瑕疵の補充に關する七六六條第二文の規定は議會の第二讀會において附加された(Protokolle II S. 461 ff.; Planck—Siber, Komm. II 2 Bem. 1 zu § 766.)。

註二　保證の意思表示が書面に依つて爲されなかつたときは保證契約は無效 nichtig である(獨民一二五條第一文參照)。但し、保證人が主債務を履行したときは、その限度において、方式の瑕疵が補完される(七六六條第二文)。これ蓋し、書面方式の强制は主として早計に保證の引受を爲した輕卒な保證人を保護することを目的とするものであるが、保證人が自發的に履行を爲した以上右の保護を加へる理由はもはや存しないからである(vgl. Planck—Siber, Komm. II 2 Bem. 1 zu § 766)。

なほ、本條は、保證が保證人にとつて商行爲なるときは適用されない。(獨商三五〇條)但し、保證人が小商人(Minderkaufleute. 獨商四條參照)なるときは右の特則の適用なく從つて本條の方式規定が適用される(獨商三五一條)。

註三　本條の書面方式につき注意すべき點をあげれば、保證人の保證意思の表示(Bürgschaftserklärung)のみが書面に依つて爲されることを要するのであつて、債權者の意思表示は書面を必要としない。保證契約の要素たる債權者・被擔保債權及び保證意思(Verbürgungswille)は該書面上に表示されてゐなければならぬが、書面上の記載が多少明瞭を缺く場合においてもその意義を書面外の諸般の事情に依つて明瞭ならしめることが出來れば差支ない。例へば、債權者の表示もその氏名を記載することは必ずしも必要でなく『何某に對し商品の信用取引を開始すべき商人』といふ風に書面記載の事項によつて債權者を特定し得れば十分であり、また、被擔保債權についても『何某に對して何某が有する總ての債權』といふが如き記載で足りる。當該の書面に保證意思が表示されてゐる限り他の書面を援用することも亦差支ない。債權證書に債務者と共に連署しただけでも、若しそれが諸般の事情に因り保證引受の意味において連署せるものと認められる限り、書面に依る保證たるを妨げない、と解されてゐる (Enneccerus, Lehrb. I 2 (1927) § 411 Anm. 8)。

註四 vgl. Motive Bd. II S. 660; Dernburg, Das bürgerl. Recht II 2 § 285 III; Planck—Siber, Komm. II 2 Bem. 1 zu § 766.

なほ、同條の立法趣旨及びその當否については、前記民法草案第二委員會における贊否の意見が大に參考に値すると思はれるのでこゝにその概要を摘記しておく。書面の方式を必要とする論者は、(一)現今の法律生活においては保證の意思表示を書面に依つて爲すことは普通常態のことだから法律上書面の方式を要することゝしても特に煩項を加へるわけではない、(二)書面の方式を要することゝすれば、少くとも幾分かは、輕卒なる保證の引受を抑制することができる、蓋し、書面方式は、保證を引受けむとする者、殊に法律に通ぜず且經濟上劣弱なる者をしてその義務の範圍が那邊に及ぶかを覺知せしめ、單に口頭で意思表示する場合よりも保證の引受につき一層愼重ならしめるのに役立つからである、(三)表意者が果して眞に法律行爲的意思を以て保證すると言つたのかそれとも何ら法律上の拘束を受ける意思なく單にお座なりの言葉 (Redensart) を用ひたにすぎないのか紛らはしいことがあり、この紛らはしさが屢々訴訟をひきおこす原因となつてゐるが、書面方式は右の如き紛らはしさを除去することができる、(四)保證は原則として慈惠の行爲 (Akt der Liberalität) であり、少くとも民事的取引においては有償的保證は例外であり、この點で保證と贈與とは相似する、この相似は、保證も贈與における同様の方式强制に服すべきものであることを示唆する、（五）なほ、民法草案が無因的債務約束（abstraktes Schuldversprechen）について書面方式を規定した理由は保證についても當てはまるであらう、といふ趣旨の主張をしたのに對し、委員會は大體次の如き理由に依つて書面方式の提案を否決したのである。曰く（一）書面方式の强制は一般的には大して煩瑣を加へることにならないかも知れぬが、例へば家畜の取引の如く市場において敏速に行はれるを通例とする取引に在つては書面方式は餘計な重荷と感ぜられるであらう、（二）賛成論者は書面方式から期待される利益を過重評價してゐる、實際上保證契約が書面に依つて行はれてゐる方面においても保證の引受が輕卒に行はれるといふことを屢々耳にするのである、（三）プロシヤの裁判實務の經驗に依れば、書面方式は紛爭を減じないのみならず、他面において、保證の意思表示の內容について屢々疑問を惹起せしめてゐる、（四）保證は、その果すべき役割より見れば、成るべく一切の方式强制を避くべき取引行爲（Verkehrsgeschäft）の範疇に屬する、（五）保證と贈與とは對比せらるべきものではない、蓋し、保證人が債權者に對して負擔する義務は單なる好意的なるもの（Gefälligkeit）ではなく、また、保證人と主債務者との間の關係はこれを問題にすべきではないからである、（六）同樣に保證と債務約束とを對比することも亦失當である、蓋し、後者に在つては債務證書は一切の原因（causa）からの遮斷を明確にするといふ意義を有するに反し、保證人の債務は主債務者の債務によつて制約されてゐるからである、（七）なほ、若し信用委任（Kreditauftrag）につき方式を必要とするならば、委任についても方式自由を認めたこと丶矛盾するであらう、と（Protokolle II S. 462 ff.）。

註五　ALR. I. Teil 114. Titel § 203. 本條に依れば、保證の意思表示は、その對象の如何を問はず、書面に依り又は裁判上の調書において（schriftlich, order zum gerichtlichen Protokoll）これを爲すことを要するものと定められてゐた。

註六　スイス債務法第四九三條は、保證契約の方式上の要件として、保證人の書面に依る意思表示、及び、その責任の一定額の表示を必要としてゐる。即ち、單に保證意思の表示が書面に依つて爲されただけではなほ足らず、その保證書（Bürgsch ein) に一定の責任額が記載されてゐることを要するのである、(vgl. Fick, Das Schweizerische Obligationenrecht, 1911, Bem. 54 zu Art. 493)。この責任額の記載を要件としたのは、將來且不特定の債務につき保證を爲す場合を顧慮せるに因るものである (vgl. Guhl, Das schweizerische Obgligationenrecht, S. 236) 而して、右にいはゆる『一定額』,,ein bestimmter Betrag,, の表示は、保證書に數字を以て記載することを要するといふのが立案者の意見であつたが (Fick, a. a. O, Bem.46)、判例はこの要件をやゝ緩和して、保證書に保證責任の最高額を數字を以て記載することは必ずしも必要でなく、保證人が保證契約締結の當時において保證書若くは債權證書記載の事項から或は論理的考慮に依り或は單純な計算に依つて直ちに且正確に自己の責任の最高額を確定することができさへすれば十分であると、解してゐる (Guhl, a. a. O.)。

註七　オーストリヤ普通民法では當初保證契約は不要式行爲であつたが (vgl.-Krasnopolski-Kafka, Österreichiches Abligationenrecht (1910) S. 234 Anm. 10. 11)、一九一六年三月一九日附の第三次改正法律第九七條(一九一七年一月一日より施行) に依り、保證人の意思表示は書面に依つてこれを爲すことを要する旨の規定が新に設けられた(一三四六條第二項)。なほ、右の第三次改正法律については、Bovenstiepen, Die dritte Teilnovelle zum österreichischen ABGB. vom 19. März 1916, Gruchots Beiträge 61. Jg. S. 242 ff. 參照。

第二節　繼續的保證の概念

(一)　こゝに繼續的保證といふのは、一時的保證に對する觀念であつて、保證契約が繼續的債權契約たる性格を有する場合を指す。この場合、保證人は、保證契約成立後その終了に至るまで、終始、繼續的に、抽象的基本的保證責任を負擔し、契約所定の一定の事由の發生する毎に、右の基本的保證責任から湧出派生する支分債務としての具體的保證債務を負擔する。一時的保證に在つては、かゝる抽象的基本的保證責任とその支分債務たる具體的保證債務とを區別する餘地なく、保證人は、當初より、一回的給付に依つて履行せられ得べき具體的保證債務を負擔するにすぎない。約言すれば、繼續的保證はいはゆる「繼續的債權關係」(dauernde Schuldverhältnisse)の特質を具ふるに反し、一時的保證はいはゆる「一時的債權關係」(vorübergehende Schuldverhältnisse) の特質を有するのである。

繼續的保證及び一時的保證の語はこゝに始めて用ひた言葉である。從來われわれの耳には、「將來債務の保證」(Bürgschaft für künftige Verbindlichkeiten)、及び「既存債務の保證」(Bürgschaft für eine bestehende Verbindlichkeit) の語が熟してゐるのであるが、こゝに謂ふ繼續的保證及び一時的保證はこれとは異る觀念である。

(1) 繼續的保證・一時的保證の觀念は、廣義の保證一般についての分類である。將來債務の保證・既存債務の保證の觀念は、その語義より見るも、一定の主債務に附從するところの狹義の保證の範疇を出でないものであつて、廣義の保證一般を類別するには適しない。將來債務保證のなる觀念は我が民法の規定には全然現れてゐないのであるが、(一)ドイツ民法・スイス債務法等はこれに關する規定を特に設けてゐる。即ち、ドイツ民法第七六五條は、先づその第一項において Bürgschaft の概念を規定して『保證契約ニ因リ保證人ハ第三者ノ債權者ニ對シ其ノ第三者ノ債務ノ履行ヲ擔保スル責ニ任ス』,,Durch den Bürgschaftsvertrag verpflichtet sich der Bürge gegenüber dem Gläubiger eines Dritten, für die Erfüllung der Verbindlichkeit des Dritten einzustehen." と規定し、以て同法にいはゆる「保證」は附從的保證のみを指すことを明確ならしむると共に、その第二項において『保證ハ將來債務又ハ條件附債務ニ付テモ亦コレヲ引受クルコトヲ得』,,Die Bürgschaft kann auch für eine künftige oder eine bedingte Verbindlichkeit übernommen werden." と規定してゐる。狹義の保證は主債務に對する附從性を以てその本質的屬性とするものであるから、保證の概念を狹義の保證に限局するかぎり、保證契約の當時には未だ主債務の存在せざる將來債務の保證については附從性の點より見てその可能が問題となる理である。ドイツ民法が特に右の第二項の規定を置いたのは、第一項の規定のみよりすれば、『既存の確定債務』,,eine bereits bestehende, bestimmte Verbindlichkeit" のみが保證の對象たり得るかの如く解せられる虞れがあることを慮り、かゝる誤解を防がむがためであつた。[三] スイス債務法も第四九四條第一項において『凡テ保證ハ法律上有效に存在スル主債務ヲ前提トス』,,Jede

Bürgschaft setzt eine zu Recht bestehende Hauptschuld voraus.“ と規定すると共に、その第二項において『主債務ガ有效ニ成立スベキ場合ニハ保證ハ將來債務又ハ條件附債務ニツイテモ之ヲ爲スコトヲ得』,,Für den Fall, dass die Hauptschuld wirksam werde, kann die Bürgschaft auch für eine künftige oder bedingte Schuld eingegangen werden.“ と規定してゐるが、これ亦ドイツ民法と同樣の趣旨にもとづくものである。斯くの如く、ドイツ民法やスイス債務法の規定に現れてゐる「將來債務の保證」は附從的保證の一種にはかならぬのであつて、かの身元保證の如きも亦「將來債務の保證」に屬し從つて又附從的保證に屬するものとして取扱はれてゐる。（三）殊に、スイス債務法の如きは附從的保證に關する規定の中に公務員のための身元保證（Amtsbürgschaft）及び被用者のための身元保證（Dienstbürgschaft）についての特別の規定（五〇四條 五〇九條）をも置いてゐる。これ、同法が、かゝる身元保證を目して、『一定の公務關係（Amtsverhältnis）又は雇傭關係（Dienstverhältnis）が存續する間に當該の公務員又は被用者の義務違反に因りて生ずべき損害賠償債務についての保證』と爲し、（四）從つて、一定の主債務（卽ち被保證人たる公務員又は被用者の負擔することあるべき損害賠償債務）に附從するところの純然たる狹義の保證にほかならぬものと解したが故である。然るに身元保證の中には保證人が主債務の有無とは無關係に獨立的債務を負擔する場合があること、及び、かゝる場合をも我々の社會的通念はひとしくこれを身元保證の名を以て呼んでゐること、素より顯著なる事實である。身元保證以外の保證についても多かれ少かれ同じことがあてはまる。かゝる狹義の保證に屬せざる保證をも包括するためには、從來我々の耳に熟してゐる「將來債務の保證」なる名辭を用ひることは不適當である。

註一　舊民法には『何人ニテモ將來ノ債務ヲ保證スルコトヲ得又債權者又ハ債務者ノ方ニ於テ隨意ノ條件ニ繫ル債務ヲモ保證スルコトヲ得但保證人ニ於テ其債務ノ性質及ヒ廣狹ヲ査定スルコトヲ得ルトキニ限ル』といふ規定があつた（債權擔保編第一〇條）。現行民法にかゝる規定を設けなかつた理由につき民法修正案理由書（第四四八條）は『第十條ノ如キ條文ハ他國ニ其例ナキニアラサルモ敢テ明文ヲ要セサルコトト認メ質權ノ場合ニ於テモ掲ケサリシ如ク玆ニモ亦之ヲ掲ケス』と云ふ。

註二　Motive II S. 659.

註三　Motive a. a. O. は、將來債務の保證の例として、信用保證 Kreditbürgschaft と、公務員關係及び雇傭關係における身元保證 Personalkaution in Amts-und Dienstverhältnisse を擧示してゐる。なほ Gierke, DPR. III S. 775 zu Anm. 38; Goldmann—Lilienthal, BGB I. S. 823 Anm. 4; Planck—Siber, Komm. II 3 Bem 10 zu § 765; Krasnopolski—Kafka, Österr. Obligationenrecht S. 230; Guhl, Das schweiz. Obligationenrecht S. 235 參照。

註四　vgl. Fick, as schweiz. Obligationenrecht Bem. 3 zu Art. 504.

（２）　將來債務の保證なる觀念は、保證の對象たる主債務が將來發生すべき場合の凡てを包括し、その主債務がいはゆる繼續的債權關係に屬するや將又一時的債權關係に屬するやを區別しない。學者は、將來債務の保證とは例へば信用保證 Kreditbürgschaft の如きを指す、と爲し、主として繼續的債權關係についての保證に着眼してゐる(一)のであるが、一時的債權關係についての保證と雖も苟もその主債務が將來發生すべきものである以上は、これ亦將來債務の保證たるを失はぬこと勿論である。例へば、一定金額の金錢貸借の如きは一時的債權關係を成立せしめるにすぎないと見るべきであるが、保證契約が成立せる後にその保證の對象たる消費貸借上の債務が發生する場合は、その保證は將來債務の保證にほかならぬ。そして、このことは、消費貸借の合意及び金錢の授受が共に保證契約の成立後に爲される場合(二)のみならず、消費貸借の合意は保證契約と同時に爲され金錢の授受のみがその後に爲されるといふ場合にもあてはまるのである。乙が丙の保證に依り甲から一定額の金圓を借受けようとする場合に、乙が丙に對し保證人たるべきことを依頼し、丙がこれを承諾して借用證書に保證人として署名捺印の上これを乙に交付し、乙から更にこれを甲に差入れるといふ仕方で丙から甲への保證契約の申込が爲され、甲がその申込を承諾することに依つて保證契約が成立した後、始めて貸主甲から借主乙へ金錢が交付される、といふ事例は、日常極めて普通のことであるが、我が民法上消費貸借上の債務は目的物の授受があつて始めて發生するのだから五八七條、苟も保證契約の成立がいさゝかでも金錢の授受に先立つてゐる以上は、その保證は將來債務の保證にほかならぬと云はざるを得ない。これに反し、こゝにいはゆる繼續的保證は、右の如く保證債務が一時的債權關係にすぎざる場合を包含しないのである。

註一　Oertmann, Komm. II 2 Bem. 3 b zu § 765; Planck—Siber, Komm. II 2 Bem. 10 zu § 765; Goldmann—Lilienthal, BGB. I S. 823 Anm. 4; Krasnopolski— Kafka, Österr. Obligationenrecht S. 236; Guhl, Das schweiz. Obligationenrecht S. 235.

註二　例へば、大判・昭和一二・二・二七・法學六卷七號の事案の如き其の一例である。本件の事實については大審院は原審の爲した認定を不當として『原審ハ乙第一號證ノ申込證ハ法律ニ所謂申込ヲ記載シタルモノニ非ズシテ單ニ契約締結ノ誘引ニ過ギザル旨認定シタルト雖同證ハ其記載ニ依レバ少クトモ保證人トシテ之ニ署名捺印シタル被上告人ヨリ上告銀行ニ對スル關係ニ於テハ申込金額三十圓〔三千圓の誤植か〕ヲ超エズ償還方法五ケ年半年賦ヨリ債務者ノ爲不利ナラザル方法ニテ同銀行ト高波吉太郎トノ間ニ成立スルコトアルベキ消費貸借ニ付テハ被上告人ニ於テ之ニ因ル同銀行ノ債權ヲ保證スル旨ノ申込ヲ記載シタルモノト解スルヲ相當トシ』云々と判示してゐる。本件の「申込證」が右の如き趣旨のものとすれば上告銀行がこの申込を承諾することに依り、こゝに、將來同銀行と主債務者高波との間に締結せらるゝことあるべき消費貸借についての「將來債務の保證」が成立するわけである。而して、一時的保證の性質を有する將來債務の保證の中でも、右の事案の如く、消費貸借の合意並びに金錢の授受が共に保證契約締結後に爲され　場合は、單に金錢の授受のみが後に爲される場合に比し、保證債務の未必性不確定性の程度において差異があることを注意すべきである。

（3） 一個の保證契約において、被保證人が一定の繼續的契約乃至繼續的取引關係にもとづき債權者に對し既に負擔せる債務と將來負擔すべき債務とを併せて保證することも實際上稀ではない。判例に現れてゐる事案にも、この種の事例（例へば、當座貸越・手形割引等の金融取引契約にもとづき現實に取引が開始せられ具體的主債務が既に發生せる後に該契約上の既存及び將來の債務につき保證を引受けるが如き(一)、被用者が既に不正行爲を爲し具體的に損害が發生せる後にその被用者の既存及び將來の損害賠償義務につき保證を存すが如き(二)）が往々見出される(三)。繼續的保證の觀念は右の如き場合をも當然包含し得るに反し、將來債務の保證・既存債務の保證の觀念よりすればそのいづれに屬するとも謂ひ難く、兩者の混合型態と見る外はないであらう。

註一 （1） 東京控・大正一二・三・一五・評論一二卷民法五六三頁。判決の認定した事實は次の如くである。

『訴外谷川七郎カ明治四十二年九月以來訴外株式會社興業貯蓄銀行芝支店ト無擔保ニテ當座預金貸越契約ヲ爲シ來リ大正八年四月ニ至リ貸越ヲ受ケタル金額巨額ニ上リシ爲メ支店長北村友吉ヨリ擔保ヲ要求セラレ現金ヲテ一部ノ辨濟ヲ爲シ殘額二千圓ノ債務ニ付キ控訴人カ連帶保證ヲ爲スコトトナリ爰ニ同月十九日乙第三號證ノ當座預金貸越契約書ノ作成セラレタルコト明カニシテ乙第三號證ノ形式ヨリスレハ該證ノ日附以後新タニ谷川七次郎ト右銀行トノ間ニ取引カ開始サレタル場合ニ發生スル債務ニ付テノミ控訴人カ連帶保證ヲ約シタルカ如キ觀アレトモ其實右ノ如ク既存ノ債務ニ付キ控訴人カ連帶保證人タルコトヲ約シ尙訴外谷川七次郎ニ於テ一旦二千圓ヲ辨濟スルモ乙第三號證ノ契約存續中ナラハ銀行ハ二千圓迄貸越ヲ爲スヘク此場合ニ於テ控訴人ハ同シク連帶保證ノ責ヲ負フヘキコトヲ約シタルモノト認ムルヲ相當トス』

（2） 東京控・昭和一二・一二・二七・新聞四二四五號一四頁の事案も亦その一例である。判決の認定せる所に依れば、本件の保證契約は『本件當座貸越契約ニ基キ貸付ヲ開始シタル後大正十五年二月頃控訴人ハ株式會社北越銀行ニ赴キタル際同銀行ノ支配人勝田幸作ヨリ本件當座貸越契約ニ因ル貸付金債權ニ付連帶保證人タルヘキコトヲ求メラレタルトコロ控訴人ハ之ヲ承諾シタル上該契約書タル前記甲第一號證ニ署名捺印シ幸作ハ控訴人ノ委託ニ因リ其ノ後間モナク控訴人ノ右署名ノ上部ニ連帶保證人ナル文字ヲ記入シタルモノ』であると云ふ。

（3） 千葉地・大正一二・一・三〇・評論一二卷民法九九頁。判決に曰く、

『甲第十四號證ニ依レハ被告（中略）カ原告ニ對シ同人ニ對スル被告會社ノ手形債務ニ付互ニ連帶シテ保證ノ責ニ任ス可キ旨ノ契約ヲ爲シタルコト洵ニ明瞭ナリ尤モ同號證ニハ云々貴行ヨリ手形貸付ヲ受ケ若クハ荷爲替手形ノ取組ヲ受ケタル支拂債務ニ付拙者共連帶シテ支拂ノ責ニ任スヘキコトヲ保證致シ云々ノ文詞アリテ一見同號證作成當時即チ大正八年一月十四日ニ於テ既ニ被告會社ノ原告ニ對シテ負擔シ居リタル手形債務ニ付テノミ保證ノ責ニ任ス可キコトヲ契約シタルニ過キスシテ將來ノ取引ヨリ生スヘキ手形債務ニ付テマテモ保證ヲ爲シタルニアラサルヤノ疑ナキニアラスト雖モ該荷爲替手形ノ取組ヲ受ケタルテフ文詞アルノ一事ハ以テ直ニ右被告等カ被告會社ノ原告ニ對スル過去ノ取引ヨリ生シタル手形債務ニ付テノミ保證ヲ爲シタルモノニシテ將來ノ取引ヨリ生シタル手形債務ニ及ハサルモノト認ムルニ由ナキノミナラス（中略）證言ニ依レハ該保證契約ハ常ニ該契約當時ニ於ケル既往ノ會社債務ニ付保證ノ責ニ任スルコトヲ約シタルニ止マラス尙將來生スヘキ被告會社ノ原告ニ對スル手形債務ニ付テモ保證ノ責ニ任ス可キ趣旨ナリシモノト認ムルヲ妥當トス』

（4） 通常の消費貸借上の貸付金債權が存する場合に新に當座貸越契約を締結し既存の貸付金を貸越金の中に組入れると共に、該契約上の債務につき保證人を立てる、といふ事例も實際上屢々あると思はれる。判例に現れた事案としては、山形地・昭和一六・六・二〇・新聞四七三〇號九頁の如きその一例である（但し、本件では保證人はなく、當座貸越契約と同時

に不動産上に根抵當を設定してゐる。なほ、本件については、吉川・日本公證人協會雜誌三一號四五頁以下、參照)。

註二　(1) 大判・昭和四・三・二三・新聞二九八四號一五頁。本件の身元本人Aは大正十年三月三日から大正十四年三月三十一日までB商店に店員として雇はれ、Cは大正十二年二、三月頃にAのために身元保證をしたのであるが、それより以前に既にAは不正行爲を爲し具體的に損害賠償債務を負擔してゐた。Cは、本件身元保證契約の趣旨はその締結以後に發生すべき債務につき保證したにすぎないと抗爭したが、原判決はこれを排して『其ノ在勤中ノ一切ノ債務ニ付責ヲ負フノ約旨』であると認定し、大審院も亦この認定を是認して、『既ニ店員トシテ雇ハレ中ノ者ノ爲ニ店主ニ對シ身元保證ヲ約スル場合ニ於テモ或ハ當該契約締結以後右店員カ店主ニ對シテ負擔スヘキ債務ノミニ付保證債務ヲ負擔スル趣旨ナルコトアルヘク或ハ又當該契約締結ニ至ル迄ノ間ニ既ニ店主ニ對シテ負擔シ居レル債務ト如上將來生スヘキ債務トヲ併セテ之ニ付保證債務ヲ負擔スル趣旨ナルコトアルヘクシテ常ニ如上將來ノ債務ニ限リテ之ヲ保證スル趣旨ナリト解スルノ外ナシト云フ法理モ亦實驗則モ俱ニ在ルコト無シ而シテ原審ハ甲第一號證ノ記載ヲ解釋シテ前敍後段ノ場合ニ該當スル趣旨ナリト爲シタルモノニ係リ斯カル解釋モ亦爲シ得ヘキ範圍ニ屬スルヲ以テ原判決ニハ何等違法ノ點アルヲ見ス』ト說示した。

(2) 大判・昭和一一・六・九・民集一五卷一三二八頁。本件の身元本人Aは大正十四年一月二十日にB（無盡會社）に雇はれ、C・D兩名は昭和五年十月二十八日にAのために身元保證をしたのであるが、原判決の認定せる所に依れば、その契約は、『(A)ニ關シ將來(B)ノ被ルコトアルヘキ損害ハ勿論、先之(B)ガ右(A)ヲ雇傭シタル大正十四年十一月二十日以降ニ於テ被リタル損害アルトキハ該損害ヲモ(A)本人及(C・D)兩名ノ保證人ニ於テ各自連帶シテ賠償スベキ』約旨であつた、と云ふ。

註三　ドイツの判例にも、例へば、A銀行が主債務者Bに對して有する凡ての債權につき、既に發生せるものたると將來發生すべきものたるとを問はず、保證を爲す旨の契約をした事例がある（RG. v. 8. Nov. 1912, Warneyer Rechtssprechung,

1912, Nr. 209

狹義の保證を將來債務の保證と既存債務の保證の二種に分つて考察することは決して意義少きことではない。さきにも一言したやうに、主債務に對する附從性が狹義の保證の本質的屬性とせらるゝ限り、將來債務の保證については、その可能を認めることゝ「主たる債務なくんば保證債務も亦成立せず」といふ法則との間に、一見、矛盾が存するかの如き觀を呈するのであり、從つて、この矛盾を架橋すべき法律的構成が必要とせられるに反し、既存債務の保證に在つてはかゝる問題は伏在しない。單にこの點だけから見ても將來債務の保證と既存債務の保證とを區別して考察すべき必要が存するのである。

しかし、この際、注目すべきは、從來學者が將來債務の保證について云爲する場合には、既に指摘したやうに、一定の繼續的契約關係乃至繼續的取引關係にもとづいて將來發生すべき債務の保證を主として眼中に置いてゐることである。將來債務の保證について特に重要な意義を有する問題として論ぜらるゝ所も、右の如き繼續的債權關係についての保證において、就中、その保證が無期無限の保證なる場合において、保證人の責任が我々の正常なる法律感情より見て往々苛酷と感ぜられることであり、また、この苛酷なる責任を如何にして妥當に制限すべきかの方途についてゞあつた。然るに、右の如き繼續的債權關係についての將來債務の保證なるものは、既に述べた所に依つて明かなやうに、こゝにいはゆる繼續的保證に屬する一つの場合たるにすぎないのであり、しかも、從來學者が將來債務の保證に特有なる問題として指摘した所はいはゆる「將來債務の保證」のみに特有なる問題ではない。附從的保證たると、獨立的保證たるとを問はず、また、將來の債務若くは將來の事故についてのみ保證を爲す場合たると既存の債務若くは既存の事故についても併せて保證の責に任ずる場合たるとを問はず、繼續的保證は繼續的保證としての共通的特殊性を具有する。この繼續的保證一般の特殊性に胚胎する問題こそ、取りも直さず、從來學者に依つていはゆる將來債務の保證につき特に重要な意義を有するものとして論ぜられた問題なのである。而して、ひとしく將來債務の保證に屬する保證の中、一時的債權關係を對象とする保證に在つては右に述ぶるが如き問題につき考慮を拂ふ必要は殆ど存しないのである。我々が、將來債務の保證・既存債務の保證の區別とは全く異る觀點から繼續的保證・一時的保證の區別を樹立し、この區別に重要な意義を認めんとする所以はこゝに存する。

（二） さて、我々は、上述において、繼續的保證・一時的保證の概念を規定して、前者は、保證が繼續的債權關係の特質を具ふる場合であり、後者は、保證が一時的債權關係の特質を具ふる場合である、とした。この概念規定については、恐らく、種々の點から論議すべき餘地が少くあるまいと考へられる。以下、これについて今少し立入つて考察しよう。

（1） 先づ問題となるのは、繼續的債權關係・一時的債權關係の觀念である。債權關係をこの二種に分類することはそもそも可能であるか、いかなる徵標を基準として兩者を分つのであるか。債權關係を右の二種に分類することについて始めて深き研究を遂げたのはギールケである。彼はこの研究を發表せる論文(一)の結語において曰く(二)『繼續的債務關係が今日の債權法學の體系において當然與へられるべき筈の特殊の地位を何故に占めてゐないのであるかと問ふならば、我々はその理由をロマニステイツシユな因襲に求めざるを得ない』と。そして又曰く、『我々が現行法において繼續的債務關係の法的特質たるものとして認めたものは、すべてことごとくゲルマン法に源流を發してゐる』と。まことに彼のこの研究は、ローマ法にとつては多く知らるゝ所なかりし繼續的債權關係の特質を集大成しこれを體系的に整序することに因つて『債權法の全構造に新しき光を導き入れたもの(三)』と云ふべきである。ギールケの樹立せる繼續的債權關係・一時的債權關係の區別は今日の私法學界において一般に是認されてゐるところであり、我々も亦少くともその基本的原理的部分においては、これを支持すべきものと考へる。この際ギールケの所説を詳しく檢討批判することは素よりその所を得ないが、我々のいはゆる繼續的保證の觀念を把握するためには、彼に依つて樹立された繼續的債權關係の基本的理念を明かにしておかねばならぬ。繼續的債權關係を一時債權關係から區別すべき徵標たる特質について彼の說く所は大要次の如くである。

（四）（イ）この二種の債權關係の差異は、先づ第一に、債權債務の內容を成す給付が或時點において（in einem Zeitpunkt）實現せらるべきか、それとも、或期間を通じて（während eines Zeitraumes）實現せらるべきかの點に存する。若し債務が一定の時點に集中せられる給付を目的とするならばそれは一時的債務關係である。かゝる債務は、履行期が到來した時に履行せらるべきであり、その履行に因つて消滅する。卽ち、履行がこの種の債務にとつて正常なる消滅原因（normaler Beendigungsgrund）である。つまり、この種の債務の生命力（Lebenskraft）は、それが有效に働く瞬間に消盡するのである。一定金額の支拂、一個の物の引渡、一の權利の設定・讓渡・消滅等の如き一回的行爲を目的とする債務の場合は常に一時的債務關係であるが、數回に亙る行爲を目的とする債務であつても若しその個々の行爲が分割給付として債務の物體を成し從つてその實行が分割辨濟として債務を一部分づゝ逐次消滅せしめる場合はこれ亦やはり一時的債務關係であり、更に又、例へば或財産全部の讓渡・營業讓渡等におけるが如く、種々の個別給付から構成せられる一回的包括給付（einmalige Gesamtleistung）を目的とする債務も亦同様に一時的債務關係である。

これに反し、繼續的債務關係に在つては、債務の內容を成すものは一定期間の終始を通じて存立する給付義務である。繼續的債務（Dauerschuld）．それ自體は、一定の履行期の到來せる時に履行せらるべきものではなくて、その存立の全期間に亙つて履行されねばならぬ。卽ち、繼續的債務關係は履行に因つて消滅するものではなく、その正常なる消滅原因は寧ろ「期間の經過」（Zeitablauf）である。故に、例へば、（a）不作爲債務は原則として繼續的債務關係であるが、かゝる繼續的不作爲債務に在つては、債務は一定の作爲を爲さざることに依つて日夜を通じ刻々に履行せられるのであり、しかもその履行に因つて不作爲債務そのものは全部的にも部分的にも消滅しない。その違反があつたときはこれに因り一時的債務（損害賠償義務又は違約全債務の如き）が流出派生し、この債務は履行に因つて消滅するけれども、不作爲債務自體は依然としてそのまゝ存續するのである。（b）繼續的作爲の債務（例へば、賃借人をして物の繼續的利用を爲さしむることを內容とする賃借人の債務、繼續的勞務給付を目的とする受寄者・管理人・勞務者の債務の如き)においても亦同樣であつて、履行は一の繼續的過程(kontinuierlicher Vorgang)であり、右の債務自體は履行に因つて消滅もしないし減少もしない。(c)反覆的給付の債務も亦然り。言ふまでもなく、この債務からは斷續的に個別的債務(Einzelverpflichtungen)が發生し、この個別的債務は各々別個の一時的債務關係を成し履行に因つて消滅するのであるが、反覆的給付の債務自體はその存立においてもその效力においても右の個別的債務の履行に因つて何らの影響を受くることなくそのまゝ存續する。即ち、この場合も、全體としての繼續的債務關係とそれより流出派生する個別的債務關係とを區別しなければならぬのである。

[五](ロ) 債權(Forderungsrecht)と請求權(Anspruch)とが全然同一の觀念でなく、債權は源泉であり請求權はその流出物であることは今日一般に認められてゐるところであるが、繼續的債權に在つては、それより流出派生する凡ての個別的請求權(Einzelanspruch)とは獨立別個に統一的な綜合的請求權(einheitlicher Gesamtanspruch)が存在する。即ち、(a)繼續的不作爲債權においては、この債權から綜合的不作爲請求權が發生し、且、違反行爲があつたときは同じくこの債權から個別的請求權が流出する。この個別的請求權は、綜合的請求權に包含されてゐる部分的請求權(Teilanspruch)と云ふが如きものではない。若し、かゝるものであるとすれば、

綜合的請求權と同じく不作爲を物體とする請求權であらねばならぬわけであるが、一旦不作爲義務の違反があつた以上はこれなかりし元の狀態に復原することは不可能であり、且又、將來の不作爲は綜合的請求權の物體を成すのであるから、個別的請求權は不作爲を物體とする餘地が全然存しない。卽ち、この請求權は、綜合的請求權に對する不履行があつた場合に繼續的債權から流出するところの、一時的給付を物體とする獨立の請求權なのである。故に、それは獨立して讓渡し得べく、綜合的請求權に先立つて履行又はその他の消滅原因に因つて消滅し得べく、また、綜合的請求權の消滅後になほ存續することも可能である。一方繼續的不作爲を物體とする綜合的請求權は個別的請求權の發生に先立ち當初から存立する。卽ち、若しその存在が爭はれたときはこの請求權自體につき確認の訴を提起し得べく、違反行爲が將來發生する虞れがあるときは、この請求權にもとづき將來の不作爲を命ずる判決を求める不作爲の訴（Unterlassungsklage）を提起することもできる。要するに、繼續的不作爲債權より生ずる不作爲請求權は當該の債務關係が存續する間存續するところの綜合的請求權であり、凡ての個別的請求權とは獨立の存在を有するのである。(b)繼續的作爲債權も亦、繼續的履行を目的とする一個の綜合的請求權を發生せしめる。そして、その不履行の場合には繼續的債權から損害賠償等を目的とする個別的請求權が流出する。この請求權もやはり一たび成立した以上獨立の存在をもち、綜合的請求權の消滅以前に消滅することもあれば、また、その以後に消滅することもある。（c）反覆的給付の債權に在つては、言ふまでもなく、履行期に在る各個の給付に對する個別的請求權が著しく目立つてゐる。けだし、この場合は、一定の時期毎に成熟せる果實となつて基本權（Stammrecht）から分離する個別的給付の債權がそれぞれ一個獨立の一時的給付を物體とする獨立の債權として成立するのであり、從つて又、當初よりそれぞれ一の給付請求權が具つてゐるからである。しかしながら、この場合にもやはり、右の個別的請求權の背後には一の綜合的請求權、即ち、個別的給付を定期的に反覆し以て繼續的債權を履行すべきことを要求し得る綜合的請求權が存在するのである。なほ、この反覆的給付の債權より生ずる綜合的請求權は、法律又は契約に依り、一定額の償却金請求權若くは補償金請求權（Anspruch auf eine Ablösungssumme oder eine Abfindungsbetrag）に變ずることがある。(六)

(七)（八）　解約告知權（Kündigungsrecht）の存在することも、繼續的債權契約の特徵である。解約告知と解除（Rücktritt）とは本質的に異る。前者は契約の存立を將來に向つて終了せしめるにすぎないが後者は契約を過去にまで遡つて解消し既に生じたるその效力をも消滅せしめるのである。Rücktritt の概念は、從來ともすれば動搖し、告知期間なき解約告知（fristlose Kündigung）の如きは從來しばしば Rücktritt と稱されてゐたのであるが、（八）現行民法典において明かにされてゐるやうに、告知期間なき解約告知は解除ではなくて解約告知の一種であり、繼續的債權契約の體系に所屬するものである。

繼續的債權契約においても「解除」を爲し得る餘地が全くないのではない。繼續的給付が開始されるまでは解除權を行使し得る餘地がある。故に、例へば、賃貸借、組合、雇傭等の繼續的契約についても、契約の目的とする繼續的狀態が事實上成立するまでは當事者の一方又は雙方において「解除」を爲し得べき旨の解除權留保の特約を付することは可能である。法律の規定に依つてかゝる解除權が認められてゐる場合もある。例へば、賃貸借の目的物が未だ引渡されない間に相手方の財産につき破産手續が開始した場合に賃貸人の行使し得る解除權（konkursordnung §20）の如きがそれである。しかし、一般的には、民法が雙務契約の各當事者に付與してゐるところの履行遲滯又は履行不能にもとづく解除權の如きは、繼續的債權契約についてはこれを認め得る餘地が全くない。法律が告知期間なき解約告知を許してゐる場合には右の解除權は解約告知權に吸收されてしまつてゐるのであるし、法律が解約告知權を認める規定を設けてゐない場合にも右の解除權が入り込む餘地はない。即ち、繼續的債權契約において、當事者の一方が契約違反の態度に出で、その結果、相手方をその契約に拘束しておくことが信義誠實の觀念から見て不當と考へられるときは、解除權によつてこれを救濟すべきではなくて、告知期間なき解約告知に關する規定を準用して救濟すべきである。

註一 Gierke, Dauernde Schuldverhältnisse. Jherings Jahrb. Bd. 64 S. 355 ff.
ギールケのこの業績については、我が國においても、夙に平野義太郎氏がこれを支持する立場において紹介・批判して居られ（「民法におけるローマ思想とゲルマン思想」三一一頁以下）、近時、石田博士が反駁する立場においてこれを紹介・批判して居られる（「契約の基礎理論」九頁以下）。

註二 Gierke, a. a. O. S. 410.

註三 Schultze, Otto von Gierke als Dogmatiker des bürgerlichen Rechts. Jherings Jahrb. Bd. 73, 4.–6. Heft S. XII.

註四 Gierke, a. a. O. S. 357 ff.

註五 Gierke, a. a. O. S. 367 ff.

註六 例へば、定期土地負擔（Rentenschuld）における定期金請求權が償却金請求權に變じ（獨民一一九九條・一二〇一條・一二〇二條參照）、或は、終身又は長き期間を定めて任用された者が（例へば鐵道が國有となつたがために）早期に解雇せられる場合にその俸給請求權が補償金請求權に變ずるが如し。かゝる場合、個別的請求權の總計が償却金又は補償金の請求權に變ずるのではなくて、反覆的給付を物體とする綜合的請求權がこれに變ずるのである（Gierke, a. a. O. S. 377 Anm. 32)。

註七　Gierke, a. a. O. S. 378 ff. 386 ff.

註八　例へば、徒弟契約においては試驗期間が滿了するまでは一方的に契約を解消し得る權利が認められてゐるが、これを商法七七條では ,,fristlose Kündigung" として規定してゐるに反し、工業條例（Gewerbeordnung § 127 b）では ,,Rücktritt" の語を用ひてゐる（Gierke, a. a. O. S. 387 Anm. 52）。

以上を要約するに、ギールケが繼續的債權關係をば一時的債權關係から區別すべき徵標として擧げてゐる特質は、（一）一時的債權關係に在つては、債務は一定の時點において實現せらるべき給付を物體とし、從つて、「履行」がその正常なる消滅原因であるのに反し、繼續的債權關係に在つては、一定の期間中終始實現せらるべき給付が債務の內容を成し、從つて、その正常なる終了原因は「時の經過」であること、（二）繼續的債權關係に在つては、債權から個別請求權が湧出するほかにそれとは別個の統一的な綜合請求權が湧出すること、（三）繼續的債權關係に在つてはその特有なる終了原因として解約告知權が存在すること、の三點に歸着する。ギールケはこの徵標的特質を標準として、典型契約を繼續的債權契約に屬するものと然らざるものとに分ち、賃貸借・雇傭・委任・寄託・出版契約・組合・使用貸借・消費貸借・保證・擔保契約・保險・終身定期金・繼續的供給契約・競業避止契約・交互計算契約・勞働協約・カルテル契約等は繼續的債權契約に屬するものとしてゐる。ギールケの樹立せる繼續的債權關係の基本理念を是認するとしても、右の分類の仕方については論議の餘地が少くないと思はれるがこれを周到に論議することは素より本稿の目的とする所ではない。故に、こゝでは唯、當面の問題たる繼續的保證の概念の定立に關聯する點について若干の注意を加へるに止める。

ギールケが二種の債權關係を區別すべき徴標としてゐる特質は上述の如くであるが、そのうち、彼が兩者の概念上の差異として指摘してゐるのは、債權債務の内容を成す給付が或る時點において實現せらるべきか、それとも、或る期間を通じて實現せらるべきか、といふ點である。「時點」(Zeitpunkt) と云ひ、「期間」(Zeitraum) と云ふも、それは素より相對的な概念であつて、その間に明確な區別が存するわけではない。ギールケ自身も右の分類を爲すに當つて、繼續的債權關係の範圍を明確に限界づけることは、「繼續」(Dauer) といふ概念の相對性の故に、結局失敗に了るのではないか、と設問し、且又、最も單純なる一時的給付と雖も或る程度の Zeitraum を要するのであり、場合に依つては繼續的給付に必要なるよりもより長き Zeitraum を要することがあり、他面、一切の人間の作爲及び不作爲は、その時間に長短の差こそあれ、畢竟、一時的なものである、と述べてゐる。そして、彼は、債務の目的が或る時點における給付であるか、それとも、或る期間を通じての給付であるかは、社會通念に依つてこれを決すべきである、としてゐるのである。(二) されば、繼續的債權關係と一時的債權關係の區別がもともと相對的なものであり、その限界が不明瞭なることは、(三) 寧ろ、ギールケ自ら意識してゐる所であるとも云へる。しかし、凡そ事物の區別は、例へば大・小と云ひ輕・重と云ふが如く、相對的でありその限界が不明瞭なことが極めて多いのは言を俟たぬ所であり、その相對性不明瞭性の故にかゝる區別の可能を否定することは當を得ないと云はねばならぬ。我々は屢々、その限界の不明瞭なことを意識しつゝしかも二種の事物の代表的典型的な場合において存する差異に着目してこれを區別するのである。かゝる觀點よりすれば、繼續的債權關係と一時的債權關係を區別することは決して不當ではないと云へよう。

さて、繼續的債權關係の代表的典型的な場合は、借地契約・借家契約・任用契約・終身定期金契約・當座貸越契約・繼續的供給契約等における如く、債務が或る程度長き期間を通じて實現せらるゝ給付を内容とする場合である。繼續的債權關係の概念を規定して、債務の内容を成す給付が或る期間を通じて實現せられる場合を指すものと爲す以上は、その期間が比較的短き場合も亦右の概念に包攝せられ得る。ギールケも例へば、賃貸借について、一回の遠乘のための馬、一回の演伎を見るためのオペラグラス、祭の行列を見るための棧敷の座席、などの賃貸借の如きも繼續的債權契約にほかならぬとし、また、雇傭についても、極めて短い期間に片付け得る勞務の給付に對し一回限りの報酬を受ける約束をした場合の如きすら同じく繼續的債權契約としてゐる。[四] かゝる短期の賃貸借や雇傭も、概念上は繼續的債權契約に屬するものと見ることができる。しかし、かゝる短期の契約は一面において一時的債權契約に頗る接近してゐるのであり、繼續的債權契約としての特殊的色彩は、上述せる如き相當長期に亙る契約に比して著しく淺小である。繼續的債權關係の特質乃至その特殊的色彩はかゝる長期的契約においてこそ顯著に現れるのである。ギールケは、繼續的債權關係が永續的な支配關係（Machtverhältnis）を發生せしめ且これを作用せしめるといふ[五]——一時的債權關係の到底果し得ざる——獨得の機能を有することを指摘してゐるのであるが、かゝる機能も、比較的長期に亙る繼續的債權關係において特に著しく現れることと論を俟たぬ。これを要するに、概念上はひとしく繼續的債權關係の範疇に屬する契約であつても、その具體的內容、就中、その存續期間の長短に依り、繼續的債權關係としての特殊的色彩には極めて多樣のニユアンスがあり、我々が繼續的債權關係の特質として把握するものは、その最も代表的典型的な場合に具現するところの特質なることを注意すべきである。

註一 Gierke, a a O. S. 334 ff.

註二　Gierke, a. a. O. S. 393 ff.

註三　石田博士は、『ギールケが概念的對照として擧げる「一時的」と「繼續的」との區別の觀念は相對的であるが故に、確定した限界線を引くことが出來ない。』といふことを以て繼續的債權關係・一時的債權關係の區別を採り得ない理由の一とせられる（契約の基礎理論一二頁）。

註四　Gierke, a. a. O. S. 394 ff.

註五　Gierke, a. a. O. S. 406 ff.

（2）　以上において繼續的債權關係の觀念及びその特質を吟味したのであるが、次に、繼續的保證の觀念自體について更に立入つて檢討する。こゝで先づ問題とすべきは、ギールケが狹義の保證契約も擔保契約も共に常に繼續的債權契約に屬するものとしてゐることである。彼は曰く『保證は附從的な繼續的債權契約である。蓋し、保證契約に因つて先づ基本的に責任關係（Haftungsverhältnis）が成立し、この責任關係から萬一の場合には一時的給付義務が流出するのであるが、右の責任關係は常に或期間中（für einen Zeitraum）存立するからである。而して、保證契約は主債務の消滅又はその履行と共に終了するのであるが、しかし又、それより以前に期間の經過に因つて消滅することもある』と。そして又曰く、『獨立の擔保契約も亦常に繼續的債權契約である。蓋し、この場合にも、或は生ずることあるべき給付義務の源泉たる責任關係が確定又は不確定の期間存立するからである（一）と。あらゆる種類あらゆる内容の保證契約及び擔保契約が凡て一樣に繼續的債權契約であるとするギールケのこの考へ方は、彼の樹立せる繼續的債權關係の概念自體と矛盾するのみならず、繼續的債權關係の有つ特殊的色彩を甚だ不鮮明ならしめるものと云はねばならぬ。

狹義の保證債務は主債務を履行すべき債務であるから、主債務が一時的債權關係なるときはその保證債務も亦一時的債權關係にほかならぬと見るべきである（二）。例へば、普通の賣買における買主の代金債務や普通の金錢貸借における借主の返還債務を保證せる場合について考へて見るとしよう。その代金額又は借金額を假に一萬圓とすれば、主債務者たる買主又は借主の負擔せる債務は一萬圓を支拂ふことを内容とする一時的債務であり（三）、保證人は右の債務を履行すべき債務を負うてゐるのだから、この保證債務は、その實質的内容においては、結局、一萬圓を支拂ふといふ一時的給付を内容とする債務に歸着するわけである。かゝる保證に在つては、その正常なる消滅原因は「期間の經過」ではなくて寧ろ「履行」であり、基本的な保證債務とそれから流出する個別的な保證債務とを區別すべき餘地もなく、また、解除權に代へて解約告知權を特に認めねばならぬ必要もない（四）。卽ち、かゝる保證は、ギールケの指摘せる繼續的債權關係の徵標的特質を毫も具へてゐないのである。かくて、保證契約は常に繼續的債權契約であるといふ合題は、繼續的債權契約の概念に矛盾するものと爲さざるを得ない。

右に述べたのは附從的保證についてゞあるが、このことは、獨立的保證についても素より同樣である。例へば、普通の金錢貸借上の債務につき「保證」を爲すに當り、たとひ、該消費貸借が無能力その他の原因に因つて取消さるゝことあるも必ず「保證」の責に任じ債權者が金圓を貸付けたことに依つて被る損害を賠償すべきことを約するが如きは、既に述べたやうに、附從的保證ではなく寧ろ擔保契約たる性質を有するものと見るべきであるが、右の如く一時的給付を目的としてゐる場合には、その契約は一時的債權契約にほかならぬと解さねばならぬ。

保證契約を目して一律に繼續的債權契約に屬するものと爲す見解の不當なること叙上の通りである。ギールケが繼續的債權契約と一時的債權契約とを分類するに當つて、典型契約をば分類の單位とし、一の典型契約を全體として右の二種の範疇のいづれかに配屬せしめようとしたのは、たしかに分類の方法を誤つたものと評さねばならぬ。一の典型契約に屬する契約の中にも繼續的債權契約たる性質を有するものと一時的債權契約たる性質を有するものとが有り得る。例へば、一回的給付を目的とする贈與は一時的債權契約なるに反し、「定期ノ給付ヲ目的トスル贈與」

（民法五五二條）は繼續的債權契約なるが如き、また、賣主買主共に一回的給付の債務を負擔する賣買は一時的債權契約なるに反し、賣買の一種たる繼續的供給契約は繼續的債權契約なるが如き、その例である。請負契約にもこの二種の場合があることはギールケ自ら指摘してゐる所である。この點保證も亦これ等の契約と軌を同じうする。現實の生活に現れる保證を見るとき、我々は、廣義の保證一般に通じて繼續的債權契約たる性質を有するものと一時的債權契約たる性質を有するものとの二大群が鮮かな對立を示してゐることを容易に看取することができる。身元保證の如き、借地・借家の保證の如き、當座貸越取引・手形割引取引・賣掛取引等その他種々さまざまの繼續的取引關係についての保證の如きは、いづれも、明かに繼續的債權契約たる特質を具へてゐる保證である。これ等の二群の保證を指して我々は「繼續的保證」と名づけ、これに對し、さきに例示せるが如き一時的債權契約たる性質を有する保證の一群を「一時的保證」と稱するのである。

註一 Gierke, a. a. O. S. 401; vgl. derselbe, DPR. III S. 787.

註二 vgl. Oertmann, Komm. II 1 Vorbem. 10 vor § 241.

註三 Gierke, a. a. O. S. 399 ff. は、消費貸借も繼續的債務契約であるとしてゐる。彼に依れば、消費貸借においても使用貸借におけると同樣に貸主は借主に對し使用を許容すべき義務を負うてゐる。使用貸借の場合と異るのは、使用の對象が「物」ではなくて或る價値量（Wertquantum）である、といふ點である。つまり、貸主は、期間の經過又は解約告知に因つて契約關係が終了するに至るまでは、元本返還の請求を爲さざるべき義務を負うてゐるわけである。消費貸借の核心を成すものは、借主の返還義務ではなくて、貸主の負擔せる右の如き繼續的な不作爲債務であり、從つて、消費貸借は繼續的債務契約である、と爲すのである。この見方は、賃貸借・使用貸借・消費貸借等の各種の貸借契約に共通する本質を把握するものとして頗る注目に値すると思はれるが、その當否の如何に拘らず、借主の負擔する元本返還の義務は明かに一時的債務である（利息附消費貸借の場合、利息債務は反覆的給付を内容とする繼續的債務である）。

註四　ドイツ民法も我が民法と同樣に保證契約の解約告知權に關する規定を設けてゐない。多くの學者は、いはゆる「將來債務の保證」、殊に信用保證については意思解釋を根據として解約告知權を認めてゐるが、いはゆる「既存債務の保證」についてはこれを認めようとしてゐない（vgl. Dernburg, Das bürgerl. Recht II 2 § 290 IV; Enneccerus, Lehrb. I 2, 927, § 415 III; Oertmann, Komm. II 2 Bem. 1 b zu § 776; Planck—Siber, Komm. II 2 Bem. 10 zu § 765）。ギールケ自身もこの點多くの學者と軌を一にしてゐる（Gierke, a. a. O. S. 401 Anm. 85; derselbe, DPR. III S. 788）。

我が判例法においても保證人は一定の要件の下に保證契約を解約告知し得る權利を認められてゐるのであるが、これ亦、我々のいはゆる「繼續的保證」の場合に限られてゐる（拙稿、「保證契約の解約權」民商法雜誌三卷五號三四頁以下、「保證契約の特別解約權」日本公證人協會雜誌・一八號一八頁以下、參照）。

結語

前節において我々は廣義の保證全般を橫斷的に分類して繼續的保證と一時的保證の區別を樹立することを試みた。これは勿論單なる概念のために新に概念を創定したわけではない。さきにも一言したやうに、附從的保證たると獨立的保證たるとを問はず、また、將來の債務又は將來の事故のみについて保證を爲す場合たると將又既存の債務又は既存の事故についても併せて保證の責に任ずることを約する場合たるとを問はず、繼續的保證は繼續的保證としての共通的特殊性を具有するのであり、この特殊性の故に、繼續的保證は一時的保證におけるとは異る特殊の問題を包藏してゐるのである。廣義の保證全般について繼續的保證・一時的保證の橫斷的分類を樹立せむと試みた理由はこゝに存する。然らば、繼續的保證の共通的特殊性はいかなる點に存するか。

前節においても論じた保證一般の特殊性のうち、特に、保證債務の未必性及び保證の引受における情義性などの特殊性が繼續的保證においてより高度に現れることを我々は先づ指摘しなければならぬ。保證契約が屢々附合契約的な性質を帶びるといふことも、保證一般におけるよりも繼續的保證において特に著しく現れる現象であると云へよう。而して、他面、繼續的保證の一種たる身元保證に在つては、被用者のための保證であることの故に、繼續的保證一般におけるよりも更に特異なる諸種の特殊性が見出されるのであるが、繼續的保證一般に共通する特殊性として特に擧ぐべきものは、「保證責任の廣汎性」である、と私は考へる。既に述べたやうに、繼續的保證に在つては、保證人は、保證契約が存續する間その全期間を通じて繼續的に抽象的な基本的保證責任を負擔し、契約所定の一定の事由の發生する毎に、右の基本的保證責任から湧出する具體的個別的保證債務を負擔する。故に、若し當該の保證契約において、保證人は、いかなる事由について保證の責に任ずべきか、數額的にいかなる限度まで責を負ふべきか、更にまた、いかなる時期まで基本的責任を負ふべきか、また、の諸點につき何らの制限も劃されてゐないときは、保證人は、保證の對象の點において、保證責任の數額の點において、基本的保證責任の時間的存續の點において、廣汎無限の責任を負擔しなければならぬ。しかも、現實の社會生活において現れる繼續的保證は、少くともその保證文言に卽して見れば、右の如き無限的保證なる場合が頗る多いのである。このことは、他の資料を俟つまでもなく、判例に現れた數多の事案を通じて容易に推知することができる。

繼續的保證のうちで、「保證責任の廣汎性」といふ特殊性が最も顯著に現れるのは、言ふまでもなく、身元保證である。そして、この身元保證における責任の著しき廣汎性は、身元保證のみに特有なる諸種の特殊性との綜合的考量において、その責任の著しき苛酷性を感得せしめる。さればこそ、身元保證については、夙に、判例及び學說に依つて、その保證責任の範圍をば對象的にも數額的にも將又時間的にも妥當な限度に抑制せむとする努力が爲されたのであり、また、同じ目的の下に身元保證法の制定を見るに至つたのである。身元保證責任に制限を加へることは、若しその責任を契約の文言の意味する通り廣汎なる範圍に亙るがまゝに放置するときは、その責任の苛酷性は到底我々の道義觀念の是認し能はざる所であるといふ理由にもとづくものであり、身元保證法の志向する法則は、畢竟、道義的要求に出づるものであると云へる。

さて、然らば、身元保證以外の繼續的保證については如何。上述の如く、身元保證以外の繼續的保證も亦、一般に、身元保證に比して程度の差こそあれ、責任の廣汎性といふ特殊性を帶有する。この特殊性と、さきに考察せる保證一般の特殊性とを綜合して考慮するとき、我々は、こゝにおいても亦、保證責任の廣汎性が我々の道義觀念より見て是認し難き程度に苛酷に感ぜられる場合少からざるを見出すのである。されば、身元保證以外の繼續的保證についても、身元保證法と基調を同じくする法則を確立することが道義的要求に合する所以であり、また、現に、かゝる法則は、今日既に我が判例法において或る程度まで確立されつゝあるのである。しかし、この際、特に留意すべきは、繼續的保證一般について、一律無差別に、且、能ふ限り、保證責任の輕減を計るべしと云ふが如き素朴的理論は、必ずしも、道義的要求に合致する所以ではないことと、是である。身元保證とその他の繼續的保證との間には、保證責任輕減の道義的要請の度合においておのづから相當の逕庭がある。且又、身元保證以外の繼續的保證のうちに在つても、保證責任の輕減へ志向する法則の妥當する度合は、各場合の事情に依つて、それぞれ相異るのである。保證責任の廣汎性の體樣及び程度が個々の場合においてさまざまに相異るばかりでなく、保證契約が無償的な場合もあれば有償的な場合もあり、有償の場合においてもその對價の種類數量に又多樣の差異があり、保證引受の動機が情義に存する場合もあれば經濟的利害の打算に存する場合もあり、保證債務の未必性の程度においても、又、保證の引受における輕率性の程度においても、場合に依つてそれぞれ差異がある。保證責任輕減の道義的要請は各場合の事情に應じて或は強く或は弱く極めて多樣ならざるを得ないのである。たゞ、我々が既に見たやうに、保證は、原則として、無償性・情義性・未必性・輕率性等の如き責任輕減を正當づける特殊性を帶有するものであるから、責任の廣汎性を一般的特殊性とする繼續的保證については、責任輕減へ志向する法則が指導的原理として妥當することは疑ふべくもあるまい。この法則が繼續的保證の各種の場合につきいかなる多樣性を以て現れるかと云ふことは、別の機會に詳しく考へることゝしたい。

（昭和十七年六月二十八日稿）

轉換社債發行のためにする條件附資本增加

中川　正

目次

はしがき

わが商法は、株式會社の有力なる資本調達の新方式として夙にわが國に於てもその採用を慫慂されてゐた[1]轉換社債の制度を新に採り入れるに至つた（商法第三六四條乃至第三六九條）。この際わが商法は轉換社債發行の決議には當然に「轉換ノ限度ニ於テ資本ヲ增加スベキ旨」の決議をも包含すべきものとして（商法第三六四條第一項）、轉換社債の發行とこの社債の轉換に充當すべき株式を調達する手段としての所謂條件附資本增加の手續とを不可分のものとする立法例を擇んだのである。即ちわが商法の下に於ては條件附資本增加を伴はざる轉換社債の發行は許されざるものといはねばならぬ。これと同時にわが商法は所謂條件附資本增加を轉換社債發行の場合についてのみ定めてゐるから、轉換社債の發行以外の目的、例へば獨逸株式法の認むる企業合同の目的のために條件附資本增加を行ふが如きことはわが商法の許さゞるところと解しなければならぬ。

（1） わが國に轉換社債の制度を採用すべきことを早くより唱導せられたのは田中耕太郎教授であつて、同教授のこの制度に關する研究（田中教授、轉換社債（Convertible bonds）に就て、法學協會雜誌四八卷六號、商法研究第二卷所載）はまことに貴重な文獻といふべく、本稿を草するに當つても同教授の研究に負ふところが頗る多かつた。

右の如くわが商法は轉換社債の發行とその社債權者の轉換請求に應ずるために會社が自己の株式を調達するための手段としての條件附資本增加の決議との間の必然的結合關係を要求してゐるのであるが、外國に於ける轉換社債制度の沿革に徵するに、元來轉換社債の發行と社債權者の轉換の請求を滿足せしむるために會社の採るべき法律的手段とは一應分離して考へられてゐるのである。この制度の濫觴の地たる北米合衆國に於ては所謂認可濟資本 (authorized capital) の制度が認められてゐるため、會社は轉換社債の所持人に交付すべき株式を調達するについていさゝかの困難を感ずることもない。即ち會社に豫め未發行の認可濟資本 (authorized, but not issued stock) が存在するときは任意にこれを發行濟資本 (issued stock) に轉化する方法によつて社債權者の請求に應ずることが出來るし、未發行の認可濟資本が存在せざる場合に於ては轉換社債の總額に相當する金額について通常の資本の增加を行ひ、株式への轉換が請求された部分に對してはこれを發行濟資本となし、その請求なき部分はこれを未發行の認可濟資本として殘しておけばよいのである。[2] これに反して會社の設立及び資本の增加の場合に株式の全部について資本の確定を要求してゐる大陸諸國に於ては、轉換社債のための株式の調達は會社にとつて然かく容易ではない。佛蘭西に於てかくの如き場合に實際上如何なる方法が採られてゐるかは必ずしも明瞭でないが、[3] Houpin et Bosvieux は現行法上かくの如き場合に實際上行ひ得べき方法として次の如き方法を述べてゐる。先づ株主總會に於て轉換社債の總額と同額の資本の增加をなし、轉換權を行使せんと欲する社債權者は所定期間內に會社に自己の債券を寄託し、更に同一期間內に新株式の株式申込證に署名を行ふ。然る後、社債が額面價格に於て發行せられたるものなるときは社債金額による相殺を以つて新株式を全額拂込濟のものとなし（もしこの方法を採らざるときは少くとも新株式の株金額の四分の一は現金拂込又は相殺によつて拂込濟としなければならぬ）、社債が額面以下發行のものなるときは全額拂込濟株式への轉換は別に新株式の額面價格に及ぶ金額の拂込あるまではこれを行ふことを得ないと。[4] 即ちこゝでは社債權者の轉換權の行使により自動的に會社の資本增加を將來する條件附資本增加の如き制度は想定されてゐないのである。なほ佛蘭西に於ては獨逸に於て一般的に慣用された轉換社債權者の轉換權を確保する目的を以つて貯藏株を準備する方法は行はれてゐない由であるが、[5] 佛蘭西法の解釋として株主總會は資本增加の金額及びその時期の決定を取締役に一任し得るものとされてゐるから、[6] 特に轉換社債に振宛てる株式調達の目的のために貯藏株を設置する必要は存しない理である。[7] 獨逸に於て轉換社債の處理方法として特に條件附資本增加（Bedingte Kapitalerhöhung）の制度が認められたのは千九百三十四年の

「簡易形式ニ依ル資本減少ニ關スル規定ノ第八實施令」[8]を以つて嚆矢とするのであるが、それ以前の獨逸商法の舊株式規定の下に於て轉換社債權者の要求に答ふるため會社が實際上如何なる方法を擇んだかといふに、大別してこれを三つの方法に分つことが出來る。（一）先づ轉換社債を發行し、後に株主總會の增資決議によつて轉換に資すべき新株式を成立せしむる方法。この方法によるときは後に株主總會が資本增加の決議をなさゞる危險を免れざるため、かくの如き場合につき特に社債權者に對して多額の違約金の支拂を約束した場合もある。[9] 違約金支拂の約束の有無に拘らず、資本增加決議前の新株引受權授與契約は會社に對して無效とされてゐるため（獨逸商法舊第二八三條第二項）、この場合の社債權者の株式への轉換權は專ら會社に對する債權法的權利たるに過ぎずして株式法上の效果を有することなく、從つてその實現の可能性は只管株主總會の好意に依存するものといはなければならぬから、この方法による社債の發行が申込人を十分に滿足せしむるに足らざることは勿論である。[10]（二）先づ資本增加の決議をなし、その新株の引受を後に發行すべき轉換社債を現物出資として行はしめんとする方法。[11] この方法に對しては法律的側面に於ける缺陷と實際的側面に於ける缺陷とが指摘される。現物出資による新株引受人は既に資本增加の決議に於てこれを確定することを必要とする點（獨逸商法舊第二七九條第一項）について感ぜられる困難は、一應第三者例へば社債發行の受託銀行をして新株の引受をなさしめ後にこれを社債權者に讓渡するといふ操作を加へることによつて免れ得るとしても、この方法は資本增加の實行を多年に亙つて永引かせざるを得ない。然るに獨逸の通說に從へば株主總會は資本增加實行の時期を取締役に委任することは可能であるが、その期間は比較的僅少なる年月に限定されねばならぬものと解せられてゐる。[12)]從つて適法にこの方法を用ひんとすれば社債權者の轉換權行使の期間を比較的短く制限しなければならぬ理であるが、[13)] このことが轉換社債制度の實用價値の大半を喪失せしむるものであることは多言を要せずして明らかである。更にこの方法には他の一つの致命的缺陷が存在する。それは資本增加の實行前に於ては後の株主總會決議を以つて隨意に先の資本增加の決議を廢止し得ることである。この危險に對して社債權者の地位は有效に保障されてゐない。幸に以上二つの困難を乘越えて適法期間內に資本增加の實行がなされ得る場合を考へて見ても、先づ社債發行銀行が新株全部の引受を行ひ社債權者より社債の交付を受けこれを現物出資して資本增加の決議を實行し、增資實行の登記を經て新株券の發行を求めた上でなければ社債權者は新株券を入手することが出來ない。しかもこの手續を轉換請求のありたる個々の社債について行ひ得ざることはいふまでもないから、各社債權者は轉換請求の時より轉換社債の全部につき轉換の請求がなされて新株券を入手し得るまでに一定の時日を待たねばならぬこと丶なるが、かくの如きは亦事實上轉換社債に對してその墓穴を掘るものといふの外はない。轉換社債權者は轉換期間中隨時その社債に對して株式を取得し得べき確實なる保障を持ち、轉換權の行使を有利とするが如き市場の情況を有效に利用し得べき可能性を與へられてゐることが必要であるからである。[14]（三）會社の貯藏株[14の2]（Vorratsaktie）を利用してこれを社債の轉換に充當する方法。[15] この方法は獨逸に於て最も一般的に行はれて來た方法であるが、詳細には更に二通りの方法が認められる。卽ち轉換社債の發行前に社債總額に相當する資本增加の決議を行つて豫め貯藏株を準備して置く方法と、轉換社債の發行と同時に行はれる資本增加の決議によつてその社債の轉換に資すべき貯藏株を調達する方法とである。いづれの方法を採るにせよ、貯藏株の設置を目的とする株主總會の決議は常に良俗違反の內容を有するものとして無效の決議たることなく、[16] その手續が利己的利益より會社の福祉を無視し少數株主の損失に於て行はれるとき、[17] 殊に多數株主が少數株主の負擔に於て著しい財產的利益を獲得せんとするが如き場合[18]に於てはじめて無效に歸するものと解せられてゐるから、このやうな不法な動機を伴はざる限り轉換社債の發行に貯藏株を利用する方法は適法に許される理であり、[19] この方法を用ひる場合には、前に述べた方法による場合と異り社債權者は將來の株式に非ずして現存の株式を目的として轉換權を行使し得ることゝなるためその地位は極めて安全なものとなる。併しながらこの方法も亦實際的に必ずしも缺陷なしとしない。卽ち實際問題としてある會社が新株式を以つて貯藏株を設置し得るためにはその會社の舊株式が額面價格を超える取引價格を有しなければならぬといはれてをり[20]、また轉換社債權者に交付すべき株式に就ては取引所に於ける取引能力その他一般市場に於ける賣買の可能性の存在が要望されてゐるのであるが[21]、株式の取引價格がその額面價格を超えてゐる會社の數は株式會社の全數に比してその割合が著しく僅少であり、また株式が一般的取引の對象たり得るためには白地式裏書のなされた記名株式の場合を除けば無記名株式たることを要する理であるが、無記名株式は株金の全額拂込濟の後でなければこれを發行し得ず（獨逸商法舊第一七九條第三項）、從つてかくの如き株式を貯藏株とする場合には貯藏株引受人の支出すべき引受金額はそれだけ多額とならざるを得ぬため、第三者例へば社債發行の受託銀行をして貯藏株の引受をなさしめんとする場合一部拂込を以つて滿足すべき貯藏株の引受を契約せんとする場合に比して實際上より多くの困難を伴はざるを得ない。これ等の事情を綜合するとき轉換社債の發行に貯藏株を利用する方法は、實際に於て總ての會社にとつて如何なる場合に於ても可能であるといひ得ない[22]。そればかりでなく會社が貯藏株を有することは、假令その合法性を否認し得ずとしても、少くとも立法政策的には甚だ好ましからざるものとされてゐるのである。[23] 貯藏株を用ひて轉換社債の轉換に資する方法と並んで、會社が自ら取得し又は會社の計算に於て第三者をして取得せしめた自己株式を以つて社債權者の引受權を確保する方法も講ぜられて來たのであるが、[24] 千九百三十一年の改正以前の獨逸商法に於ては會社の自己株式の取得は殆んど全面的に禁止されてゐたし、同年の改正以後に於ても自己株式の取得については著しい制限が認められ、殊に取得し得べき自己株式の總額は資本の十分の一以下に限られてゐたゝめ、[25] 會社の取得し得べき自己株式のみを以つて轉換社債の轉換目的を達成することは實際的には多くの場合困難であつたであらうといふことは容易に想像し能ふところである。以上の如く獨逸に於ては轉換社債權者の轉換權若くは新株引受權を確保する目的を以つて當時の株式規定の下に於て許容さるべき多種多樣の方法が實施又は提案せられたのであるが、そのいづれの方法も十分有效に所期の目的を果すことが出來なかつた。そのことの最も主要な原因は、獨逸に於ては從前より資本增加決議前になされた新株引受權の確約は會社に對して效力を有せずとする法則が認められ、[26] しかもこの法則を無視して取締役が資本增加決議前に第三者との間に新株引受權授與契約を締結した場合取締役はこれについてその第三者に對して責を負ふことなく、[27] 更にこの法則に違反してなされた新株引受權授與契約は後に資本增加の總會決議に於て追認を受けてもその效力を回復し得ざるものと解釋[28]されてゐたことである。先にも見て來たやうに、轉換社債權者の轉換權の行使はこの制度本來の目的より將來の株式に對してしかも社債權者の擇ぶ任意の時期に於て許されることが最も適當であるに拘らず、增資決議前の新株引受權の授與契約が無效とされてゐる限り、その他の點に於て轉換社債權者の地位保障のために如何なる合法的努力が拂はれたとしてもつひにそれが社債權者を十分滿足せしめ得なかつたことは、まことに然るべきところといはざるを得ない。千九百二十八年の獨逸法曹會株式法改正委員會の報告中に於てなされた提案[29]及び Hachenburg ならびに Lehmann の主張に促されて千九百三十年及び千九百三十二年の獨逸株式法第一及び第二改正草案中に採入れられ、次いで前述千九百三十四年の簡易減資第八實施令により轉換社債のために既存する貯藏株の整理方法として實施せられ、最後に一般的に轉換社債權者に轉換權又は新株引受權を賦與する目的のために利用し得るものとして現行獨逸株式法に繼受され來つた條件附資本增加の制度の採用が、はじめ增資決議前の新株引受權の確約を無效とする獨逸商法舊第二百八十三條の改正案として提議せられたのは、まさに右の事情によるのである。[30][31] この制度が容認せらるゝに及びはじめて會社は轉換社債權者に對して適法にして且安全なる保障を與へ得るに至つたのである。

（2）田中教授、商法研究、第二卷五六四頁。vgl. Schmulewitz, Die Verwaltungsaktie, Berlin 1927, S. 56; Koch, Die Rechtsnatur der deutschen Schuldverschreibungen mit Umtauschrecht (Convertible Bonds) und Bezugsrecht, Jenaer Diss. 1927, S. 6.

（3）田中教授、上掲書五六八頁參照。

（4）Houpin-Bosvieux, Traité général des Sociétés, 7. éd., 1935, n° 871.

（5）Schmulewitz, a. a. O., S. 57.

（6）Schmulewitz, a. a. O., SS. 39, 41; Houpin-Bosvieux, op. cit., p. 8, note 3 も、株主總會が取締役の決する時期に於て轉換社債額と同額の資本の增加を行ふ權限を取締役に賦與することを有效とし、この授權に基き取締役は每年轉換の請求ありたる社債の額に應じて株式の部分的發行を爲し得るものとしてゐる。

（7）Schmulewitz, a. a. O., S. 47　は獨逸の事象として貯藏株の歷史は一八九七年の獨逸商法が效力を發生した一九〇〇年一月一日にはじまるといつてゐる。その所以は、獨逸に於て定款の變更從つてまた資本の增加が株主總會の專決事項とされ（獨逸の通說はこのことより增資金額の決定も總會が行はねばならぬものとしてゐる）且增資新株の株式申込證に株式申込人の義務の免除を生ずべき時期の記載を要求されるに至つた（即ち增資時期も株主總會の決定によらねばならぬ）のは一八九七年法によるものであり、從つてそれ以前に於ては增資の實行は物的（增資金額）ならびに時間的（增資實行時期）兩側面に於て株主總會の決定によることなく取締役が任意にこれを決定し得たのであるから、會社が特に貯藏株を設置する必要はこの時までは認められなかつたといふに在る。

（8）8. VO. zur Durchführung der Vorschriften über die Kapitalherabsetzung in erleichterter Form vom 14. 3.

1934 (RGBl. I. S. 196)。この命令を以つて定められた條件附資本增加は株式會社が轉換社債權者に與へた株式引受債確保の目的のために所有してゐる既存の貯藏株又は自己株式の消却を圖らんとする場合に限つて許されたのである (§§ 3, 4, 6—10)。

(9) 唯一の例は Ufa の轉換社債である (vgl. Schmulewitz, a. a. O., S. 55; Düringer-Hachenburg, HGB., 3. Auf., III, 1. Anh. 21 zum § 179.

(10) vgl. Düringer-Hachenburg, a. a. O.

(11) Lingener-Werke の例 (vgl. Schmulewitz, a. a. O.; Düringer-Hachenburg, a. a. O.)。

(12) z. B. Fischer, Ehrenberg's Handbuch des Handelsrechts, III, 1, S. 231; Staub-Pinner, HGB., 14. Auf., I, Anm. 9 zum § 278; Lehmann-Ring, HGB., 2. Auf., II, Nr. 8 zum § 278; Goldschmit, Aktiengesellschaft, München 1927, Anm. 5 zum § 278.

(13) Lingener-Werke の轉換社債に於いては社債の轉換期間は一箇月半に制限されてゐた由である (Düringer-Hachenburg, a. a. O.)。

(14) Düringer-Hachenburg, a. a. O. なほ Heinrici (BA., 67 SS. 379 ff.) は本文所述の方法がこの外株主の出資義務の免除を禁止する規定 (獨逸商法舊第二二一條) 及び株式の額面下發行の禁止規定 (獨逸商法舊第一八四條) に牴觸し、從つて實際上實行し難き場合を生ずべきことをも指摘してゐる。

(14)の2 貯藏株の語は從來甚だ多義的に、(イ)第三者が會社の計算に於てその設立又は增資に際して引受け、その利用につき會社の指圖に服するやう拘束されてゐる株式、(ロ)會社が自ら取得し又は會社の計算に於て第三者をして取得せしめた株式及び(ハ)以上いづれの範圍にも入らずして株主がその株主權の行使又はその株式の處分につき會社に對して拘束されてゐる如き株式の全部を包括して慣用されてゐるのであるが (vgl. Staub-Pinner, a. a. O., Anm. 11 i zum § 185) こゝでは第一の意義に限定してこれを使用することゝする。

(15) Rheinischen Stahlwerke AG zu Duisburg-Meiderich, Harpener Bergbau AG zu Dortmund 及び Basalt AG in Linz a. Rh の例 (vgl. Schmulewitz, a. a. O.)。

(16) RG. 108, 322; 112, 14; 119. 248 (vgl. Koenige, HGB., 2. Auf., Anm. 2 c) zum § 271). Staub-Pinner, a. a. O., Anm. 11 i zum § 185.

(17) RG. 107, 73; 108, 41; 112, 14; 113, 188 (vgl. Koenige, a. a. O.).

(18) RG. 112, 14; 122, 159; Oberg. Danzig (vgl. Koenige, a. a. O.).

(19) Heinrici, a. a. O. S. 378; Staub-Pinner, a. a. O. 尤も Brodmann の如く貯藏株の作成を以つて强行法規に違反する無效の行爲であると解する説もあるが (vgl. Ritter, Aktiengesetz, Berlin u. München 1939, Anm. 2 zum § 51; Staub-Pinner, a. a. O.)、通説及び判例はこれを有效と解してゐること本文所述の如くである。

(20) Schmulewitz, a. a. O., S. 42.

(21) vgl. Düringer-Hachenburg, a. a. O.; Schmulewitz, a. a. O., S. 43.

(22) Heinrici a. a. O., S. 379 は會社が轉換社債のために新しく貯藏株を設置することの實際的困難の一つとして、現物出資を以つて引受けられる株式以外の株式について少くとも四分の一の金錢拂込が要求されてゐる點（獨逸商法舊第二八四條、第一九五條參照）をも擧げてゐる。即ち會社が社債の發行によつて獲得した資金をこの目的に利用することを欲せざる場合に於ては、實際上新しく貯藏株を作成する可能性は多く存しないといふのである。

(23) Quassowski, Aktienrechtliche Formen der Kapitalbeschaffung, Beiträge zum Recht des neuen Deutschland

16

(Festschrift für Franz Schlegelberger), SS. 390 ff.; Schlegelberger u. andere, Aktiengesetz, 3. Auf., Anm. 6 zum § 159.

(24) vgl. Quassowski, a. a. O; Schlegelberger u. andere. a. a. O., Anm. 1 zum § 159; Düringer-Hachenburg, a. a. O.

(25) 會社の自己株式の取得は「發起人時代」の弊害に鑑み一八七〇年法によつてはじめて全面的に禁止されたものであり、しかもこの禁止に違反してなされた會社の取得行爲は無效と解せられてゐた (ROHG. 17, 381 ff.; RG. JW. 1891, 355 ff.)。然るにその後の實際的必要はその全面的禁止を緩和せしめ、一八八四年法は全額拂込濟株式の買入委託實行のためにする取得はこれを除外し、その他の場合に於ける營業上の取得を全面的に禁止したのである。一八九七年の改正法は「營業上の」(„im geschäftlichen Betriebe")取得なる用語を「通常の營業に於ける」(„im regelmässigen Geschäftsbetriebe") 取得の語に換へたが、その意味は別段に變るところはない (Lehmann-Ring, a. a. O., Nr. 2 zum § 226)。なほこの時期に於ては商法の禁止規定に違反してなされた自己株式の取得行爲は無效に非ずして取締役員の責任問題を生ずるに過ぎずと解するのが通說であつた (RG. 71. 403; 93, 247; Goldschmit, a. a. O., Anm, 1 zum § 226; Lehmann-Ring, a. a. O.; Koenige, a. a. O., Anm. 2, a) zum § 226)。一九三一年九月一九日の改正法は會社が自己株式を取得し得べき場合を更に擴張して、買入委託實行のために又は取得總額が資本の十分の一を超えることなくして株式消却のために全額拂込濟株式を取得する場合の外、一般に「會社の重大なる損害を避くるため必要なる」場合には自己株式を資本の十分の一を超えざる限度に於て取得し得るものとし、且つ全額拂込濟株式の取得行爲はこの規定に違反してなされた場合に於ても無效に非ずとしたのである (獨逸商法舊第二二六條第一項、第二項)。

(26) 獨逸商法舊第二一五條a第四項、獨逸商法舊第二八三條第二項、獨逸株式法第一五四條第二項參照。

（27） vgl. Koenige, a. a. O., Anm. 3 zum § 283; Lehmann-Ring, a. a. O., Anm 1 zum § 283; Goldschmit, a. a. O., Anm. 1 zum § 283; Staub-Pinner, a. a. O., Anm. 1 zum § 283.

（28） vgl. Goldschmit, a. a. O.; Staub-Pinner, a. a. O., Anm. 2 zum § 283; Koenige, a. a. O.; a. M. Lehmann-Ring, a. a. O.; Brodmann, Aktienrecht, Berlin u. Leipzig 1928, Anm. 1, c) zum § 283.

（29） この法曹會株式法改正委員會の報告中の提案の內容については、田中教授、上揭書五七七頁參照。この提案はその前の第三三回獨逸法曹會決議を基礎とするものであるが、同決議は Hachenburg 及び Flechtheim の提議に從つて將來發行せらるべき株式について新株引受權の授與を容認せんとすると同時に、舊株の全額拂込前の新株發行の禁止をも一時的に廢止せんとしたのである（These III, 5, 3; vgl. Heinrici, a. a. O., S. 35.）。

（30） 獨逸法曹會株式法改正委員會の提案より、これを基礎として發せられた一九二九年の獨逸司法大臣の株式法改正問題に關する質問表中に於ける轉換社債に關する發問事項、これに對する獨逸辯護士會、獨逸會計士團及び獨逸工業全國聯盟の意見等については田中教授、上揭書五七六頁以下に詳細に取扱はれてゐる。

（31） 條件附資本增加に關する第一ならびに第二株式法改正草案、簡易減資第八實施令及び獨逸株式法の規定の對照については、大隅・八木・大森三教授、現代外國法典叢書中の獨逸商法（Ⅲ）株式法三八八頁以下參照。

以上主として獨逸に於て從來慣用され來つた轉換社債のためにする株式調達に關する諸種の方法及びそれ等の方法の是非について檢討したのであるが、かくの如き獨逸に於ける過去の豐富な經驗に徵しても知り得るが如く、轉換社債權者に取得せしむべき株式を如何なる法律的手段を以つて調達するか、從つてまた同時に轉換社債權者の轉換權の實行を如何なる手段を以つて保障するかの問題は、獨逸の株式會社法に於けると同樣株式會社の設立及び資本增加の際に資本の全額につきその確定を必要とする原則に立つ、わが商法中に新たに轉換社債制度を導入するに當つてもまさにその中樞的問題たらざるを得ざるものといはねばならぬ[32]。而してこの點につきわが改正商法は前述の如く轉換社債の發行と不可分のものとして條件附資本增加の決議を要求する立法を擇んだのであるが、この立法は尠くともわが國に於てはまことに賢明であつたといはねばならぬ。固より條件附資本增加の制度を狹く轉換社債發行の場合に限つて認めた點については或は異議なきを保し難いとしても、轉換社債發行の決議には必ず條件附資本增加の決議を包含すべく、轉換社債の發行あるときは常にその轉換に資すべき新株式が轉換請求の限度に於て當然に發生すべき資本の增加に基いて成立し得るものとし、かくして新たに發行せらるべき轉換社債は常にそれとの轉換が豫定されてゐる將來の株式と結付けられてをり、從つてこの點に於て轉換社債所持人に對して最も信頼し得べき株式法上の保障を與へ得るものとした點については、恐らく何人も異論のないところであらうと信ずる。蓋しわが國の實際界にはこれまで轉換社債の制度は實用されてをらず新立法と共にはじめてこれをわが國に導き入れんとするものであるから、爾後わが國に於て存在し得べき轉換社債は總べてその轉換權の行使が株式法上確實に保障されてゐるもの丶みに限ることゝしたことはまことに適當な立法策といふべく、更にもしわが國に於て條件附資本增加を認むることなくこれと切離して單に轉換社債の發行のみを許容することゝしたならば、轉換社債權者の地位の保障に役立つべき適法な株式法上の方策を見出すために、既に獨逸に於て經驗せられたのと全く同樣な幾多の困難に遭遇するであらうことは容易に豫想し能ふところであるからである。唯わが商法に於ては資本增加の場合に株主の優先的引受權は認められてをらず[33]、また改正商法は株主總會の特別決議による限り將來の資本增加の場合に於ける新株引受權の授與契約を有效としてゐるから(商法第三四九條)[34]、この點獨逸に於けるといさゝか事情を異にする理であるが、それにも拘らずかくの如き事情の相違のみを以つてわが商法の下に於ける轉換社債のための株式調達に嘗つて獨逸に於て見られた如き困難を伴ふことなしとは到底いひ得ないのである。卽ち假令株主に當然の新株引受權は認められてをらぬとしてもなほ株主總會が轉換社債權者の期待を裏切り資本の增加に當つて株主に優先的引受權を賦與する危險はこれを免れ難く[35]、また假令將來の資本增加に於ける新株引受權の授與契約が有效であるとしても、轉換社債權者がこの契約上の權利に基きその轉換權を行使し得るがためには將來有效なる增資決議が行はれることが必要であり、從つて轉換社債權者の地位は依然として株主總會の好意に依存せざるを得ず、このことが轉換社債權者を十分に滿足せしむる所以に非ざることは既に述べた如くであるからである。殊に商法第三百四十九條の決議が將來新株引受權を與ふべき旨の約束に關するものたるに過ぎずして引受權自體を賦與するものに非ず、從つて假令この契約あるも現實の資本增加に際してその契約の相手方に新株引受權を與へるためには更にその增資決議に於て新株引受權者たるべき者及びその權利の內容を確定することを要するものと解するならば[33]、轉換社債權者の地位の保障は單に將來の資本增加の場合の新株引受權の授與契約が存在することのみを以つて十分安固たり得ざることは多言を俟たぬ。從つて以上いづれの點に鑑みるも、新商法の立法者が轉換社債の發行と條件附資本增加の決議との間の必然的結合關係を要求したことはまことに賢明であつたと評せざるを得ない。

（32） 松本博士（商法改正要綱解說、法學協會雜誌五〇卷一三七頁）は轉換社債を認むるためには條件附資本增加をも認めるのが當然であるとされ、司法省の商法中改正法律案理由書（同理由書二〇三頁）は社債を株式に轉換する場合に於ては轉換ありたる限度に於て資本を增加すべきこと固より當然なりと述べてゐる。

（33） 獨逸商法舊第二八二條、獨逸株式法第一五三條參照。わが商法上は一般に定款又は株主總會の決議を以つて株主に優先的引受權を賦與し得るものと解釋されてゐる（松本博士、日本會社法論三八二頁、田中敎授、再訂增補會社法概論六〇三頁、田中誠二敎授、全訂會社法提要三一二頁、寺尾敎授、會社法提要一一版四七〇頁）。

（34）改正商法前に於ける將來の資本增加の場合の新株引受權授與契約の效力に關するわが國の一般的解釋は必ずしも明瞭でない（松本博士、商法改正要綱解説、法學協會雜誌五〇卷一三二頁、田中敎授、改正商法及有限會社法概說二二三頁參照）。

（35）商法第三四八條第四號參照。後述の如く改正商法に從つて條件附資本增加がなされる場合には、本文所述のところからも當然推論し得るやうに、それ以前の總會決議に基いて株主又は第三者に對して賦與された新株引受權授與契約上の相手方の權利は、條件附資本增加によつて成立すべき新株式に對しては及ばざるものと解釋しなければならぬ。本文に述べたところは條件附資本增加を伴はざる轉換社債の發行をわが國に於て認めた場合を假想した結果であることは斷るまでもない。

（36）大隅敎授、會社法論三四三頁。

以上屢述する如くわが商法上轉換社債發行の決議は當然に條件附資本增加の決議でなければならぬ。從つて轉換社債に關聯して生起する法律問題を考究せんと欲する場合には、當然社債に關する側面と資本增加に關する側面との兩者に跨つてこれを行はねばならぬ理であるが、本稿に於ては條件附資本增加に研究の中心を置き、主としてこの側面より轉換社債に關聯する法律問題を取扱つて見たい。

いふまでもなく條件附資本增加は、廣く定款變更の範疇に屬すると同時に、その中に於て更に資本增加の一場合に外ならぬ。それ故に條件附資本增加に對しては、原則として定款の變更に關する商法の規定の適用があると同時に、通常の資本增加に關する規定も條件附資本增加の本質に背かざる限り原則としてその適用を見るものといはねばならぬ。更に社債に關する一般規定もこれと全く無關係ではあり得ない。かくして條件附資本增加に關しては解釋上考究を要すべき諸種の問題が考へられるのであるが、以下それ等の問題につき解決の努力を盡して見たいと思ふ。

(37) 抽象的にはかく解しなければならぬと思ふが、具體的には後にも觸れるやうに通常の增資に關する商法の規定は殆んどその全部が條件附資本增加に適用乃至準用するに適せざるものゝみである。

第一　條件附資本增加の意義

一　本稿に於て條件附資本增加とは、商法第三百六十四條に所謂「轉換ノ限度ニ於テ資本ヲ增加スベキ旨」の總會決議に基き、社債權者の轉換の請求を法定條件としてその效力を生ずべき資本の增加をいふ。

二　通常の資本增加と雖も單に定款上の資本額を增加すべき旨の決議のみを以つて資本の增加を來すものではなく、そのためには增加資本の全額につき資本確定の手續が必要であり、この意味に於て通常の資本增加も亦增資の實行を法定條件とするものといはねばならぬ。卽ち增資の實行が資本增加の效力發生の條件なる點に於ては通常の資本增加に於けると條件附資本增加に於けると何ら異なるところはないのである。[1] 條件附資本增加を通常の資本增加より區別する所以のものは、通常の資本增加に在つては增加資本の全額に亙つて增資の實行あるまで資本增加はその效力を發生せず從つて增加すべき資本總額に對する株式の申込なきときは資本增加は不成立に終らざるを得ないのであるが、[2] これに反して條件附資本增加に在つては增加資本の全額に對する增資の實行を俟たず轉換の請求に基く部分的增資の實行によりその限度に於て資本增加の效力を生じ得べきことである。卽ち條件附資本增加に在つては增資實行の範圍從つてまた資本增加の範圍は轉換の限度に於て定まるのである。このことを比喩的に增資實行の範圍が條件附である[3]と表現することは許されるであらうが、或はいはれる如く、條件附資本增加に於ては增資決議自體[4]もしくは資本增加[5]が條件附であるとし、又は增資決議の實行[6]が條件附であるとすることは、條件附資本增加をして通常の資本增加と別異のものたらしめる特徵の說明として不十分の譏りを免れぬ。前述の如く增資の實行が資本增加の效力發生の條件であること及び增資決議の實行に新株式の引受を必要とすることは、[7] いづれの資本增加についても當嵌まるところである。卽ち條件附資本增加に特有なのは增資の實行が條件附であることではなく、その實行が增加資本の全額について同時的になされることを必要とせず轉換請求の限度に於て漸次的にこれをなし得ることである。或はこのことを通常の資本增加の場合には實行を必要とする無條件の資本が存在するに反して、條件附資本增加の場合には實行を可能とするもこれを必要とせざる條件附の資本が存在する[8]と比喩的に表現することも差支ないであらう。いづれにせよ資本增加の效力の發生が增資の實行にかゝつてゐる點が商法第三百六十四條の資本增加の特性ではないから、これに條件附資本增加の稱呼を與へることは或は不適當といへるかも知れぬが[9]、本稿では一般的用語例に從ひ沽らくこの表現を用ひることゝした。

三　條件附資本增加を通常の資本增加と區別する他の一つの特徵は、通常の資本增加に在つては增資の實行は現物出資又は金錢出資を以つてする新株式の引受——株金額の增加による資本增加の場合は沽らく措き——によつてこれを行ひ得るに反して、條件附資本增加に在つては社債權者による轉換權の行使卽ち社債を現物出資とする新株式の引受によつてのみこれを行ひ得ることであるが、この點については後に詳論する心算である。

四　新株式に對する株主權が通常の資本增加の場合には增資登記後に於てはじめて成立するに

對し條件附資本增加の場合には轉換の請求によつて直ちに成立し、增資登記はその成立後の手續とされてゐる點（商法第三五八條、第三六八條、第三六二條、第三六九條參照）を指摘しこの點を以つて條件附資本增加の特質をなすものと論ずる者もあるが、[10] 勿論かくの如き相違の見られることは否定し難いけれども、條件附資本增加の持つこの特徴は、さきに通常の資本增加がその全額に於て增資の實行を必要とするに拘らず條件附資本增加に於ては部分的にこれを實行し得る點について述べた特徴を別の視角より觀察した結果たるに過ぎない。

五　獨逸株式法の條件附資本增加の特徴として更に增資實行期間の制限なき點を數へる學者もあるけれども、[11] わが商法上の條件附資本增加にはその實行期間の制限が定められてゐるから（商法第三六四條第二項）、この點に於ても條件附資本增加と通常の資本增加とを區別する特徴を見出すことは出來ぬ。[12] 唯實際上わが國に於ても通常の資本增加の實行期間が比較的短かく定められるに對して條件附資本增加の實行期間は比較的長く定められるであらうといふことはいへるであらうが、それにしてもこの點に於ける相違はわが商法上の二つの資本增加を區別する法的要件の相違とされてゐないのである。

（1） Godin-Wilhelmi, Akiengesetz, Berlin u. Leipzig 1937, Anm. I zum § 159; Schlegelberger u. andere, Aktiengesetz 3. Auf., Anm. 1 zum § 159.

（2）大隅教授、會社法論三四六頁。

（3）Gierke, Handelsrecht und Schiffahrtsrecht, 5. Auf., II, S. 306; Gadow u. andere, Aktiengesetz, Berlin 1939, Anm. 3 zum § 159. この表現は、増資の實行が條件附であり、しかもその範圍は轉換權行使の限度に於て定まるといふことを比喩的に示したものと見なければ意味をなさぬ。

（4）Rittter, Aktiengesetz, Berlin u. Munchen 1939, Anm. 2, a) zum § 159.

（5）Teichmann-Koehler, Aktiengesetz, Berlin 1939, Anm. 2 zu §§ 159—168.

（6）Schlegelberger u. andere, a. a. O.

（7）後述の如く條件附資本增加の場合に於ても社債を現物出資とする新株式の引受があるものと見なければならぬ。

（8）Gierke, a. a. O.

（9）vgl. Godin-Wilhelmi, a. a. O.; Gierke, a. a. O.

（10）Godin-Wilhelmi, a. a. O.

（11）Schlegelberger u. andere, a. a. O.

（12）獨逸株式法の解釋として通常の資本增加の實行期間は比較的短い期間を以つてこれを定むべきものとされてゐるが (z. B. Schlegelberger, u. andere, a. a. O., Anm. 11 zum § 149)、わが商法の解釋としても、商法第三五〇條第七號、第三七〇條、第一七七條、第三五一條等を綜合して考察するとき、通常の資本增加の實行は一定の期間、しかも比較的短い期間を定めてこれを行ふべきことを要求されてゐるものと解しなければならぬ。

第二　條件附資本增加の要件

一　條件附資本增加を行ふためには必ず株主總會の特別決議がなければならぬが、このことについては次の條件附資本增加の手續に於て取扱ふことゝする。

二　改正商法は一般に資本の增加につき舊株式の株金全額の拂込後なることを要すとする要件（商法舊第二一〇條參照）を認めざることゝしたゝめ、條件附資本增加に際しても舊株式の全額拂込の有無は問題とならぬが、わが商法上條件附資本增加の決議は同時に轉換社債發行の決議であるため、社債再發行の場合に舊社債總額の拂込を要求する商法第二百九十八條の法則は間接的に條件附資本增加の要件としても一應問題とならざるを得ない。もしこの規定を社債發行の效力發生の要件を定むる效力的規定と解し從つてこの規定に違反してなされた轉換社債發行の決議が無效の瑕疵を帶びるものとするならば、同一決議中に於てこれと內面的に必然的聯關を保つ條件附資本增加に關する部分も亦無效たらねばならぬからである。これと反對にもしこの規定を取締役に對する命令的規定たるに過ぎずしてこの規定に違反する轉換社債發行の決議も無效に非ずと解するならば、條件附資本增加に關する部分については元來無效の原因は存在しないのであるからこの決議全體が有效に成立するものと見なければならぬ。果して然らばこの規定の性質如何といふに、このことはこの規定の存立の根據に遡つて檢討するときはじめてこれを明確にし得るのである。社債の發行は廣く定款の變更乃至は狹く資本の增加と異なり、本來取締役の業務執行の範圍に屬すべき行爲たる性質を有するものであり從つてこれを行ふと否とは善良なる管理者としての取締役の判斷に一任して差支ない理であるが、これを取締役の業務執行々爲として自由に放置するときは、或は取締役の判斷に過誤なきを保し難く殊に社債の再募集の如き場合に於てはこの危險が殊更に強く感ぜられるため、法は特にこの場合の取締役の處置について判斷の基準を示し舊社債總額の拂込完了後に非ざれば新社債を發行せざるべきことを取締役に對して指示したものと考へられる。この規定存立の趣旨が叙上の點に存するものと考へ得られる限り、當然この規定は命令的規定たる性質を有するものと解しなければならぬ[2)]。

三　條件附資本增加の總額についても右に述べたところと殆んど同樣な關係が認められるのである。即ち直接に條件附資本增加の總額を制限する規定は存しないけれども、條件附資本增加によつて增加せらるべき資本の額は轉換社債權者の轉換請求の額を限度とするものであり（商法第三六四條第一項）、しかも轉換によつて發行せらるべき株式は全額拂込濟のものたることを要するのみならずその株金額は轉換すべき社債の發行價格を超え得ざるものとされてゐるため（商法第三六五條第一項、第二項）、結局條件附資本增加の最高額は轉換社債の發行價格の總額に於て制限されざるを得ないことゝなる。然るに社債の總額は商法第二百九十七條により原則として拂込株金額[3]又は會社の純財産額に制限せられ、社債の借替の場合のみはこれ等の金額に償還せらるべき舊社債の額を加算した金額に制限されてゐる。從つてこゝでも先に舊社債の拂込完了前の轉換社債の發行及びこれに對する條件附資本增加の效力が問題になつたと同樣に、第二百九十七條の制限を超えて發行される轉換社債に對する條件附資本增加の效力如何が問題とならざるを得ない。而してこの問題に對する回答も亦この規定を社債發行についての效力的規定と認むるか又は取締役に對する單なる命令的規定と解するかに從つて自づから相違する理であるが、私は先に商法第二百九十八條について述べたところと全く同一の理由よりこの規定の性質をも命令的規定と解するから[4]、この規定に違反してなされた轉換社債の發行及び條件附資本增加の決議その他この轉換社債の發行及び條件附資本增加の實行に關する總ての行爲は無效に非ずと[5]解釋すべきものと信ずる。

（1） vgl. Horrwitz, Das Recht der Generalversammlungen der Aktiengesellschaften und Kommanditgesellschaften auf Aktien, S. 121.

（2）同說、田中誠二教授、全訂會社法提要二九〇頁。大隅教授、會社法論三八一頁は社債の發行に株主總會の特別決議を必要とする商法第二九六條の規定すら命令的規定と解してゐられる。なほ轉換社債の發行に總會の決議を要求する獨逸株式法第一七四條の解釋として、Schlegelberger u. andere, Aktiengesetz, 3. Auf., Anm. 5 zum §174; Gadow u. andere, Aktiengesetz, Berlin 1939, Anm. 15 zum §174; Ritter, Aktiengesetz, Berlin u. München 1939, Anm. 2, a) zum §174 は命令的規定とし、Godin-Wilhelmi, Aktiengestz, Berlin u. Leipzig 1937, Anm. 6 zum §174 は效力的規定としてゐる。

（3）第二の轉換社債の發行に當つては第一の轉換社債の轉換によつて成立した株式の金額は商法に所謂拂込みたる株金額に包含されるものと見なければならぬ。

（4）同說、大隅教授、上掲書三七九頁、田中誠二教授、上掲書二八八頁。

（5）條件附資本增加の總額を直接に制限する獨逸株式法第一五九條第三項に違反する總會決議はこれを無效と解するのが獨逸の通說であるが、その無效は決議全部に及ぶと見るべきか（Schlegelberger u. andere, a. a. O., Anm. 9 zum §159; Godin-Wilhelmi, a. a. O., Anm. 7 zum §159; Gadow u. andere, a. a. O., Anm. 8 zum §159）又は超過部分のみについて生ずるとすべきか（Ritter, a. a. O., Anm. 4 zum §159）については爭がある。

第三　條件附資本增加の決議

一　決議の必要

條件附資本增加は通常の資本增加と同樣定款變更の一場合として、必ず株主總會の決議を以つてこれを行はねばならぬ（商法第三四二條）。 更に條件附資本增加は轉換社債の發行と不可分の關係に於て行はれることを要するのであるが、社債の發行にも亦株主總會の決議が必要である（商法第二九六條）、株主總會はこの權限を他の會社機關例へば取締役に委讓することを得ず、又假令定款の規定を以つてするも例へば株主總會の決議の外に第三者の同意を必要とするといふが如き方法に於てこの株主總會の權限を變更もしくは制限することは許されぬ。[1)]

株主總會の決議によらざる條件附資本增加は無效である。尤も轉換社債の發行のみについて見れば、商法第二百九十六條は取締役に對する命令的規定たるに過ぎず從つてこの規定に違反する社債の發行も無效に非ずと解せられぬでもないが、[2)] それにも拘らず條件附資本增加の決議なき限りかくの如き社債は株式法上の權利としての轉換權を保有することを得ず從つてわが商法の認める轉換社債とはなり得ない。のみならず既存の社債を目的として條件附資本增加を行ふことはわが商法の許さゞるところと解すべきであるから、かくの如き社債を後に轉換社債に變更する可能性もわが商法上は認められない。なほもしかくの如き社債の所持人が債權法上の權利としての轉換權を有するものとするならば、會社は特に株主總會の決議に基き將來の資本增加に於ける新株引受權をこれに賦與する方法（商法第三四九條參照）をでも擇んでその轉換の請求に應ずる外はないであらう。

二　決議の要件

一、條件附資本增加の決議は同時に轉換社債發行の決議でなければならぬ（商法第三六四條第一項）。從つて資本增加の決議なる點よりするも（商法第三四二條、第三四三條）、將又社債發行の決議なる點よりするも（商法第二九六條）、この決議は特別決議たることを要する。尤もこの決議は會社の目的事業の變更を目的とするものでないから、この決議に假決議の便法が許されることはいふまでもない[3]（商法第三四三條第四項參照）。

二、會社に數種の株式が存在する場合に於て定款の變更がある種類の株主に損害を及ぼすべきときは株主總會の決議の外にその種類の株主の總會の決議あることを要するとする商法第三百四十五條の規定は、定款變更の一場合たる條件附資本增加についてもその適用あるものと見なければならぬ[4]。尤もこの規定の適用により特定種類の株主の總會の決議を必要とするのは、條件附資本增加の決議に直接にその種類の株主に損害を及ぼすべき內容が含まれてゐるとき、例へば從來の優先株を普通株となし轉換社債權者に與ふべき新株式のみを優先株とせんとするが如き場合に限られ、この決議の結果間接にある種類の株主の利益に影響を生じ得るといふに過ぎざるときは未だその適用なきものと解しなければならぬ[5]。例へば優先株主と普通株主とのある會社に於て新たに優先株又は普通株を發行するときは何らかの意味に於て從來の優先株主又は普通株主の利益に影響を生ずるものといへるであらうが、商法第三百四十五條はかくの如き間接的結果まで包含してその適用を見るものとは考へられない。[6] なほ條件附資本增加の場合にはこの增資決議によつて成立する新株式は專ら轉換社債權者に振當てらるべく舊株主に割當てらるものではないから、商法第三百四十六條に基いて特定種類の株主の總會の決議を必要とする場合を生ずることはない。

三、條件附資本增加の決議を行ふべき株主總會招集の通知及び公告には、會議の議事日程の外特に議案の要領をも記載しなければならぬ（商法第三四二條第二項）。卽ち單に條件附資本增加を伴なふ轉換社債發行の決議をなすべき旨のみならず、その主なる內容[7]をも知らしめることが必要である。この手續に違反する總會の決議が取消の瑕疵を帶びることはいふまでもない（商法第二四七條第一項）。

三　決議の內容

條件附資本增加の決議は同時に轉換社債發行の決議であるから、この決議の內容如何は、社債の發行に關する部分と資本の增加に關する部分とに分つて考察する必要がある。

一、轉換社債發行の決議に於ても、通常の社債發行の決議の場合と同樣に、單に社債を發行する旨のみならず、社債總額・各社債の金額・利率・發行價格・擔保・償還の方法及び期限等發行せんとする社債の主なる內容について決議しなければならぬ。[8] 通常の社債發行決議と異なるところは、轉換社債發行の決議に在つては、特に轉換に關する事項卽ち社債權者がその社債を株式に轉換し得べきこと・轉換の條件・轉換請求期間等についても決議あることを要する點のみである。

二、資本增加の決議に關する部分については、條件附資本增加の決議はこの資本增加の特性に相應して通常の增資決議に於けると著しくその內容を異にする。

イ、通常の增資決議に於ては增加すべき資本の額を定める必要がある。[9] これに反して條件附資本增加の決議に於てはこの額を定め得ることはいふまでもないが、敢へてこの額を確定せざるも差支なきものと解しなければならぬ。[10] この資本增加によつて成立し得べき株式の總數は別に定めらるべき轉換の條件に從つて自づから定まるところでありしかもこの株式は全額拂込濟のものたることを要するが故に、この資本增加の最高額は特に明示せざる場合に於ても右の株式の金額にその總數を乘ずることにより容易にこれを算出し得べく、更にこの中實際に資本の增加を將來すべき金額は轉換社債權者の轉換請求の限度に於て流動的に定まるものであるから、特にこの種の增資決議に於て資本增加の最高額を明示せしむる必要は認められないからである。

ロ、通常の資本增加の決議に於て許されてゐる商法第三百四十八條所定の事項は、條件附資本增加の決議に於ては總べてこれを定むることを得ざるものと解すべきである。その中新株式の額面超過發行について見れば、條件附資本增加による新株式の金額がこれと轉換せらるべき轉換社債の發行價格以下に定められる場合は實質的には新株式の額面超過發行と同樣の結果となる理であるが[11]、それにも拘らず條件附資本增加の決議に基く新株式は轉換社債を現物出資としてのみ引受けらるべきものであるからこの株式について直接に額面超過發行を定めることは許されぬと解せざるを得ない。現物出資の可否に關しても亦同樣であつて、條件附資本增加による新株式は轉換社債を現物出資として引受けらるべく、その他の現物出資を以つてする引受は假令轉換社債の給付と結合してなされる場合に於ても許されざるものとしなければならぬ[12]。蓋し條件附資本增加の場合には增資報告總會の如き手續は行はれざるものと見なければならず、從つて現物出資の適否に關する有效なる審査の機會が與へられてをらぬからである。次の財產引受に關する契約も亦、條件附資本增加が專ら轉換社債の發行のために行はるべきものなる點に鑑み、この種の增資決議に於てはこれを定め得ざるものと解する。最後の新株引受權の授與に關しては、條件附資本増加の場合にこれを爲し得ざることは特に説明するまでもない。この資本増加によつて成立する新株式は總べて轉換社債權者に與へられねばならぬからである。

ハ、條件附資本増加の決議に於ては、社債權者が社債を株式に轉換することを請求し得べき旨及び轉換の限度に於て資本を増加すべき旨を明示することを要する外、特に次に掲げる事項を定めなければならぬ（商法第三六四條第二項）。

い、轉換の條件　轉換の條件とは轉換せらるべき社債とこれに對して與へらるべき株式との割合をいふ。總會はこの割合を任意に定め得るが、唯轉換によつて發行すべき株式の金額がこれと轉換せらるべき社債の發行價格を超えるが如き割合を定めることは許されぬ（商法第三六五條第二項）。商法は轉換によりて發行すべき株式の金額は轉換すべき社債の發行價格を超ゆることを得ずとの表現を用ひてゐるが、わが商法の採る株金額均一の原則（商法第二〇二條第一項）の結果、會社は條件附資本増加によつて成立すべき株式の金額を任意に定め得るものではないから、この規定は右の如く轉換の割合を制限する趣旨の規定と解しなければならぬ。而してこの規定が株式の額面以下の發行を禁止する商法第百七十一條第一項と同趣旨に出づるものなることは贅言を俟たぬところであるから、右の場合と逆に轉換社債の發行價格がこれと轉換せらるべき株式の金額を超過するが如き轉換の割合を定めることは固より何の妨もない。なほこの場合に獨逸株式法は社債發行價格の總額が新株式の額面價格の總額を下らざる限り各個の株式につきては必ずしも右の制限に服することを要せざる旨を定めてゐるが、[13] わが商法第三百六十五條第二項の解釋としてはこの點を如何に解すべきであらうか。規定の文言のみよりすればこの點をいづれに解することも必ずしも不可能に非ざるが如くに見え、更に會社の資本の充實を阻害せざらんとする本條の立法趣旨に徴すれば獨逸法の如き解釋もその趣旨に悖るものではないが、それにも拘らずわが商法の解釋としては、各個の株式について轉換せらるべき社債の發行價格を下らざるべきこと、從ってこのことゝ株金額均一の法則とを綜合すれば多數の轉換社債の發行價格が一樣ならざる場合（商法第三〇一條第二項第八號參照）に於てはその最低價格を標準としてこれを下らざる轉換の割合を定むべきことを要求してゐるものとの解釋を採らざるを得ない。[14] その理由は、わが商法上右の轉換の割合は既に社債發行及び條件附增資の決議に於てこれを定むべきものとされてゐるが、決議の當時は未だ社債の發行價格の總額が幾何に達するか明らかでなく從ってこれを標準とする轉換の割合をこの決議に於て決定することは不可能であるからである。それ故にまた相異なる各回の發行價格が豫め確定されてゐる同一轉換社債の分割發行の如き場合に於ては、決議の當時既に發行價格の總額が明確に知られてゐるのであるから、例外的にその平均發行價格を標準とする轉換の割合を定め得るものと解しなければならぬ。唯この場合に於ても社債の發行はその總額に對する引受の確定を俟つてはじめて效力を生ずるものと見なければならぬから、[15] 例へば平均發行價格に及ばざる第一回の轉換社債の所持人は社債總額の發行が完了するまでは株式への轉換權を行使し得ざるものなることを注意しなければならぬ。獨逸株式法は更に社債の發行價格と新株式の額面價格との差額が純益金もしくは任意準備金より塡補されるか又は轉換權者がこの金額を別段に支拂ふときは轉換社債の發行價格を超える株式の發行をなし得るものとしてゐるが、[16] 立法論としては格別、解釋論としては假令かくの如き塡補又は支拂を條件とするも商法第三百六十五條第二項の明文に違反する轉換の割合を認めることは困難といはざるを得ない。殊に獨逸株式法が轉換權の行使によつて直ちに資本增加の效力を生ずることなく會社の側の新株式の發行を俟つてはじめてこの效力を生ずるものとしてゐるのと異つて、わが商法は轉換社債權者の轉換の請求によつて當然に資本增加の效力を發生し、社債權者はこれによつて當然に新株式の株主となるものとしてをり、しかもこの新株式は常に全額拂込濟のものとして取扱はるべきものとしてゐる點を考慮するならば、商法は條件附資本增加の限度を轉換社債の募集金額に置き、假令部分的にもせよ當該轉換社債を現物出資とする方法以外の方法を以つてする新株式の引受を許容せざる法意と解しなければならぬ。

商法は新株式の額面未滿の發行とならざるや否やの基準を右の如く專ら轉換社債の發行價格に置いてゐる。從つてその額面價格又は取引價格の如何はこの點について問題とならぬ。商法が發行價格にこの基準を求めた理由はこの金額こそ新株式に對して會社が現實に收受した金額なる點に存するのであるが、轉換社債の交付による新株式の取得を社債を現物出資とする株式の引受——かく解すべきものなることは後に再述する——と見るならば、純理的には出資せらるべき社債の客觀的取引價格が基準とならねばならぬとも考へられるが[17]、商法は兎も角右の如く發行價格にその基準を求めたのであり、從つてこの意味に於て現物出資による株式の引受に關する一般原則がこの場合のみは特に變改されてゐるものといへるであらう。[18] 轉換權行使の結果會社は社債償還の債務を免れることゝなるのであるから、この點に重きを置くならば社債の額面價格も亦右の基準として理論的に全然問題となり得ない理ではないが、商法が別の視角より右の基準を定めてゐることは上述の如くであり從つて解釋的にはこの基準は問題とする餘地がない。

ろ、轉換によつて發行すべき株式の内容　通常の資本增加に於けると同樣（商法第三五〇條第六號參照）、條件附資本增加の場合にも新たに優先株を發行することが出來る。なほ商法に明文の規定はないが、同時に發行される轉換社債に對して種類の異つた株式の發行を定めることも差支ないであらう。[19] この場合には同時にいづれの種類の株式をいづれの轉換社債權者に與ふべきかについての標準をも定める必要がある。[20]

轉換によつて發行すべき株式は全額拂込濟のものたることを要する（商法第三六五條第一項）。蓋し條件附資本增加の程度を轉換社債の募集金額に限定せんとする趣旨に外ならぬ。[21]

は、轉換請求期間　この期間について別段に最長期の制限は認められてをらぬ。[22] 社債の發行後一定の時日を經過した時より一定の期間內に轉換の請求を爲すべきものとするが如き定め方も差支ない。[23] 更に所定期間內に轉換の請求をなさゞるときは直ちに現金償還を行ふべき旨を定めることも勿論差支ないであらう。

二、以上の條件附資本增加決議の內容に關する商法の規定が强行法規たることは多言を要しないから、この規定に違反し所定の內容を具備せざる決議は當然に無效[24]である（商法第二二條參照）この場合社債の發行に關する部分の決議のみは有效に成立し得るものと解し得ざるのみならず、かくの如き條件附資本增加の決議が通常の資本增加の決議としてその效力を生ずるものと解することも許されない。

四　決議の效果

一、條件附資本增加の決議は轉換社債發行の決議を含む。從つてこの決議の效果として會社は有效に決議の內容に相應する轉換社債を發行し得ることゝなるが（商法第二九六條參照）、この點については玆に詳しく立入ることを差控へる。

二、條件附資本增加の決議に基き、新株式に對する轉換權が成立する。

イ、轉換權は條件附資本增加の決議に基いて成立する權利であるから株式法上の權利といはねばならぬが、この權利は條件附資本增加決議の成立と共に直ちに發生するものではなく、後に轉換社債の發行により社債權者が確定すると同時にこの社債權者について發生するものである。

ロ、社債の全額拂込後その社債に對して債券が發行される場合に於ては、轉換權はこの證券に化體せられ爾後債券の移轉に伴つて當然に移轉するものと見なければならぬ。[24ノの2]

ハ、轉換權は社債權者の一方的意思表示によりて新株式の引受人となり、社債を現物出資としてその株主となり得る權利である。從つてこの權利は商法第三百四十八條第四號又は第三百四十九條の新株引受權と同樣に一種の新株引受權に外ならぬが、唯轉換權の場合には特に會社の側の割當行爲を要せず[25]して當然に新株式の引受人となり得ること、出資の種類が轉換社債を以つてする現物出資に限定せられてゐること及び出資の履行が株式引受人となる以前に要求されてゐることが、その他の新株引受權の場合と異つてゐる。轉換權の行使に基いて株主權を取得するために會社の割當行爲を要せざる點より見れば、この權利は請求權に非ずして形成權の範疇に屬するものといはねばならぬ。[26]

二、轉換權の行使については次節に於てこれを述べる。

三、獨逸株式法は特に條件附資本增加の決議に違反する總會の決議を無效とする規定[27]を置いてをり、この規定に條件附增資決議に違反する決議とは一般に條件附增資決議を撤回又は變更する決議を意味するものと解せられてゐるが[28]、かくの如き特別規定を有せざるわが商法の解釋としてこの點は如何に解すべきであらうか。右の獨逸株式法の規定の趣旨が轉換權者の轉換權の確保に存することはいふまでもない[29]。從つてこゝでは凡そ資本增加の決議がその效力を生ずるまではこれを撤回し得べきものなりや否やの一般的問題[30]の考究はしばらくこれを措き、問題を條件附增資決議の效力發生前に於ては任意にこれを撤回又は變更して轉換社債權者の轉換權を消滅せしめ得べきや否やの點に限定して考察するならば、假令獨逸法の如き特別規定なしとするも、消極的解釋を是認すべきことはむしろ自明の事理に屬する。[31] わが商法上の條件附增資決議は前述の如く同時に轉換社債發行の決議であり、これによつて當然に社債權者に對して轉換權が成立するものであるから、假令總會の決議を以つてするも第三者たる社債權者のこの權利を害し得ざることはいふまでもなく、從つてかくの如き決議は當然に無效と解さなければならぬからである。このことは轉換權の本質が新株引受權なるがために別段の解釋を導くものではない。右の如く條件附增資決議の撤回又は變更が許されざる理由は社債權者の轉換權を害するがためであるから、社債の發行により社債權者に對して轉換權が發生するまでは會社は隨意に先の決議を撤回又は變更し得るものと見なければならぬ。[32]

四、條件附資本增加の決議に基いて成立すべき新株式は總べて轉換社債權者の轉換の目的に充當さるべきものであるから、商法第三百四十九條の決議に基き會社が既に他の者に對して賦與してゐる新株引受權は爾後の條件附增資決議によつて成立すべき新株式には及ばざるものと解すべきである。[33]

（1） 松本博士、日本會社法論三七一頁參照。vgl. Godin-Wilhelmi, Aktiengesetz, Eerlin u. Leipzig 1937, Anm. 1 zum § 159.

（２）前節註（２）參照。

（３）獨逸株式法第一六〇條第一項は通常の資本增加の場合と異り條件附增資決議については定款の規定による特別決議の要件の緩和を認めざることゝしてをり、この禁止理由は條件附增資が例外的のものであること及びそれが會社に對して著しい拘束力を有するものであること（即ちこの決議に違反する總會決議が無效とされてゐること）に求められてゐるが（Schlegelberger u. andere, Aktiengesetz, 3. Auf., Anm. 3 zum § 160）、わが商法上は既に通常の增資決議に對しても假決議の方法による以外の要件の緩和は認められてゐないのであるから、條件附增資の例外的性質に拘らず、立法論としてこの增資決議の要件を通常の增資決議の要件以上に嚴重にする必要は認められない。

（４）判例では優先權主のある會社の資本減少の決議につき、「資本減少ニヨリ優先株主ハ所有株數ノ減少ニ伴ヒ配當及拂戾ヲ受ケ得ベキ權利ノ範圍ハ當然減少ス」ることを理由として商法舊第二一二條を適用した例がある（昭和二年二月二十八日東京控訴院判決、法律新聞二六八八號四頁）。尤もこの判旨の當否については疑問なきを得ない。

（５）獨逸法は通常の增資決議についても條件附增資決議についても、特にその決議の內容が特定種類の株主の利益を害すべき場合たると否とを問はず、各種類の株主の總會の決議を要するものとしてゐるが（獨逸株式法第一四九條第二項、第一六〇條第二項）、立法論としてはわが商法もかくすべきではなかつたであらうか（松本博士、上掲書一九八頁參照）。

（６）一般の定款變更決議に關する獨逸株式法第一四六條第二項の解釋として、その變更が間接にある種類の株主に對して他の種類の株主に對するよりも不利益であるといふのみでは未だ同條の適用なしとするのが通說である（Gadow u. andere, Aktiengesetz, Berlin 1939, Anm. 4 zum § 146; vgl. Staub-Pinner, HGB., 14. Auf. Anm. 4 zum § 275; a. M. Ritter, Aktiengesetz, Berlin u. München 1939, Anm. 3 zum § 146）。

（7）即ち商法第三四二條第二項に議案の要領といつてゐるのは、獨逸株式法第一四五條第二項に決議の重なる内容（wesentliche Inhalt）といふと異ならずと解すべきである。

（8）大隅教授、會社法論三八〇頁。

（9）大隅教授、上掲書三四二頁、田中教授、再訂增補會社法概論六〇〇頁、田中誠二教授、全訂會社法提要三一〇頁。

（10）反對、大隅教授、上掲書三五六頁。商法改正要綱第一五九第一號では、增加資本額を決議を以つて確定せしめるのみならずこれを定款に記載し且つ登記すべきものとせんとしてゐたのである。獨逸株式法の解釋としては擧つて增資額の確定が必要と解されてゐるのであるが（Schlegelberger u. andere, a. a. O., Anm. 5 zum § 160; Gadow u. andere, a. a. O., Anm. 2 zum § 160; Ritter, a. a. O., Anm. 4 zum § 160; Godin-Wilhelmi, a. a. O., Anm. 8 zum § 160）、獨逸株式法では條件附資本增加は轉換社債の發行と一應分離して規定されてゐるため特に增資額を明確にする必要があるのであつて、この點わが商法に於けると事情を異にする。

（11）それ故商法はこの差額を額面超過金と同樣に法定準備金に組入るべきものとしてゐる（商法第三六五條第三項）。

（12）獨逸株式法は現物出資を伴ふ條件附資本增加を認めてゐるが（同法第一六一條）、獨逸法の條件附資本增加は轉換權賦與のためのみならず通常の新株引受權の賦與のためにも許されてゐるのであるから、この間の事情はわが商法に於けると等しからず、現に獨逸でも轉換權賦與の場合には同法第一六一條の適用なきものと解されてゐるのである（vgl. Gadow u. andere, a. a. O., Anm. 1 zum § 161）。

（13）獨逸株式法第一六六條第二項第二文。

（14）かく解すれば多額の引受價格を約束した社債權者に對しては、或は轉換に當つて社債の一部を現金を以つて償還するものとするが如き定を爲す必要を生ずる場合もあるであらう。

（15）大隅教授、上掲書三八五頁參照。

（16）獨逸株式法第一六六條第二項第一文。

（17）vgl. Ritter, a. a. O., Anm. 4 zum § 166.

（18）vgl. Ritter, a. a. O.

（19）vgl. Schlegelberger u. andere, a. a. O., Anm. 5 zum § 160; Gadow u. andere, a. a. O., Anm. 2 zum § 160; Ritter, a. a. O., Anm. 4 zum § 160. 通常の增資決議の場合につき、vgl. Gadow u. andere, a. a. O., Anm. 4 zum § 149.

（20）この標準は、例へば社債の引受價格の多寡、抽籤もしくは社債の引受順によるとしてもよく、又は社債權者の轉換請求の順序に從ふものとすることも差支ないであらう。

（21）大隅教授、上掲書三五七頁。

（22）松本博士、商法改正要綱解說（法學協會雜誌五〇卷一三五頁）參照。

（23）vgl. Gadow u. andere, a. a. O., Anm. 6 zum § 159.

（24）vgl. Godin-Wilhelmi, a. a. O., Anm. 8 zum § 160; Gadow u. andere, a. a. O., Anm. 3 zum § 160.

（24）の2　轉換權は後述の如く新株式を引受け得べき權利であつて株式引受人としての權利ではないから、轉換權の移轉について權利株の讓渡に關する規定の適用なきことは勿論である（Schlegelberger u. andere, a. a. O., Anm. 1 zum § 164; Gadow u. andere, a. a. O., Anm. 3 zum § 164）。

（25）獨逸でも新株引受權と解されてゐるが（z. B. Ritter, a. a. O., Anm. 2 zum § 159）、それにも拘らず條件附增資による引受權行使の方式たる Bezugserklärung は株式引受の意思表示（Zeichnungserklärung）たると同時に會社に對する割當請求の意思表示（Schlegelberger u. andere, a. a. O., Anm. 1 zum § 165）又は株式引受の意思表示たると同時に會社のなしたる契約の申込に對する承諾の意思表示（Gadow u. andere, a. a. O., Anm. 1 zum § 165）というやうに理解されてゐるのである。然るにわが商法に於て轉換權行使の場合に會社の側の割當行爲を想定することは不可能である。このことはこの場合の割當を會社にとつて義務的のものと解しても異るところはない。何故ならば獨逸株式法に於ては轉換權行使後會社によつてなされる新株の發行によつてはじめて條件附增資がその效力を生ずるものとされてゐるからその間に於て會社の割當行爲の存在を想定することが出來るのであるが、わが商法上は轉換權の行使によつて當然に資本增加の效力を生ずるものとされてゐるため（尤も當該營業年度の終に於てこの效力を生ずるのではあるが）、その間に會社の割當行爲を定想定する餘を存しないのである。このことは轉換の請求が營業年度の終に接着してなされたゝめ事實上會社が割當行爲をなし得ざるが如き場合に於ても、わが商法上は當該年度の終に於て當然に增資の效力を生ずるものと見ざるを得ないことを考へても是認されねばならぬ。もしかくの如き場合に會社の割當行爲ありたるものとするが如き擬制的解釋を擇ぶならば、はじめから會社の割當を要せずして引受の效果を生じ得るものとする解釋の簡明なるに如かぬ。なほ Ruth, Eintritt und Austritt von Mitgliedern, ZHR., Bd. 88, S. 158 は獨逸商法の認める株主の法定新株引受權についても會社の割當を要せざるものと解してゐる。

（26）大隅教授、上揭書三五八頁。

（27）獨逸株式法第一五九條第四項。立法論としてわが商法にもこれと同樣の規定を設くべしとの主張がある（高窪博士、法學新報四四卷九號九頁）。

（28）Schlegelberger u. andere, a. a. O., Anm. 11 zum § 159; Gadow u. andere, a. a. O., Anm. 9 zum § 159.

（29）「之ニ依リテ引受權者ノ權利行使ニ付テ確實及敏速ヲ保障スルニ必要ナル法律的基礎ヲ設ク」（Amtlicie Begrundeng zum Aktiengesetz vom 1937)。

（30） 田中誠二教授（上掲書三一一頁）は通常の增資決議につき新株引受人に對する關係が生じてゐること及び會社債權者がこの決議に信頼を置くことを理由として、その效力發生前と雖も會社は隨意にこれを撤回し得ざるものと解してをられる。獨逸株式法の解釋としては、一般に定款變更の決議はその效力發生前に於てはこれを撤回し得るものとされてゐる (z. B. Schlegelberger u. andere, a. a. O., Anm. 5 zum § 148)。

（31） Ritter (a. a. O., Anm. 5, zum § 159) の如きは獨逸株式法の解釋として、假令同法第一五九條第四項の規定なしとするも總會決議は恰もそれが株主の固有權を害し得ざると同樣に第三者の引受權を害し得るものに非ずと説明し、總會決議の撤回を認める通説に反對してゐる。

（32） 獨逸株式法第一五九條第四項につきこの規定によつて條件附增資決議に反する總會決議が無效となるのは、條件附增資決議の登記ありたる後に限りそれ以前に於ては有效にこの決議を撤回又は變更し得るものと解されてゐるが (Schlegelberger u. andere. a. a. O., Anm. 11 zum § 159; Godin-Wilhelmi, a. a. O., Anm. 8 zum § 159)、その根據はいふまでもなく右の登記あるまでは轉換權が成立しないことである。從つて右の登記後に於ても轉換權者がその權利を拋棄するか又は轉換期間の定ある場合に於て轉換の請求を爲さずしてこの期間を經過するときは有效に條件附增資決議を撤回又は變更し得るものと解されてゐるのである (Gadow u. andere, a. a. O., Anm 9 zum § 159)。

（33） 獨逸株式法はわが商法と異つて通常の資本增加については株主の法定新株引受權を認め、株主のこの權利を除斥せんとするときは當該增資決議に於てその旨を決議することを要すとしてゐるのであるが（同法第一五三條）、條件附資本增加の場合には除斥の決議を俟つまでもなく當然に株主の法定新株引受權は成立せずと解されてゐる (Schlegelberger u. andere, a. a. O., Anm. 9 zum § 160)。

第四　條件附資本增加の效力の發生

一　條件附資本增加に於ても通常の資本增加の場合と同樣に資本增加の決議のみを以つては未だ會社の資本は增加せず、そのためには資本增加の實行を伴はねばならぬ。

二　條件附資本增加の實行は轉換權の行使によつて行はれる。

一、轉換權行使の方法　轉換權の行使卽ち轉換の請求は、轉換せんとする社債及び請求の年月日を記載し請求者の署名を附したる請求書二通に債券を添附してこれを會社に提出する方法を以つて行はれることを要する（商法第三六七條）。商法所定の要件を具備せざる請求書による轉換の請求は無效としなければならぬ。[1] 書面によらざる轉換の請求が無效たるべきことはいふまでもない。[2] 獨逸株式法は特に請求者の權利を制限する內容を有する轉換請求の意思表示を無效とする規定を置いてゐるが、[3] 後述の如く轉換の請求は株式引受の意思表示たる性質を有するものであるから、通常の株式申込の意思表示に於けると同樣この性質と矛盾するが如き條件又は期限を附したる轉換の請求は一般に無效と解すべきである。なほ請求書の記載に脫漏あるとき後にこれを補正してこの時より新たなる轉換の請求としてその效力を生ぜしめ得べきことは勿論である。[4]

イ、商法が請求書二通を必要とする所以は一通を會社に保存し他の一通を轉換の請求を證するため轉換登記申請書に添附するために外ならぬから（非訟事件手續法第一八九條の二參照）、唯一通の請求書を以つてする轉換の請求も無效に非ずと解する。[5]

ロ、轉換すべき社債につき債券の發行なき――實際にはかくの如き場合は極めて稀であらうが――ときは、固より債券の提出を要せず請求書のみを以つて轉換の請求をなし得る。

二、轉換權行使の期間　轉換請求の期間は條件附資本增加の決議に於て定められ（商法第三六四條第二項）、轉換權はこの期間內に行使せられざる限り次段所述の效果を生じ得ない。

三、轉換權行使の效果

イ、轉換權の行使により株式に轉換された社債は消滅し、轉換社債權者たる地位を喪失する。

ロ、他方條件附資本增加は轉換の限度に於てその效力を生じ、轉換社債權者は當然に新株式の株主となるに至る。

ハ、右の如き效果は轉換の請求と同時に認められるものではなく、轉換はその請求をなしたる時の屬する營業年度の終に於てはじめてその效力を生ずる（商法第三六八條、第三六二條）。

ニ、轉換權行使の特殊の效果として、轉換せられた社債を目的とする質權は當然に新株式の上に成立することゝなる（商法第三六八條、第二〇八條）。

ホ、それと同時に資本に關する定款變更の決議としての條件附資本增加の決議はその效力を發生し、會社の定款はこの時より變更することゝなる。[6]

三　轉換權の行使により轉換社債權者が社債權を喪失して新株式の株主となることは上述の如くであるが、この過程の法律的構成は社債權を現物出資とする新株式の引受としてこれを理解すべきものと信ずる。[7] 唯通常の資本增加又は會社設立の場合の株式申込證に基く株式の引受が會社の側の割當・出資の履行その他の手續の終了を俟つてはじめてその效力を生ずるに對して、轉換權の行使による株式引受の場合には出資の履行は豫め轉換の請求と同時になされてをり且會社の側の割當行爲も必要でないため、轉換權の行使により當該營業年度の終了と共に轉換權者たる社債權者が新株式の株主となり得る點に特色を存するのである。

イ、この場合の新株の引受を社債の現物出資によるものと解する限り、通常の資本增加の場合の現物出資に關する規定がこの場合についても適用せらるべきに非ざるかゞ一應疑問となるが、通常の資本增加の場合の現物出資に關する規定は總べてこれを轉換權の行使の場合に適用することを無用又は困難ならしむべき内容を有するものゝみであるから、この點は消極的に解釋しなければならぬ。即ち條件附資本増加の決議に於ては既に轉換すべき社債の内容及び金額・轉換權者・新株式の内容等が定められるものであるから更に商法第三百四十八條第二號を適用することは無用といはざるを得ず、又轉換權の行使による資本増加の場合には増資報告總會は認められぬから商法第三百五十一條以下の現物出資に關する規定の適用は困難であり、更に轉換權の行使による新株の引受は株式申込證によるものでないから商法第三百五十條第五號をこの場合に適用する餘地は全く存しないのである。(8)

ロ、轉換權の行使により新株式の引受を生ずるものと解するならば、轉換の請求は株式引受の意思表示たる性質を有するものと見なければならぬ。然るときは通常の資本増加の場合の株式の申込に關する規定がその請求についてもその適用を見るべきに非ざるかの疑問を生ずるのであるが、この疑問に對しても前段所述の理由と同様の理由により概してその適用なきものと解せざるを得ない。唯株式の申込について心裡留保に關する民法第九十三條但書の規定の適用を除外する規定（商法第三七〇條第一項、第一七五條第四項）及び資本増加の效力發生後に於ける株式引受の無效又は取消の主張を制限する規定（商法第三七〇條第一項、第一九一條）のみは、轉換の請求についても適用乃至準用(9)を見るものと解釋しなければならぬ。[10] 蓋し株式引受の意思表示につき民法の意思表示に關する一般法則を變改する規定を必要ならしむる根據を株式引受行爲の特性[11]に求むるにせよ將又この行爲によつて生ぜしめられる對公衆的結果に歸するにせよ、[12] この事情は株式申込證による株式引受の意思表示たるとこれによらざる株式引受の意思表示たるとに從つて相違するところはないからである。[13]

（1） 獨逸株式法第一六五條第二項第二文參照。 vgl. auch Schlegelberger u. andere, Aktiengesetz, 3. Auf., Anm. 6 zum § 165. 但しこの無效の瑕疵は後述の如く資本增加の效力の發生によつて治癒されるものと解すべきである。

（2） Gadow u. andere, Aktiengesetz, Berlin 1939, Anm. 2 zum § 165.

（3） 獨逸株式法第一六五條第二項第二文。

（4） vgl. Schlegelberger u. andere, a. a. O., Anm. 7 zum § 165.

（5） vgl. Gadow u. andere, a. a. O.

（6） Schlegelberger u. andere, a. a. O., Anm. 2 zum § 167.

（7） 大隅教授、會社法論三五八頁參照。 vgl. auch Ritter, Aktiengesetz, Berlin u. München 1939, Anm. 4 zum § 162; Godin-Wilhelmi, Aktiengesetz. Berlin u. Leipzig 1937, Anm. 2 zum § 161; Teichmann-Koehler, Aktiengesetz, Berlin 1939, Anm. 3 d) zu §§ 159—168.

（8） 獨逸株式法第一六一條第一項第二文は新株と交換に行ふ社債券の交付は現物出資と看做さずとして特にこの趣旨を明らかにしてゐるが、かくの如き規定なくとも解釋上本文所述の如く同樣の結果を得ることが出來る（尤も獨逸株式法は現物出資による條件附增資を認めてゐるからこの規定は社債以外の現物出資に關する條件附增資の規定を社債券の交付について適用せざる趣旨をも含むのである)。

(9) 轉換請求の場合には轉換請求書の欠缺を理由とする無效の主張が增資の效力發生後は禁止されることゝなる。

(10) vgl. Schlegelberger u. andere, a. a. O., Anm. 5 zum § 165; Gadow u. andere, a. a. O., Anm. 1 zum § 165.

(11) 株式引受行爲の性質を、契約と解すべきか一方行爲と見るべきか、或は合同行爲を以つて說明すべきか將又社會法上の合意たる點にその特性を認むべきかにつきまことに異論の多いところであることは周知の如くである。

(12) vgl. Schlegelberger u. andere, a. a. O., Anm. 10 zum § 2.

(13) 株式引受行爲の性質は會社設立の場合の引受たると資本增加の場合の引受たるとに從つて異なるものでもない (vgl. Ruth, Eintritt und Austritt von Mitgliedern, ZHR., Ed. 88, SS. 454 ff.; Gierke, Handelsrecht und Schiffarhtrecht, 5 Auf., S. 306; Schlegelberger u. andere, a. a. O., Anm. 3 zum § 152; Gadow u. andere, a. a. O., Anm. 1 zum § 152)。

第五　條件附資本增加の登記

一　轉換社債の轉換によりその限度に於て、一方資本增加の效果を生ずると同時に、他方社債減少の效果を生ずべきことは上述の如くであるが、この資本の增加及び社債の減少は本店の所在地に於ては每營業年度の終より一月內に、支店の所在地に於ては本店の登記後二週間內にこれを登記しなければならぬ(商法第三六九條)。登記の申請は總取締役及び總監查役これを行ひ、この登記申請書には社債轉換請求書を添附することを要する（非訟事件手續法第一九五條、第一八九條の二）。この場合の登記事項は前營業年度中になされた轉換の請求に基いて生じた增加資本の總額及び減少社債の總額であり、登記申請書の添附書類は社債轉換請求書に限られてゐるのであるが、これを通常の資本增加の登記の場合と比照して考察すれば、登記事項としては新株式の內容をも必要とし（商法第三五七條第二項第四號）、又添附書類には資本の增加に關する總會の議事錄をも必要とするが如くであるが（非訟事件手續法第一八九條第四號）、條件附資本增加の場合には既に轉換社債の登記に於て新株式の內容が登記されてをり（商法第三六六條第二項）、又この登記の申請書の添附書類として既に社債の募集に關する總會卽ち條件附資本增加に關する總會の議事錄が提出されてゐるから（非訟事件手續法第一九一條第二項第五號）、後の條件附資本增加の登記に於て重ねてこれを要求する必要は認められないのである。

二　通常の資本增加の登記にはこれによつてはじめて增資の效力を發生せしむべき設權的效力が認められてゐるが（商法第三五八條第一項）、これに反して條件附資本增加の登記は既に轉換の請求に基いて效力を生じてゐる資本の增加についてなされるものであり、從つてこの登記は單に宣言的又は認證的效力を有するに過ぎない[1]。

三　右に述べたところと照應して、通常の資本增加の登記の特殊の效果として認められてゐる新株式に對する株劵發行の許容（商法第三七〇條第三項、第二六二條參照）は、この場合には增資登記の效果としてゞはなく既に轉換權行使の效果としてこれを認めなければならぬ。[2]

（1） vgl. Schlagelberger u. andere, Aktiengesetz, 3. Auf., Anm. 1 zum § 168; Gadow u. andere, Aktiengesetz, Berlin 1939, Anm 1 zum § 167; Godin-Wilhelmi, Aktiengesetz, Berlin u. Leipzig 1937, Anm. zum § 167.

（2） 通常の增資登記の他の特殊の效果として認められてゐる權利株讓渡の禁止の解除は條件附資本增加の場合には問題とならぬこと及び株式申込の無效又は取消の主張の制限はこの場合には轉換權の行使について認めらるべきことは既に前に述べたところである。

むすび

以上轉換社債の發行を目的とする條件附資本增加に關聯して生じ得べき諸種の解釋上の問題について一應の解明を試みたのであるが、この制度がわが國に於ては勿論わが商法がそれに範を採つた獨逸に於てもまことに新しい制度であるため、本稿の執筆に當つて利用し得た資料乃至文獻が著しく貧弱なるを免れず、それがために十分滿足すべき結果を得られなかつたと思はれる點も尠くない。この點は執筆者として遺憾に堪へないところではあるが、それにしても從來わが國に於て比較的纏つた研究の乏しい轉換社債制度の研究上いさゝかでもこの小論が役立つことがあれば筆者の幸甚とするところである。なほ條件附資本增加の部分の研究のみを以つて轉換社債制度の研究の全部を盡すものでないことはいふまでもないが、しかしこの部分がこの研究の中核を形造るものであることは疑なくまたこの部分に特に多くの解釋上の問題が包藏されてゐることも否定し難い。かくの如き考慮に基き本稿に於ては轉換社債制度研究の第一歩として先づこの部分を中心とする考察を試みた次第である。

（17・4・31稿了）

（をはり）

日本出版文化協會會員番號　第一三七〇〇七號

昭和十八年五月二十日印刷
昭和十八年五月二十五日發行
（五七〇部）

政學科研究年報　第八輯

㊝ 定價 金五圓貳拾錢

（出文協承認 あ380413號）

編者　代表者 臺北帝國大學政學科研究會
楠《くす》井《ゐ》隆《りゆう》三《ざう》

發行者 江草四郎
東京市神田區神保町二丁目十七番地

印刷者 柏木榮一
東京市神田區鎌倉町十九番地

發行所 東京市神田區神保町二丁目十七番地
書肆有斐閣
本店 電話九段三二二一・三二二二 振替口座東京三七〇番
本郷支店 東京市本郷區帝大正門前 電話小石川一九二〇番

配給元 東京市神田區淡路町二丁目九番地
日本出版配給株式會社

明治印刷株式會社（東東36）